L'intégralité de votre livre accessible en ligne
avec une simple connexion Internet !

+ des outils utiles et intuitifs :
- sommaire interactif
- surlignage en couleurs
- notes personnelles
  et marque-page

Pour ACTIVER votre livre-web

Rendez-vous sur http://livre-web.com/

Pour activer un livre web, saisissez votre clé d'activation personnelle puis le mot du livre qui vous sera demandé.

Votre clé d'activation personnelle :

C55944-WA8-K73G

Pour toute CONNEXION ULTÉRIEURE

Connectez-vous sur http://livre-web.com/ avec vos identifiants **CLE.**

IMPORTANT

Votre clé d'activation est unique et personnelle : une fois utilisée, elle ne sera plus valide. Elle est réservée à un seul utilisateur et ne peut être partagée.
Configuration minimale requise : Internet Explorer 8, Mozilla Firefox 3.4, Chrome, Safari, Opera toutes versions.
Retrouvez les conditions générales d'utilisation sur http://livre-web.com/

www.cle-inter.com

écho

MÉTHODE DE FRANÇAIS

2e édition

J. Girardet / J. Pécheur
avec la collaboration de
C. Gibbe

CLE
INTERNATIONAL
www.cle-inter.com

B1.2

Direction éditoriale : Béatrice Rego
Édition : Isabelle Walther
Conception graphique : Marc Henry
Mise en pages : Nada Abaïdia, Valérie Klein/Domino
Iconographie : Danièle Portaz, Clémence Zagorski
Illustrations : Chantal Aubin
Cartographie : Jean-Pierre Crivellari (cartes p. 148, 149) – Paco (icones sur la carte p. 149)

Introduction

Écho nouvelle édition

Écho est une méthode de français langue étrangère qui s'adresse à de grands adolescents et à des adultes débutants ou faux débutants.

Elle est conçue à partir de supports variés qui reflètent les intérêts et les préoccupations de ce public. Elle s'appuie le plus possible sur des activités naturelles, plus proches de la conversation entre adultes que de l'exercice scolaire. Elle cherche aussi à concilier le dosage obligé des difficultés avec le besoin de posséder très vite les clés de la communication et de s'habituer à des environnements linguistiques riches.

Cette nouvelle édition propose des supports d'apprentissage actualisés. Par ailleurs, dans ce livre comme dans le cahier personnel d'apprentissage, on trouvera une adresse internet et un code permettant de consulter en ligne tous les éléments de la méthode ainsi que des matériaux complémentaires : documents au plus près de l'actualité (*Les échos d'Écho*) et exercices interactifs.

Une approche actionnelle

Par ses objectifs et sa méthodologie *Écho* s'inscrit pleinement dans le Cadre européen commun de référence pour les langues (CECR).

Dès la première heure de cours, **l'étudiant est acteur. La classe devient alors un espace social** où s'échangent des informations, des expériences, des opinions et où vont se construire des projets. De ces interactions vont naître le désir de maîtriser le vocabulaire, la grammaire et la prononciation, le besoin d'acquérir des stratégies de compréhension et de production et l'envie de mieux connaître les cultures francophones.

Parallèlement, des **activités de simulation** permettront aux apprenants d'anticiper les situations qu'ils auront à vivre dans des environnements francophones.

Chaque niveau de *Écho* prépare un niveau du CECR et du DELF (Diplôme d'études en langue française).

Une progression par unités d'adaptation

Écho se présente comme une succession d'unités représentant chacune entre 30 à 40 heures d'apprentissage. Une unité comporte 4 leçons.

Chaque unité vise l'adaptation à un contexte et aux situations liées à ce contexte. Par exemple, dans l'unité 1 « Découvrir un environnement », l'adaptation consiste à préparer l'étudiant, à s'orienter dans un milieu naturel ou urbain, à s'informer sur sa culture et à utiliser les moyens de transport.

Ce deuxième volume de *Écho B1* compte trois unités.

La possibilité de travailler seul

Le cahier personnel d'apprentissage, accompagné d'un CD, permet à l'étudiant de travailler en autonomie après les cours. Il y retrouvera le vocabulaire nouveau (à l'écrit et à l'oral), pourra vérifier la compréhension d'un texte ou d'un document sonore étudié en classe et s'exercera à l'automatisation des formes linguistiques. Ce cahier s'utilise en relation avec les autres outils de référence, nombreux dans les leçons et dans les pages finales du livre (tableaux de grammaire, de vocabulaire, de conjugaison).

L'accès à différents matériaux en ligne contribue également à l'autonomie de l'étudiant.

L'évaluation des savoir-faire

• À la fin de chaque unité, l'étudiant procède avec l'enseignant **à un bilan** de ses savoirs et de ses savoir-faire.

• Dans **le portfolio,** l'étudiant notera les différents moments de son apprentissage ainsi que ses progrès en matière de savoir et de savoir-faire.

Structure du livre de l'élève

LA PAGE D'OUVERTURE

- Une leçon 0 (niveau A1 uniquement)
- 3 Unités comprenant chacune :
  - 1 double page « Interactions »
  - 1 double page « Ressources »
  - 4 pages « Projet » ou « Simulation »
- À la fin de chaque unité :
  - 4 pages « Bilan »
  - 3 pages « Projet »

- Des annexes :
  - Un aide-mémoire avec des tableaux de conjugaison
  - Les transcriptions des enregistrements
  - 2 cartes de France
- Un DVD-Rom audio et vidéo (niveaux A1 et A2)
- Un portfolio

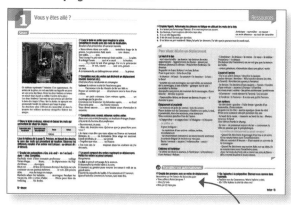

Objectifs de communication

LE DÉROULEMENT D'UNE UNITÉ (4 LEÇONS)

• 1 double page Interactions

Un ou plusieurs documents permettent aux étudiants d'échanger des informations ou de s'exprimer dans le cadre d'une réalisation commune. Ces prises de parole permettent d'introduire des éléments lexicaux et grammaticaux.

• 1 double page Ressources

Pour chaque point de langue important, ces pages proposent un parcours qui va de l'observation à la systématisation. Les automatismes et les incidences de la grammaire sur la prononciation sont travaillés dans la partie « Travaillez vos automatismes ».

• 4 pages Simulation ou 4 pages Projet

Ces quatre pages sont organisées selon certains scénarios ou schémas d'actions qui structurent les activités humaines.

Chaque scénario comporte un certain nombre de tâches de compréhension ou d'expression. Par exemple, défendre une cause suppose qu'on prépare une argumentation, fasse l'historique d'un problème, rédige une pétition ou une lettre ouverte, adhère à une association.

Deux types de schémas d'actions alternent selon les leçons :
- les simulations, suite de tâches organisées selon une situation globale (faire face à des problèmes de santé) ;
- les projets, suite de tâches convergeant vers une réalisation concrète (tenir un blog, défendre un projet).

À LA FIN DE CHAQUE UNITÉ

• 4 pages Bilan

Ces 4 pages permettent de vérifier les capacités de l'étudiant à transposer les savoir-faire qu'il a acquis.

• 3 pages Évasion et Projet

Ces pages sont prévues pour inciter les étudiants à s'évader de la méthode pour aller lire et écouter du français par d'autres moyens. Elles proposent à l'étudiant un projet de réalisation concrète.

• 1 portfolio
L'étudiant notera dans le portfolio les étapes de son apprentissage, ses expériences en français en dehors de la classe et les différentes compétences qu'il a acquises.

LE SITE INTERNET COMPAGNON

Actualiser, localiser, enrichir, dynamiser, animer

Pour tous les utilisateurs de la méthode, le site compagnon d'Écho offre régulièrement, en accès direct ou téléchargement gratuit, des contenus mis à jour. L'exemple d'un modèle de réactivité et d'interactivité.

Actualiser : *Les échos d'Écho* sont des documents didactisés consacrés à des faits culturels français et internationaux récents. Ils suivent la progression de la méthode et vous proposent, pour chacune des 16 unités, du niveau B1 au niveau B2, des ressources pédagogiques alternatives ou complémentaires aux pages civilisation des manuels.

Localiser : Les lexiques multilingues, c'est le vocabulaire des 5 niveaux en anglais, espagnol, portugais (brésilien), chinois (mandarin simplifié) et arabe (standard moderne). Le site compagnon propose également ce vocabulaire en podcast mp3.

Enrichir : L'audio de la leçon zéro du niveau B1 : Pour tirer le meilleur parti de cette leçon d'introduction au français, ses dialogues sont désormais disponibles en podcast mp3.

Dynamiser : 24 nouvelles activités interactives par niveau. Projetées en classe par l'enseignant ou exécutées en autonomie par l'apprenant, elles permettent de préparer, réviser ou prolonger le cours de manière ludique.

Animer : Les versions karaoké des dialogues sont des animations qui permettent d'attribuer un ou plusieurs rôles à un ou plusieurs étudiants. Idéal en projection ou sur TBI.

http://www.cle-inter.com/echo/

ÉCHO POUR TBI ET VIDÉOPROJECTION

Tous les niveaux de *Écho* disposent d'une version numérique collective pour moduler, varier et dynamiser l'apprentissage en classe.

En complément des ouvrages ou versions numériques individuelles de la collection *Écho* utilisés par les élèves, une solution numérique simple, souple et complète pour l'enseignant :
• **Pas d'installation**
• **Pour tous les TBI**
• **Utilisable également en vidéo projection simple ou sur ordinateur (Mac/PC)**
• **En situation de classe ou pour préparer le cours**
• **Tous les composants de la méthode (Livre de l'élève, Cahier personnel d'apprentissage, Guide pédagogique, Fichier d'évaluation)**
• **Accès direct à tous les contenus (pages, images, audio, vidéo, exercices interactifs)**
• **Navigation linéaire ou personnalisée**
• **De nombreux outils et fonctionnalités**

Nouvelles fonctionnalités :
• Insertion par l'enseignant de ses propres documents (texte, image, audio, vidéo, présentation...)
• Création, organisation, sauvegarde et partage de ses séquences contenant pages, ressources Écho et personnelles
• Nouveaux exercices plus nombreux, corrigés
• Dialogues en « karaoké » permettant l'attribution de rôles à un ou plusieurs étudiants
• Enregistrement production orale
• Export PDF page à page
• Mise à jour gratuite en cas de nouvelle version
• Guide d'utilisation vidéo (en ligne)
• Disponible sur clé USB avec 2Go d'espace personnel (ou plus selon niveau)

ÉCHO VERSION NUMÉRIQUE INDIVIDUELLE

Tout papier, tout numérique ou bi-média, *Écho* donne le choix aux étudiants !

Cette version numérique individuelle peut remplacer les livres ou les compléter pour ceux qui souhaitent disposer d'un ouvrage papier et d'une version numérique selon le contexte d'utilisation. On peut aussi préférer un livre élève papier pour la classe et un cahier d'exercices numérique pour une utilisation autonome fixe ou nomade.
• **L'application élève** contient le livre, son portfolio, un accès direct à tous les audios, toute la vidéo (B1 et B2). Les bilans et le portfolio sont interactifs.
• **L'application exercices** contient le cahier personnel d'apprentissage entièrement interactif.

Au total, 1 500 exercices interactifs sur 5 niveaux !
Selon le type d'exercice, autocorrection, score et corrigés sont directement accessibles.
Simple d'utilisation, l'application permet une navigation par page ou un enchaînement direct des exercices. Toutes les réponses aux exercices, les scores, les annotations sont enregistrés.

Disponible pour :
• iPad (sur AppStore)
• PC/MAC offline (clé USB en vente en librairie)
• PC/MAC online, incluse en **livre-web** dans le Livre de l'élève et le Cahier personnel d'apprentissage

Unité 1 Découvrir un environnement

	LEÇONS			
	1 **Vous y êtes allé ?** p. 10	**2** **C'est la tradition** p. 18	**3** **Un problème ?** p. 26	**4** **Attention fragile !** p. 34
Grammaire	• Prépositions et adverbes de localisation et de déplacement • Construction et emploi des verbes de déplacement • Le préfixe *re-*	• Formes et constructions propres à la définition • Constructions avec pronoms relatifs (*dont, à qui, auquel, lequel, duquel*)	• Formes de l'obligation • Formes impersonnelles (*il est nécessaire de...*) • Formes de substitution : substituts lexicaux et pronoms • Expressions argumentatives en début de phrase : *en revanche, certes, or*, etc.	• Situation dans le futur (imminence, antériorité, durée, etc.) • Futur antérieur • Subjonctif et conditionnel dans l'expression des sentiments
Vocabulaire	• Le paysage • Les sensations et les perceptions	• Les rites et les traditions • Les fêtes • Les compétitions	• La voiture et la conduite automobile • La météo • La satisfaction et la déception	• L'écologie et la protection de l'environnement • L'urbanisme • Évolution et changement • La consommation
Discours en continu et interactions	• Décrire des activités liées à l'environnement naturel • Présenter des diapositives de voyage • Décrire des impressions et des sensations	• Demander et donner la définition d'une notion • Décrire une fête ou une activité folklorique • Raconter une légende	• Exprimer l'obligation et l'interdiction • Commenter un sondage sur la sécurité routière • Se débrouiller en cas de problèmes lors d'un voyage (voiture, conditions de circulation, hébergement, etc.)	• Reformuler des informations écrites • Présenter une réalisation ou une expérience en relation avec des préoccupations écologiques
Prononciation	*le [ə] – opposition entre [ø] et [œ] – les voyelles nasales*			
Compréhension des documents oraux	• Émission radio : récit d'un pèlerin de Saint-Jacques-de-Compostelle • Présentation de photos de l'île de la Réunion	• Micro-trottoir : opinions sur les bizutages • Conversation : la fête de Noël en Suède et en Espagne	• Micro-trottoir : opinions sur la circulation à Paris • Émission radio : le point route et la météo	• Émission radio : conseils pour être éco-citoyen • Interview : une maison écologique
Compréhension des textes	• Extrait d'un guide des vacances utiles • Extrait d'un ouvrage touristique	• Test de connaissances • Article de dictionnaire • Extraits d'ouvrage de voyage (récit de légendes, descriptif de manifestations traditionnelles)	• Sondage sur la circulation automobile • Statistiques (sécurité routière) • Dialogue d'humoristes	• Extrait d'ouvrages polémiques et d'articles de presse sur l'écologie • Extraits de presse (réalisation d'urbanisme, consommation et mode de vie)
Écriture	• Rédaction d'un carnet de voyage (descriptif d'itinéraire et de paysages, présentation de la population)	• Récit d'une légende • Brève description d'une fête ou d'une manifestation folklorique	• Rédaction d'une lettre ou d'un message de satisfaction ou de réclamation	• Rédaction d'un projet personnel de mode de vie (choix de l'environnement, mode d'alimentation, etc.)
Civilisation	• Les vacances utiles (chantiers de rénovation, etc.) • Sites touristiques originaux • Les territoires français dans le monde (historique, l'île de la Réunion)	• Les régions traditionnelles en France et leurs caractéristiques • Folklore et traditions en Languedoc et en Provence • Noël en Allemagne, en Suède et en Espagne	• Le réseau routier en France • Le code de la route • Deux humoristes : Chevallier et Laspalès	• Les parcs naturels régionaux en France et en Afrique • Réalisations d'urbanisme en Europe (Pays-Bas, Finlande) • Nouveaux modes de consommation (proximité avec le producteur, autarcie, etc.)

Évaluation p. 43 **Évasion :** ...dans les chansons **p. 46** **Projet :** La petite fabrique de chansons **p. 46**

Unité 2 S'intégrer dans un milieu professionnel

	LEÇONS			
	5 **Beau parcours** p. 50	**6** **Comment on s'organise ?** p. 58	**7** **Bon produit** p. 66	**8** **Une affaire qui marche** p. 74
Grammaire	• Chronologie des événements • Expression de la postériorité, de l'antériorité et de la simultanéité • Début, continuation et fin de l'action	• Discours rapporté • Expression de la condition et de la dépendance • Expression de la concession • Expression de la restriction	• Expression de la ressemblance et de la différence • Expression de la comparaison	• Nominalisation des actions et des qualités • Transformation passive • Procédés de mise en valeur du nom et du verbe
Vocabulaire	• Les secteurs de l'emploi • La carrière • Les qualités et les défauts professionnels	• Les professions • La vie dans l'entreprise • Entente et mésentente	• L'organisation • La description d'un produit • Le fonctionnement des services et des objets	• L'économie • Le développement de l'entreprise • L'argent et la finance
Discours en continu et interactions	• Raconter un parcours professionnel • Participer à un entretien d'embauche	• Exposer des faits et des idées en relation avec des conditions de travail • Demander et négocier avec une hiérarchie • Résoudre des problèmes relationnels avec des collègues	• Présenter un objet, décrire son aspect physique et son fonctionnement • Faire l'expertise d'un produit (parler de ses qualités, de ses défauts et de sa validité)	• Présenter un projet à caractère économique ou commercial • Présenter une entreprise • Participer à une réunion (prendre, donner, garder la parole, etc.)
Prononciation	*différenciation entre consonnes sourdes et sonores*			
Compréhension des documents oraux	• Interview : récit du parcours professionnel d'une comédienne • Opinion de deux recruteurs à propos d'un candidat	• Émission radio : interview d'un médecin du travail • Interview : récit d'une expérience professionnelle	• Micro-trottoir : l'avenir du livre • Émission radio : les contrefaçons	• Extrait d'une conversation : opinions sur un nouveau téléphone portable • Émission radio : éloge du désordre dans l'entreprise
Compréhension des textes	• Articles de presse : récits de parcours professionnels • Offres d'emploi • Conseils aux demandeurs d'emploi	• Forum Internet sur les conditions de travail • Bande dessinée sur l'entreprise • Article de presse : vie de famille et travail	• Extraits de magazines : produits à la mode et produits novateurs • Extrait d'ouvrage de marketing : l'entreprise Afflelou • Document d'entreprise : note sur un nouveau produit	• Articles de presse : projet d'investissement, présentation de l'entreprise Leroy Merlin • Compte rendu de réunion
Écriture	• Rédaction d'un CV • Rédaction d'une lettre de motivation	• Rédaction de lettres à caractère administratif propre à la vie professionnelle (demande de congé, réclamation, etc.)	• Description de produits • Rédaction d'une enquête • Rédaction d'un projet	• Prise de notes au cours d'une réunion • Rédaction d'un compte rendu
Civilisation	• La promotion sociale • Règles et comportement en matière de demande d'emploi	• Les relations dans l'entreprise • Droit du travail et syndicats	• Les tendances en matière de nouveaux produits	• Caractéristiques des entreprises françaises • Le comité d'entreprise • Le rôle de l'État et des régions dans le développement économique

Évaluation p. 83   **Évasion :** ...au cinéma **p. 86**   **Projet :** Tous scénaristes **p. 86**

Unité 3 Se distraire et se cultiver

	LEÇONS			
	9 Où est la vérité ? p. 90	**10** Faites vos jeux ! p. 97	**11** Belle histoire ! p. 106	**12** C'est ma passion p. 114
Grammaire	• Expression de la possibilité et de l'impossibilité • Emplois du conditionnel • Raisonnement par hypothèse	• Généralisation et particularisation • Constructions négatives • Constructions avec deux pronoms	• Passé simple et passé antérieur • Inversion du sujet • Situation dans le temps	• Propositions participes • Enchaînement des idées (convergence et opposition des idées)
Vocabulaire	• Les médias et l'information • La justice • La religion	• Les jeux • Humour et jeux de mots	• La littérature • Le cinéma • Le théâtre	• Les voyages • Les sports • Les loisirs artistiques et créatifs
Situations orales en continu et interactions	• Relater une information d'actualité • Commenter cette information (véracité, cause, etc.) • Raconter une affaire judiciaire • Raconter un épisode de l'histoire	• Présenter la règle d'un jeu • S'exprimer en jouant • Jouer avec les mots	• Raconter l'intrigue d'une œuvre de fiction • Donner son opinion sur une œuvre littéraire • Donner son opinion sur un film ou une pièce de théâtre	• Présenter une activité de loisir • Mettre en valeur cette activité • Discuter de ses avantages et de ses inconvénients
Prononciation	*opposition entre voyelles sourdes et sonores – prononciation du [j] – intonation des phrases interrogatives, négatives et exclamatives*			
Compréhension des documents oraux	• Émission radio : le journal du 8 août • Interview : récit d'une escroquerie	• Émission radio : opinion sur les jeux vidéo • Règle du 421	• Interview : *Saga* de Tonino Benacquista • Interview : la pièce de théâtre *Le Diable rouge*	• Émission radio : le Québécois Jean Béliveau fait le tour du monde à pied • Émission radio : éloge de la marche à pied par Michel Serres
Compréhension des textes	• Extraits d'ouvrages sur les médias • Récits et commentaires d'épisodes historiques	• Test sur les habitudes en matière de jeux • Instructions et directives sur les jeux et les tours de magie • Instructions pour tirer les cartes à quelqu'un	• Extraits de romans francophones • Extrait d'ouvrage : présentation critique d'un roman • Extrait de presse : compte rendu critique d'un film	• Extraits d'un ouvrage sur les loisirs insolites • Différents documents de sites Internet sur les loisirs
Écriture	• Récits et opinions à propos d'une affaire judiciaire	• Écrits en rapport avec les jeux de mots (mots croisés, rébus, etc.)	• Résumé d'œuvres de fiction • Rédaction d'opinions sur un livre ou un spectacle	• Présentation d'activités sportives, artistiques ou créatives (sur un site Internet, dans un message ou une lettre familière)
Civilisation	• La télé-réalité • Les sondages et l'information • Affaires judiciaires célèbres • Le personnage de Jeanne d'Arc	• Les Français et les jeux	• La littérature (B. Werber, M. NDiaye, P. Chamoiseau, C. Beyala, F. Sagan) • Le cinéma français aujourd'hui	• Activités de loisirs en France • Le réseau associatif

Évaluation p. 123   Évasion : ... dans l'humour p. 126   Projet : Tous humoristes p. 126

Unité 1
Découvrir un environnement

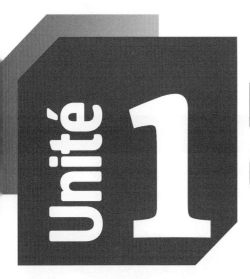

Pour **connaître un nouvel environnement** et **vous y adapter**, vous allez apprendre à...

...**situer et décrire** un milieu naturel ou urbain, **vous orienter** dans ce milieu, **vous informer** sur sa culture propre (traditions, légendes, fêtes, cuisine)

...**utiliser** les moyens de transport en commun ou la voiture

...**agir** pour **protéger** ou **améliorer** cet environnement

Vous y êtes allé ?

VOYAGER AUTREMENT

Passer l'été chez l'oncle du Poitou ou quinze jours au club Med à Marrakech, camper avec les copains dans le Jura... Il existe mille et une façons de voyager.
En voici quelques-unes moins banales. Laissez-vous tenter.

Restaurer un village en Provence

À 25 kilomètres d'Avignon, Saint-Victor-la-Coste est un site médiéval classé, adossé à une colline et désigné comme l'un des plus beaux villages de France. Depuis 1969, l'association La Sabranenque a restauré une quinzaine de maisons dans ce site unique. Vous y travaillerez en participant à des actions concrètes de sauvegarde sur le site du Castellas, château en ruines de Saint-Victor-la-Coste, ou au château de Gicon, près de Chusclan.

Votre rôle

Vous apprendrez des techniques simples et facilement accessibles avec des professionnels expérimentés. Les travaux sont divers : maçonnerie en pierre, taille de pierre pour les ouvertures de fenêtres et de portes, charpente simple pour plafonds et toitures, toitures en tuiles rondes, carrelages, pavage de chemin, murs en pierres sèches...

Programme

Vous travaillerez le matin, du lundi au vendredi et, selon les sites, pendant une courte période l'après-midi. Le temps libre permet de découvrir les environs et de rencontrer les autres participants. Une visite de la région est organisée pendant vos deux semaines de chantier. Par exemple, à partir de Saint-Victor-la-Coste, vous passerez un samedi matin à Uzès avec son marché coloré, et après un pique-nique, vous visiterez le pont du Gard, spectaculaire aqueduc romain.

Construction à l'ancienne du château fort de Guédelon, en Bourgogne.

Compter la faune d'un parc naturel au Cameroun

Le parc naturel de Waza s'étend sur environ 170 000 hectares et a été classé réserve de biosphère par l'Unesco. Sa gestion nécessite chaque année un dénombrement terrestre de la faune, dont l'objectif est de suivre la dynamique des populations des différentes espèces animales du parc. Cela permettra de mieux orienter les décisions de gestion du potentiel faunique existant. Par leur parfaite connaissance des animaux, les gardes armés et les pisteurs assurent la sécurité ; la plupart vivent en brousse depuis plus de 40 ans. Ils connaissent le terrain sur le bout des doigts, mais ne sont pas alphabétisés, ils ne peuvent donc faire les comptages seuls.

Votre rôle

Vous mènerez à bien le projet de comptage, accompagnés par des gardes armés et des pisteurs, sous la direction du conservateur du parc.

Héloïse Wirth, *Partir autrement*,
© 2006, Pearson Education France, Paris.

Suivre les pas d'un écrivain

Les écrivains sont souvent de grands voyageurs. À la fin du XIXe siècle, R.L. Stevenson, écrivain écossais, auteur du célèbre *Docteur Jekyll and Mister Hyde*, a traversé les Cévennes, au sud du Massif central, avec un âne pour seul compagnon. Il a raconté son voyage dans *Voyage dans les Cévennes sur un âne*.

Aujourd'hui, l'association Gîtes-ânes vous propose de suivre le chemin emprunté par Stevenson qui part de Monestier-sur-Gazeilles en Haute-Loire et traverse la Lozère jusqu'à Saint-Jean-du-Gard en douze étapes de 15 à 20 kilomètres.

Vous y retrouverez avec émotion la plupart des lieux décrits par l'écrivain. La région s'est peu urbanisée et les paysages magnifiques n'ont pas changé.

À LIRE :

Le *Guide du voyage expérimental*

Ce guide original propose des idées d'évasions à partir de mots déclinés du mot « tourisme ».

L'« **alphatourisme** » est la visite des villes de A à Z, par exemple Strasbourg, de la rue des Abattoirs au pont de Zurich.

Les adeptes du « **bodytourisme** » visiteront *Ventre* dans le Puy-de-Dôme, *La Tronche* en Isère, le cap *Gris-Nez* dans le Pas-de-Calais, etc.

Ceux du « **crucitourisme** » partiront de Creutzwald (Moselle) passeront par Croix (Nord) pour aller ensuite à Santa Cruz puis Vera Cruz.

Le « **kif-kif tourisme** » invite au voyage vers des lieux à double consonance comme Baden Baden, Bora Bora en évitant Sing Sing.

La philosophie de l'auteur du guide est d'introduire du jeu dans le quotidien et donc aussi dans les vacances.

www. latourex.org

[LA MODE DES PÈLERINAGES]

Au Moyen Âge, des milliers de pèlerins convergeaient de toute l'Europe vers Saint-Jacques-de-Compostelle en Espagne, où se trouvaient les reliques de saint Jacques.

Les chemins de Saint-Jacques n'ont jamais été totalement abandonnés. Aujourd'hui, « faire le Saint-Jacques » revient à la mode.

L'émission de radio « Le Téléphone sonne » a consacré une soirée à ce nouveau goût des pèlerinages.

Josiane, une auditrice, témoigne.

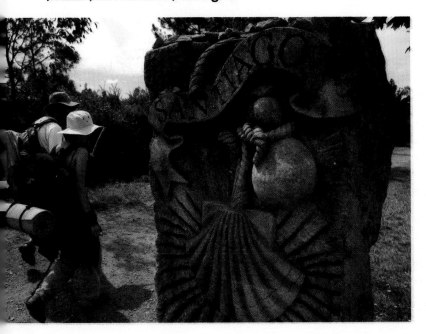

Lecture du dossier

1• La classe se partage les trois articles de la page 10. Pour chaque proposition de voyage, trouvez :
– le lieu
– l'activité proposée
– d'autres informations

Recherchez les avantages et les inconvénients de ce type de voyage.

2• Présentez votre article à la classe. Discutez. Complétez collectivement la liste des avantages et des inconvénients.

La mode des pèlerinages

Aide à l'écoute

– Prendre son assise sur quelque chose : se tenir solidement à quelque chose.
– Une récupération : emploi de quelque chose (objet, idée, etc.) qui a déjà été utilisé.
– Le néolithique : époque de la préhistoire (entre 6000 et 2000 av. J.-C. en Europe).
– Le dolorisme : théorie religieuse qui affirme qu'il faut souffrir pour être meilleur.

1• Écoutez le document. Dites si les affirmations suivantes sont vraies ou fausses.
• Josiane a fait le trajet de Toulouse à Saint-Jacques-de-Compostelle.
• Elle était seule.
• Elle a fait ce pèlerinage pour des raisons chrétiennes.
• Tout le monde le fait pour les mêmes raisons.

2• Notez ce qui permet de préciser pourquoi et comment Josiane fait le pèlerinage.

Les conseils de lecture

1• Lisez la présentation du *Guide du voyage expérimental*.
Expliquez chaque idée de voyage.

2• Donnez d'autres idées de voyages originaux à l'auteur du guide.

Table ronde

Présentez le type de voyage original que vous aimeriez faire.

Vous y êtes allé ?

Situer

Ce tableau représente l'intérieur d'un appartement. Au milieu de la pièce, on voit une table sur laquelle est posé un vase avec des fleurs. Entre les deux fenêtres se trouve un miroir dans lequel se reflète l'arrière de la pièce.
Les deux fenêtres s'ouvrent sur une terrasse qui domine la baie des Anges à Nice. Sur la droite, on aperçoit une promenade bordée de palmiers qui longe la plage.
Au deuxième plan s'élèvent des immeubles et dans le lointain des collines au-dessus desquelles flottent des nuages.

❶ Dans le texte ci-dessus, relevez et classez les mots qui permettent de situer les choses.

Expressions avec un adverbe	Expressions avec une préposition	Noms	Verbes
		l'intérieur	

Lisez le tableau de la page 13. Précisez, en faisant des dessins, le sens des mots qui permettent de localiser. Observez les différents emplois d'un même mot (*dessus ; au-dessus de ; le dessus*).

❷ Emploi des prépositions *à (au, à la, aux) – en / au (aux) – dans – chez*. Complétez.
Rachida vient d'être nommée professeur _au_ collège Victor-Hugo, _à_ Riom, _dans_ le département du Puy-de-Dôme, _en_ Auvergne.
Riom est _à_ 20 km de Clermont-Ferrand. Rachida est très contente car ses parents habitent _dans_ le coin. Elle pourra aller _chez_ eux de temps en temps.
Rachida adore les balades _à la_ montagne. Pendant les vacances, elle a prévu d'aller _au_ Pérou pour faire du trekking _dans_ les Andes.

❸ Lisez le texte en entier pour imaginer la scène. Complétez-le ensuite avec des mots de localisation.
Évasion d'un prisonnier. Un avocat raconte.

« Nous étions dans une salle _au_ troisième étage de la prison. Le prisonnier était assis _sur_ une chaise, _à_ une table, _près de_ moi.
Tout à coup il a pris une arme qui était cachée _sous_ la table.
Il a dirigé l'arme _contre_ moi et a sauté _par_ la fenêtre. _Au-dessous_, il y avait le toit d'un garage. J'ai vu le prisonnier courir _sur_ le toit, sauter _dans_ une cour, passer _au-dessus de_ un mur.
À ce moment-là, un hélicoptère est arrivé _au-dessus de_ la prison.

❹ Complétez avec des verbes qui décrivent un déplacement (*monter, traverser*, etc.).
Itinéraire d'une randonnée en campagne

Laissez la voiture à côté de l'ancienne gare.
_____ l'ancienne voie de chemin de fer sur 500 m.
Prenez un sentier qui _____ doucement vers le haut d'une colline.
_____ un petit ruisseau. Cent mètres après, _____ un marécage par la gauche.
Continuez sur le sentier. Un kilomètre après, _____ au fond d'un ravin puis _____ sur l'autre versant.
Vous devez encore _____ une falaise avant d'atteindre le sommet.

❺ Complétez avec *revenir, retourner, rentrer, entrer*.
Dans une université française, un étudiant étranger frappe à la porte du bureau d'un professeur.

• Excusez-moi, je peux _entrer_ ?
– Bien sûr. Asseyez-vous. Qu'est-ce que je peux faire pour vous ?
• Je viens vous dire que mon séjour en France est terminé. Demain, je _rentre_ en Indonésie. Mon stage est terminé. Lundi prochain, je _retourne_ au travail.
– J'espère que vous _reviendrez_ en France.
• J'en suis sûr. Je _reviens_ toujours dans les endroits où j'ai des amis.

❻ Le passé composé des verbes exprimant un déplacement. Mettez les verbes au passé composé.
Rangements

Il **a fait** le grand nettoyage de la maison.
Il (descendre) la vieille table à la cave. _a descendu_
Il (monter) au grenier pour trouver les tasses à café de sa grand-mère. _est monté_
Il (sortir) la vaisselle du buffet. Il l'a nettoyée et il l' (rentrer). _a rentrée_
Quand Isabelle (rentrer) du bureau, tout était fini. _est rentrée_
a sorti

⬚ Emplois figurés. Reformulez les phrases en italique en utilisant les mots de la liste.

a. Je n'aime pas beaucoup Florent. *Il se met toujours en avant.*

b. Au bureau, *il est toujours derrière mon dos.*

c. Il a *un côté* hypocrite.

d. Il dit du mal de moi *par-derrière.*

e. Il va faire un pot vendredi. Mais *j'ai pris les devants.* J'ai dit que je partais tout le week-end.

> Anticiper – surveiller – se vanter – en mon absence – un trait de caractère

Pour situer, décrire un déplacement

Le haut et le bas

• sur / sous la table – au-dessus / au-dessous de notre appartement – l'appartement du dessus – passer par-dessous (dessous) la clôture – Pose le livre là-dessus / là-dessous

Regarder en haut, là-haut / en bas, là-bas

Pose-la par terre – Jette-le en l'air

• le dessus – le haut – le sommet / le dessous – le bas – le fond

• monter sur une montagne, sur une table, au sommet de la montagne, à une échelle – grimper sur le toit – escalader la falaise

descendre une pente, du sommet de la montagne, d'une échelle – dévaler la pente

• l'immeuble s'élève, se dresse au-dessus du parc – il domine le parc

Éloignement et proximité

• La maison est près du centre / loin du centre

Pierre habite rue du Commerce. J'habite tout près, à côté, à proximité, dans les environs, aux alentours

Nous sommes proches l'un de l'autre.

• (s')approcher – se rapprocher / (s')éloigner – (s')écarter

Le préfixe *re-*

Il peut indiquer :

• la répétition d'une action : refaire, redire, recommencer

• un mouvement contraire à un mouvement antérieur

Je m'étais éloigné. Je reviens sur mes pas.

Partir / revenir – monter / redescendre – sortir / rentrer

L'intérieur et l'extérieur

• le chien est dans la maison, à l'intérieur / à l'extérieur – il est dedans / dehors

• L'intérieur – le dedans – le centre – le cœur – le milieu / l'extérieur – le dehors

De dehors (de l'extérieur), on ne voit pas que la maison est belle.

• entrer, pénétrer, s'introduire dans une pièce / sortir

L'avant et l'arrière

• Il y a un arbre devant / derrière la maison

passer devant / derrière – Elle marche devant (en tête, à l'avant) / derrière (en queue, à l'arrière)

• le devant / le derrière d'une maison – l'avant / l'arrière d'une voiture – monter à l'avant / à l'arrière

les roues avant / arrière – les pattes antérieures / postérieures

• (s')avancer – venir devant (à l'avant) / (se) reculer

• à l'endroit / à l'envers – Il a mis son pull à l'envers.

Les contours

• le côté droit / gauche – l'aile droite / gauche d'un immeuble, d'une voiture

se garer sur le côté – mettre quelque chose de côté

Nous nous sommes côtoyés pendant dix ans.

• le bord de la route – s'asseoir au bord du lac – Mettez-vous sur le bord

Une clôture borde le champ.

• le tour – se promener autour du lac – contourner la ville en passant par le périphérique.

Les verbes de déplacement au passé composé

• Quand ils décrivent le passage d'un lieu à un autre, ils se construisent avec l'auxiliaire être.

Elle est rentrée à 8 heures. – Il est monté au sommet de la montagne.

• Quand ils décrivent une action faite sur un objet, ils se construisent avec l'auxiliaire avoir.

Avec l'arrivée du froid, elle a rentré ses pots de fleurs. – Elle a monté la pente à toute vitesse.

 Travaillez vos automatismes

⬚ Emploi des pronoms avec un verbe de déplacement.

Rencontre sur le chemin de Saint-Jacques

• Vous allez à Saint-Jacques ?

– Oui, j'y vais.

• Moi, je n'y vais pas.

⬚ De l'adverbe à la préposition. Étonnez-vous comme dans l'exemple.

• J'habite rue du Commerce. Marie habite à côté.

– Ah ! Elle habite à côté de chez toi !

Carnet de voyage

Vous rédigerez quelques pages d'un carnet de voyage sur une région ou un pays que vous connaissez bien.

Vous y présenterez votre itinéraire, décrirez les lieux que vous avez traversés et les gens que vous avez rencontrés.

Vous pourrez aussi présenter votre travail sous forme d'un diaporama commenté oralement.

Présentez votre itinéraire

Dessinez votre itinéraire à l'aide d'une carte du pays ou de la région que vous avez traversé(e).
Préparez une présentation de votre itinéraire ;
« Nous sommes partis de ...... le ...... »

Décrivez les paysages

1 Partagez-vous la lecture des quatre articles de « Planète France » p. 15.
– Situez les lieux sur la carte p. 149.
– Trouvez la photo correspondant au texte.
– À quel autre site ce lieu est-il comparé ?
– Notez les éléments qui sont comparés.
îles des Lavezzi → archipel corallien

2 Relevez le vocabulaire qui sert à décrire un paysage.

	Parties du paysage	Caractérisation
Détails du relief		
La mer et les côtes	un archipel	corallien
Les cours d'eau et les lacs		
Le climat		

3 Mettez votre travail en commun. Chaque groupe présente le lieu qu'il a étudié et le vocabulaire qu'il a relevé.

4 Enrichissez votre vocabulaire.

a. Associez les mots synonymes des deux colonnes. Indiquez la différence de sens entre les deux mots.
Exemple : Une aiguille est un sommet rocheux très pointu.
– Un pic est plus généralement un sommet pointu.

(a) une baie	une aiguille
(b) une caverne	un atoll
(c) une chute	une cascade
(d) une cime	une crique
(e) une colline	une falaise
(f) un îlot	une grotte
(g) un mur	une montagne
(h) une pente	un ravin
(i) un pic	un sommet
(j) un précipice	un versant

b. Que signifient les expressions suivantes ? Dans quelles situations les utiliseriez-vous ?
– la source du problème
– un torrent d'injures
– une rivière de diamants
– un discours fleuve
– un rire en cascade
– la résurgence de l'insécurité
– un désert culturel
– une oasis de tranquillité
– un pic de pollution
– le sommet du G8 (pays industrialisés)
– un raz de marée électoral
– passer un cap difficile
– trouver la faille
– atteindre des sommets

c. En petits groupes, faites la liste de tous les mots qui vous viennent à l'esprit quand vous pensez aux paysages suivants (partagez-vous les cinq paysages) :
(1) le désert du Sahara
(2) les côtes d'Irlande ou de Grande-Bretagne
(3) un archipel du Pacifique
(4) les Alpes ou la cordillère des Andes
(5) le trajet d'un grand fleuve

5 Complétez votre carnet de voyage ou la préparation de votre diaporama. Rédigez une brève description des lieux intéressants que vous avez traversés.

PLANÈTE FRANCE

Comment voyager aux quatre coins du monde sans sortir de l'Hexagone ? C'est le pari qu'ont fait les auteurs de *Planète France* en comparant plus de cent paysages français à des lieux célèbres.

Les îles des Lavezzi (Corse)

Il plane au-dessus de ces eaux cristallines comme un parfum d'océan Indien, d'archipel corallien et de lagon bleu tropical. Inutile pourtant d'approcher l'équateur pour se croire sur l'une des 115 îles de l'archipel des Seychelles, puisque l'archipel des Lavezzi, à l'extrême sud de la Corse, offre une part de cet exotisme lointain. Ces criques sauvages sont à une heure de bateau de Bonifacio, avec leurs plages paradisiaques aux eaux aussi claires que celles d'un aquarium. Perdus à 41° 20' de latitude nord au milieu de la Méditerranée, les Lavezzi marquent la fin du territoire français : au-delà de cet archipel d'une centaine d'îlots, on entre dans les eaux italiennes de Sardaigne.

Le ravin de Corbœuf (Auvergne)

Véritable décor de la ruée vers l'or, ce ravin d'ocres jaunes évoque irrévocablement la célèbre vallée de la Mort, située au-dessous du niveau de la mer, à la frontière de la Californie et du Nevada. Mais il est inutile d'aller mourir de soif sous les ardents rayons du soleil, comme nombre de chercheurs d'or : sous le climat auvergnat, la température n'atteint jamais les 50 °C habituels de la vallée de la Mort. Ces dunes sont celles du ravin de Corbœuf, petit canyon sculpté par le vent et les pluies de la Haute-Loire, près du village de Rosières. Ici comme là-bas, des sables argileux se sont accumulés dans un lac et forment aujourd'hui des dunes ravinées aux ambiances désertiques.

Le Doron de Chavière (Parc national de Savoie)

Tel un ruisseau au creux de la vallée du Cachemire, dans l'ouest de l'Himalaya, le Doron de Chavière coule paisiblement. Mais plutôt que d'alimenter les petits lacs indiens, il serpente dans le sud de la Vanoise, dans les Alpes françaises. Né des eaux de fonte du glacier de la Masse, il s'en va rejoindre le cours de l'Isère. [...] En hiver, les pentes de la station de Pralognan attirent tout autant les amateurs de ski que celles du Pir Panjal, dans le Cachemire.

La dune du Pilat (côte aquitaine)

Les pas dans le sable de la dune du Pilat ne mènent à aucun de ces petits villages perdus en plein désert namibien, et les eaux de l'océan ne sont pas celles qui baignent le sud du continent africain. Avec 2,7 km de long, environ 105 m de haut et 500 m de large, elle constitue la plus grande dune d'Europe. Ses 60 millions de mètres cubes surveillent l'entrée du bassin d'Arcachon, face à la pointe du cap Ferret.

Planète France, Les Prodiges de la nature, Fabrice Milochau (photographies), Frédérique Roger (textes), © Geo, Prisma Presse, 2007.

Décrivez vos sensations

1 Lisez le texte ci-contre.

a. Relevez les sensations et les perceptions du narrateur. Classez-les dans le tableau.

images	sons	odeurs	autres sensations
		L'odeur du soir d'été	

b. Expliquez la dernière phrase.

2 Lisez le tableau de vocabulaire. Complétez avec des verbes sans utiliser *voir*, *regarder* ou *entendre*.

Dans le parc national des Écrins (Alpes du Sud)
« À l'arrivée du téléphérique, arrêtez-vous pour .... longuement les cimes enneigées. On .... une impression de calme et de paix. Quelquefois sur les hauteurs, on .... des chamois. On ne peut pas les approcher car s'ils .... le moindre bruit, ils s'enfuient. Il vaut mieux les .... de loin avec des jumelles. Attention ! Le temps peut changer rapidement. Par temps de brouillard, on ne .... plus le sentier et on peut se perdre. Il faut donc .... la météo. »

3 Observez les photos de la page 17. Notez toutes les sensations qu'elles évoquent (bruits, odeurs, etc.).

4 Continuez votre carnet de voyage ou votre diaporama. Complétez votre description des paysages. Parlez des lieux où vous avez ressenti des sensations nouvelles.

Parlez des gens

1 Écoutez le document sur l'île de la Réunion. Complétez les informations suivantes :

Informations voyageurs – Île de la Réunion

• Population
Nombre d'habitants : *700 000.*
Origine de la population : *varied - Français 6?th, Africans, Hindu*
Langue courante : *Creole - native, [...]*
Langue officielle : *French*
Religions pratiquées : *Buddhism, Catholic [...]*
Cérémonies importantes : *light festival Noël, Diwali [...]*
Musique : *Maravo, typical music of Réunion, processions [...]*

• Intérêts touristiques
mountains, circus, forests, rivers, waterfalls, walking, tea, volcanos, vanille, spices, diving

Dernières sensations

Le narrateur a commis un meurtre. Son procès vient d'avoir lieu et il va être jugé et condamné à mort.

En sortant du palais de justice pour monter dans la voiture[1], j'ai reconnu un court instant l'odeur et la couleur du soir d'été. Dans l'obscurité de ma prison roulante, j'ai retrouvé un à un, comme du fond de ma fatigue, tous les bruits familiers d'une ville que j'aimais et d'une certaine heure où il m'arrivait de me sentir content. Le cri des vendeurs de journaux dans l'air déjà détendu, les derniers oiseaux dans le square, l'appel des marchands de sandwiches, la plainte des tramways dans les hauts tournants de la ville et cette rumeur du ciel avant que la nuit bascule sur le port. [...]

Je crois que j'ai dormi parce que je me suis réveillé avec des étoiles sur le visage. Des bruits de la campagne montaient jusqu'à moi. Des odeurs de nuit, de terre et de sel rafraîchissaient mes tempes. La merveilleuse paix de cet été endormi entrait en moi comme une marée. À ce moment, et à la limite de la nuit, des sirènes ont hurlé. Elles annonçaient des départs pour un monde qui maintenant m'était à jamais indifférent.

Albert Camus, *L'Étranger*, Gallimard, 1957.

_____
1. Il s'agit de la voiture de police. Le narrateur quitte le palais de justice pour être reconduit en prison.

Regarder – écouter – sentir

• **Regarder – observer – scruter – surveiller – contempler → voir – apercevoir – distinguer – remarquer**
Il observait le feuillage de l'arbre. Il a aperçu un oiseau.

• **Écouter → entendre, percevoir un bruit, un son**
un son faible – doux – musical / fort – bruyant – assourdissant
un son grave / aigu

• **Sentir un parfum, une odeur**
Je sens le parfum du jardin. – Ce plat sent très bon.

• **Toucher → sentir – ressentir – avoir une sensation de fraîcheur**

2 Lisez l'information sur la France dans le monde. Discutez les affirmations suivantes.
a. Le territoire de la France est plus grand aujourd'hui qu'au milieu du XIXe siècle.
b. Jusqu'au milieu du XIXe siècle, plusieurs pays d'Europe possèdent un empire colonial.
c. C'est à cause de la guerre de 1939-1945 que la France a perdu le Québec.
d. En Nouvelle-Calédonie, certaines lois sont différentes des lois françaises.
e. En Côte d'Ivoire et au Sénégal, les enfants sont scolarisés en français.
f. La colonisation pouvait avoir des côtés positifs pour les peuples colonisés.

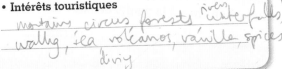

[RETOUR DE VOYAGE DANS L'ÎLE DE LA RÉUNION]

La Réunion est une île française située au sud de l'Afrique, dans l'océan Indien. Une touriste commente les photos qu'elle a prises au cours de son voyage.

 ## La France dans le monde

• La France s'est constituée à partir d'un petit territoire correspondant à peu près à la région parisienne mais l'expansion française ne s'est pas arrêtée aux frontières actuelles de l'Hexagone. Comme d'autres pays d'Europe, entre le xve et le xxe siècle, la France a cherché à construire un espace colonial.

On distingue deux grandes périodes de colonisation.

• Au xviie siècle, la France conquiert une partie importante de l'Amérique du Nord, les Antilles ainsi que des villes en Inde (Pondichéry). Dans le courant du xviiie siècle, elle perdra la plupart de ces territoires, à l'exception des Antilles, au profit de l'Angleterre.

• À partir de 1830 commence une deuxième vague de colonisation. La France s'installe dans le nord, l'ouest et le centre de l'Afrique, ainsi que dans l'espace occupé aujourd'hui par le Vietnam, le Cambodge et le Laos. Elle occupe également des îles de l'océan Indien et de l'océan Pacifique.

• Les buts de ces colonisations sont politiques (s'affirmer face aux autres puissances européennes), idéologiques (répandre le christianisme puis la culture occidentale) et économiques (culture de la canne à sucre, du café, du coton).

• L'empire colonial français connaît son expansion maximale dans la première moitié du xxe siècle mais la décolonisation s'effectue très rapidement à partir de la guerre de 1939-1945.

• Cette histoire explique que le territoire de la France comporte des zones dites « d'outre-mer » dans les Antilles (la Martinique et la Guadeloupe), en Amérique du Sud (la Guyane), en Amérique du Nord (les îles de Saint-Pierre et Miquelon), dans l'océan Indien (les îles de la Réunion et Mayotte), dans l'océan Pacifique (la Nouvelle-Calédonie et la Polynésie). Ces territoires ont des statuts politiques variables avec plus ou moins d'autonomie.

• L'histoire coloniale explique aussi que certaines régions du monde soient restées francophones (la province de Québec au Canada, de nombreux pays d'Afrique).

Présentez votre carnet de voyage ou votre diaporama

C'est le retour des traditions
→ Êtes-vous toujours dans le coup ??

Le Festival interceltique de Lorient n'a jamais attiré autant de monde, les courses de taureaux dans le Languedoc n'ont jamais été aussi nombreuses et n'ont jamais eu autant de spectateurs. On ouvre un peu partout des musées des traditions populaires, on fait revivre des fêtes qui n'étaient plus célébrées depuis un siècle.

Crainte de perdre son identité dans une société mondialisée, besoin de retrouver des racines face à la culture en grande partie américanisée ou simplement goût de la fête et des manifestations conviviales ? Toujours est-il qu'aujourd'hui il faut être branché traditions.

Voici quelques témoins des folklores régionaux. Saurez-vous reconnaître chaque fois la bonne définition ?

1. La bourrée
☐ a. Danse d'Auvergne où les danseurs portent aux pieds des sabots en bois.
☐ b. Ancienne fête du Sud-Ouest au cours de laquelle les jeunes gens aptes au service militaire buvaient une grande quantité d'alcool.

2. Le gallo
☐ a. Compétition hippique de la région de Saumur.
☐ b. Dialecte régional auquel les habitants de Dinan (Bretagne) sont très attachés.

3. La raclette
☐ a. Instrument avec lequel les Basques jouent au jeu de la pelote.
☐ b. Spécialité des Alpes qui consiste à verser du fromage fondu sur des pommes de terre et de la charcuterie.

4. Le buron
☐ a. En Auvergne, petite cabane de berger dans laquelle on fabrique le fromage.
☐ b. Instrument des ouvriers picards du XIIIᵉ siècle avec lequel ils taillaient les pierres des cathédrales.

5. Le biniou
☐ a. Cornemuse de Bretagne. La cornemuse est un instrument de musique composé d'un sac et de tuyaux.
☐ b. Instrument agricole des Pays de la Loire dont on se sert pour enlever les mauvaises herbes.

6. La sardane
☐ a. Poisson de Méditerranée qui entre dans la composition de la bouillabaisse provençale.
☐ b. Danse catalane où les danseurs forment un cercle.

7. Les échasses
☐ a. Oiseaux migrateurs qui vivent dans les régions marécageuses.
☐ b. Pièces de bois sur lesquelles montent les bergers landais pour surveiller leurs moutons.

8. Guignol
☐ a. Personnage d'un théâtre de marionnettes lyonnais.
☐ b. Liqueur de cerise de la région d'Anjou.

9. La poutine
☐ **a.** Plat québécois composé de frites et de fromage qu'on recouvre d'une sauce barbecue.
☐ **b.** Pâté provençal à base d'œufs de poisson salés.

10. Les Gilles
☐ **a.** Héros d'une chanson du folklore de Bourgogne.
☐ **b.** Personnage folklorique du carnaval de certaines villes de Belgique.

1. Le colombage
☐ **a.** Technique de construction d'un mur avec des pièces de bois dont on remplit le vide avec du torchis (terre mélangée avec de la paille).
☐ **b.** Tour destinée à abriter des pigeons.

2. Un pardon
☐ **a.** Fête religieuse bretonne où l'on célèbre le saint protecteur du village.
☐ **b.** Commémoration de la remise des clés de la ville de Calais au roi d'Angleterre en 1347.

13. La vogue
☐ **a.** Défilé traditionnel dans les Ardennes pour la Sainte-Catherine.
☐ **b.** Fête foraine traditionnelle du Lyonnais et du Dauphiné.

14. Les bêtises
☐ **a.** Cérémonies d'étudiants au cours desquelles les nouveaux doivent subir des épreuves.
☐ **b.** Bonbons à la menthe fabriqués dans la ville de Cambrai (Nord).

15. La chaise berçante
☐ **a.** Fauteuil à bascule québécois.
☐ **b.** Siège repliable dans lequel on peut s'allonger.

Réponses
1. a (la fête décrite en b existait jusqu'au milieu du xxᵉ siècle et portait des noms différents selon les régions) – **2. b** (mais la région de Saumur est connue pour ses élevages de chevaux) – **3. b** (l'instrument décrit en a est la « chistera ») – **4. a** (ne pas confondre avec le « burin » du maçon) – **5. a** (l'outil décrit en b est la « binette ») – **6. b** (ne pas confondre avec la sardine, poisson qui n'est pas utilisé pour la bouillabaisse) – **7. b** (l'oiseau cité en a est la bécasse) – **8. a** (le b est le guignolet) – **9. a** (le b est la poutargue) – **10. b** (il existe une chanson folklorique intitulée « Jean-Gilles ») – **11. a** (ne pas confondre avec le colombier cité en b) – **12. a** (cet épisode de la guerre de Cent Ans a été représenté par une sculpture de Rodin) – **13. b** (la Sainte-Catherine ne donne lieu qu'à quelques bals) – **14. b** (pour le a, écouter le micro-trottoir) – **15. a** (le b est une chaise longue).

[LE MICRO-TROTTOIR]

Pour ou contre les bizutages
Le bizutage est une série d'épreuves amusantes, stupides, absurdes et quelquefois obscènes que les étudiants de certaines écoles ou universités font subir aux nouveaux. Cette pratique, courante jusque dans les années 1980, a été interdite en 1998 mais semble réapparaître aujourd'hui.

Faites le test

1• Lisez l'introduction du test. Quelle est l'information principale ? Comment expliquer ce phénomène de société ?

2• Faites un tour de table pour découvrir la définition des mots du test. Pour chaque question :

a. Faites une hypothèse de réponse.

b. Vérifiez votre réponse dans l'encadré « Réponses ».

c. Notez les régions citées et le nom de leurs habitants. Situez la région sur la carte de la page 148.
Auvergne → un Auvergnat

d. Observez la construction des phrases qui définissent les mots.
Exemple : 1• a → *danse d'Auvergne* + proposition relative (quand ils font cette danse, les danseurs portent aux pieds des sabots en bois).

Écoutez le micro-trottoir

Pour chaque intervenant (Patrick, Émilie, Bertrand), complétez le tableau.

	Patrick
L'intervenant a-t-il été bizuté ?	
Si oui, quels souvenirs a-t-il de cette expérience ?	
Est-il pour ou contre ?	
Comment caractérise-t-il cette coutume ?	

Traditions – rites – brimades

• **Une tradition – une coutume – une pratique – un usage**
Après Noël, la tradition veut qu'on mange des galettes des rois. – La galette des rois, c'est une coutume toujours vivante.
C'est traditionnel. Ça fait partie du folklore.

• **Un rite – un rituel – un rite de passage**
Le bizutage est un rite de passage – une initiation – un rite initiatique – observer un rituel

• **Une brimade – un acte malveillant, méchant, cruel**
Infliger (faire subir) des brimades à quelqu'un – Au collège, Paul a subi les brimades de ses camarades.
Une personne méchante, malveillante, cruelle – une peau de vache (*fam.*), un chameau (*fam.*)

Définir

Le kouglof fait partie des pâtisseries traditionnelles d'Alsace. C'est une sorte de brioche, c'est-à-dire une pâte composée de farine, de beurre, de lait, de sucre et de levure. Le mot vient de l'allemand kugel qui veut dire « boule ».

❶ Observez la façon d'expliquer ce qu'est un kouglof. Complétez les observations que vous avez faites sur les définitions de la page 18.
Lisez le tableau ci-contre.

❷ Complétez avec une expression du tableau.
a. Le nom de la ville de Strasbourg _____ « la ville des routes », _____ le carrefour.
b. Dans la tradition alsacienne, le personnage de saint Nicolas qui fait des cadeaux aux enfants _____ au Père Noël.
c. Pouvez-vous _____ en français le mot alsacien *gutzle* ?
d. L'Alsace _____ à la zone linguistique germanique. Elle _____ plusieurs familles linguistiques. L'alsacien de Wissembourg est différent de celui du Sud.
e. La gentillesse des Alsaciens _____ dans les brasseries.

❸ Dans la colonne de droite, trouvez le mot générique qui permet de définir chaque mot de la colonne de gauche.

Exemple : **a.** → un ustensile

a. une fourchette	un appareil
b. un fusil	une machine
c. un lecteur de CD *appareil*	une construction
d. une pelle *un outil*	une épice
e. du plomb *métal*	une arme
f. du poivre *épice*	un métal
g. une pompe *une m.*	un outil
h. une pyramide	un récipient
i. un 4x4	un ustensile
j. un seau	un véhicule

❹ Lisez l'extrait du dictionnaire Larousse sur le mot « ballon ». Repérez :
– les deux étymologies du mot
– le développement du sens à partir du sens d'origine et les différents domaines où le mot est utilisé
– les emplois figurés

Définir

1. Par un synonyme
« La Vogue », ça signifie... c'est synonyme de fête.
Ça veut dire (c'est la même chose que) la fête.
Ça équivaut (équivaloir)... Ça correspond (correspondre) à la fête foraine dans d'autres régions.
La Vogue, c'est-à-dire (si tu préfères) c'est la fête.
Le sens de... la signification de...

2. Par la catégorie (ou un mot générique)
Une bécasse, ça désigne un oiseau, ça entre dans la catégorie (ça appartient à la catégorie) des oiseaux.
C'est un type de... une sorte de...
La binette, c'est un outil qui... – un objet – une chose – un truc – un machin

3. Par la traduction
Bécasse se traduit en anglais par... C'est à peu près le sens du mot anglais...

4. Par la description
Le costume traditionnel des Gilles comporte (comprend)...
Leur chapeau ressemble à... (évoque, suggère) une couronne de plumes.
« Vendanger », c'est le fait de (ça consiste à) récolter les raisins...
La convivialité traditionnelle des Alsaciens se traduit (se manifeste) dans les fêtes et dans les repas.

1. BALLON n.m. (ital. *pallone*). **1.** Grosse balle à jouer, ronde ou ovale, génér. Gonflée d'air. ◇ *Ballon au poing* : sport opposant deux équipes de six joueurs, pratiqué en Picardie et qui se joue avec un ballon frappé à l'aide du poignet. **2.** Poche de caoutchouc léger gonflée d'air ou de gaz et qui peut s'envoler. *Ballon d'enfant.* **3.** Aérostat de taille variable utilisé à des fins scientifiques, sportives ou militaires. ◇ *Ballon dirigeable* → dirigeable. **4.** DANSE. *Avoir du ballon* : se dit d'un danseur qui saute haut et rebondit avec souplesse. **5.** CHIM. Vase de verre de forme sphérique. – Par ext. Verre à boire de cette forme ; son contenu. *Un ballon de rouge.* **6.** Ballon d'oxygène : réservoir contenant de l'oxygène, pour les malades ; **fig.** ce qui a un effet tonique, bienfaisant. **7.** *Ballon d'essai* : expérience faite dans le but de sonder le terrain, l'opinion. **8.** *Ballon réchauffeur* : appareil de production d'eau chaude à réservoir, cour. appelé *ballon d'eau chaude.* **9. Suisse.** Petit pain de forme sphérique.
2. BALLON n.m. (all. *Belchen*). Sommet arrondi, dans le massif des Vosges. *Le ballon d'Alsace.*

Extrait du dictionnaire Le Petit Larousse.

Définir, caractériser par une proposition relative

Une Alsacienne :

« La cigogne est un oiseau **qui** a failli disparaître et **que** nous protégeons.

Regardez celle-ci **dont** le nid est construit sur une cheminée.

Dans notre village, nous avons quatre couples de cigognes **auxquels** nous sommes très attachés et **pour lesquels** nous dépensons beaucoup d'argent.

Le toit **sur lequel** elle a fait son nid est celui de la maison de mon cousin. »

❶ Dans les phrases ci-dessus, retrouvez les différentes informations qui ont été combinées.
Quel mot représente chaque mot en gras ?

❷ Combinez les deux phrases en utilisant un pronom relatif.
a. Connaissez-vous saint Nicolas ? La fête de Saint-Nicolas est le 6 décembre.
b. Saint Nicolas était un religieux. La ville natale de ce religieux est en Turquie.
c. Sur Saint Nicolas, il existe une légende. Je me souviens de cette légende.
d. C'est la légende de trois enfants. Ils ont été tués par un boucher. Saint Nicolas les a ressuscités.
e. Le 6 décembre, Saint Nicolas marche dans les rues de Strasbourg accompagné du Père Fouettard. Les enfants ont peur du Père Fouettard.
f. Saint Nicolas porte un grand sac. Il tire des bonbons de ce sac. Il distribue ces bonbons aux enfants.

❸ Complétez avec un pronom relatif.
La place Stanislas à Nancy
a. Voici la place à laquelle un roi de Pologne a donné son nom.
b. C'est un grand espace au milieu duquel il y a la statue de Stanislas.
c. Allez voir cette place autour de laquelle il y a de magnifiques grilles.

Les constructions relatives

1. Formation des constructions relatives et emploi de *qui, que, où*, voir p. 132.

2. Dont représente un complément de nom.
*Vous voyez le toit **de cette maison**. Elle appartient à Pierre.*
*→ La maison **dont** vous voyez le toit appartient à Pierre.*

3. Dont représente aussi un complément de verbe introduit par *de*.
*J'ai besoin **d'un moule à kouglof**. Pierre a un moule à kouglof. → Pierre a le moule à kouglof **dont** j'ai besoin.*
N.B. *Dont peut aussi exprimer une idée d'inclusion.*
Dix personnes dont Marie et Pierre ont fait l'excursion à Colmar.

4. À qui (pour les personnes) – *auquel* (*à laquelle, auxquels, auxquelles*) représentent un complément de verbe introduit par à.
*Ce magazine traite **de plusieurs sujets**. Je m'intéresse à ces sujets. → Ce magazine traite de plusieurs sujets **auxquels** je m'intéresse.*

5. Préposition (*sur, dans, pour*) + lequel (*laquelle, lesquels, lesquelles*) représentent un complément de verbe introduit par une préposition.
*Le sujet **sur lequel** il fait sa thèse porte sur les traditions locales.*

6. Groupe prépositionnel de type près de, autour de, à côté de, etc. + duquel (*de laquelle, desquels, desquelles*) représentent un complément de verbe introduit par ces prépositions.
*L'escalier **sur lequel** tu es assis date du Moyen Âge.*

7. Ce, quelque chose, quelqu'un + pronom relatif
*Visiter les monuments, c'est **ce qui** l'intéresse.*
*Il y a **quelqu'un dont** je veux te parler.*

d. La place Stanislas est entourée de façades auxquelles vous devez vous intéresser.
e. Derrière ces façades, il y a des appartements dans lesquels j'aimerais bien habiter.

Travaillez vos automatismes

❶ Construction « *ce* + pronom relatif ». Confirmez comme dans l'exemple.
• Tu voudrais visiter Nancy ?
– Oui, c'est ce que je voudrais.

❷ Construction « *ce* + pronom relatif » en début de phrase. Choisissez la première proposition comme dans l'exemple.
• Qu'est-ce qui te plairait : sortir ou rester à la maison ?
– Ce qui me plairait, c'est sortir.

C'est la tradition !

Pour un musée collectif des traditions

Vous raconterez une légende, présenterez une fête, une activité folklorique, un objet ou une recette appartenant aux traditions d'une région ou d'un pays que vous connaissez bien.

Les étudiants regrouperont leurs témoignages pour constituer le catalogue d'un musée imaginaire des traditions.

Ces témoignages pourront aussi être présentés sous la forme d'une exposition..

Racontez une légende

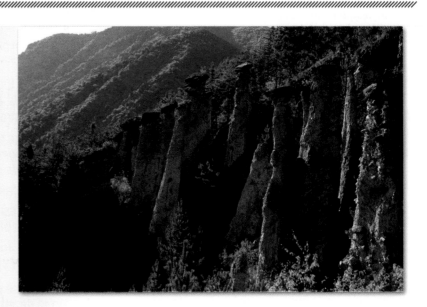

LA LÉGENDE DES DEMOISELLES COIFFÉES

Dans les Alpes du Sud, à Théüs, se dressent d'étranges colonnes rocheuses surmontées d'une large pierre. On les appelle « Demoiselles coiffées » ou « cheminées de fées ».
Cette curiosité a une explication scientifique mais aussi une explication surnaturelle.
La voici en quatre fragments, présentés ici dans le désordre.

A – Guillaume rentre au village, sa fiancée au bras. Hélas ! Les mauvaises langues l'accusent d'avoir passé un pacte avec Satan et vendu son âme contre une bourse et une diablesse... Un calomniateur obtient du prêtre qu'il excommunie le jeune homme. Guillaume est banni. La fée regagne la forêt en pleurant. Elle est au désespoir... Elle saisit sa baguette et s'en frappe la poitrine en se maudissant. À l'instant, elle se change en statue de pierre et de terre, avec sur la tête un chapeau d'ardoise. La voici demoiselle coiffée, pour l'éternité.

B – Il était une fois un jeune garçon du Queyras, nommé Guillaume. Chaque jour, il va chercher du bois dans la forêt, pour sa mère qui habite une masure de Molines. Guillaume ramasse du bois, quand il aperçoit une grenouille dans une clairière. Une jolie grenouille verte aux yeux d'or mais en danger d'être avalée par un renard. Il fonce sur le goupil, l'oblige à lâcher sa proie et emporte le batracien chez lui. Le lendemain, la grenouille est assise sur la table et coasse. Elle saute par la fenêtre et s'enfuit dans la forêt, mais laisse derrière elle une bourse emplie de pièces d'or ! La mère tombe à genoux. Grâce à cet argent, Guillaume peut aller à l'école.

C – Guillaume, fou de douleur, ne résiste pas davantage. Il invoque la pitié de la reine des fées. Celle-ci l'autorise à rejoindre sa fiancée : elle le métamorphose en corbeau. L'oiseau noir déploie ses ailes luisantes et vole jusqu'au ravin de l'Aigue blanche, où il se pose sur l'épaule de sa bien-aimée. C'est de ce temps que date l'affection des corbeaux pour les cheminées de fées.

D – Guillaume apprend à lire et à écrire. Il est intelligent. Il voyage à Turin, à Milan, à Florence. Il apprend l'architecture et les beaux-arts. Lorsqu'il rentre au village, il n'a pas oublié la grenouille. Il file dans la forêt. Il veut lui dire merci. Elle l'attend dans la clairière, perchée sur un lis. Le garçon tend la main, l'animal y grimpe, il lui donne un baiser : à l'instant, la grenouille se transforme en jeune fille ravissante, aux yeux d'or et à la longue robe verte, avec sur la tête un chapeau plat. C'est une fée.
Pour acquérir forme humaine, elle devait trouver un cœur pur qui la sauve et fasse bon usage de ses pièces d'or : le destin a choisi Guillaume ! Elle va devenir sa femme et le combler de mille autres bienfaits. Ne possède-t-elle pas une baguette magique ?

Yves Paccalet et Stanislas Fautré,
La France des légendes, Flammarion, Paris.

1 Lecture par petits groupes de la légende des Demoiselles coiffées.

a. Partagez-vous les quatre extraits qui sont présentés dans le désordre. Lisez l'extrait avec l'aide d'un dictionnaire. Faites-en un résumé de trois lignes.
Imaginez ce qui s'est passé avant et après l'épisode que vous avez lu.

b. Mettez vos lectures en commun. Reconstituez l'histoire.

c. Vérifiez votre compréhension des mots nouveaux. Regroupez le vocabulaire relatif à :
– **la forêt** – les animaux
– **la jeune fille** – l'argent
– **la magie** – la méchanceté

d. Réalisez en commun un résumé de cette légende.

2 Apprenez le vocabulaire des contes et légendes. Trouvez ce que peut faire chaque acteur d'un récit merveilleux et fantastique. Complétez avec d'autres actions.

Les acteurs
Le bon prince...
Le prince méchant...
Le roi...
La méchante reine...
La jeune fille...
La fée...
L'enchanteur...
La magicienne (le magicien)...
Le sorcier (la sorcière)...
L'ogre (l'ogresse)...
Le diable (Satan) (la diablesse)...
Le saint...
Le dragon...

Ce qu'ils font
a. emprisonne la jeune fille dans une haute tour
b. possède une baguette magique
c. dévore les enfants
d. crache du feu
e. transforme les fleurs en jeunes filles
f. métamorphose les chevaliers en pierre
g. se change (se transforme) en serpent
h. passe un pacte avec le prince méchant
i. bannit le chevalier du pays
j. jette un sort
k. entraîne les hommes en enfer
l. calomnie le bon prince (dit du mal de...)
m. sauve le prince ou la jeune fille
n. prépare une potion magique
o. maudit (maudire) le bon prince
p. renvoie Satan en enfer

3 Apprenez à introduire les moments d'une histoire. Cherchez dans le tableau les expressions qui peuvent servir à introduire les moments suivants d'un conte ou d'une légende.

a. le début (le cadre de l'histoire)
b. le premier événement important
c. un événement inattendu
d. la suite normale d'un événement
e. un événement très rapide
f. la fin de l'histoire
g. la morale de l'histoire

1. Tout à coup – **2.** Un jour – **3.** À ce moment-là – **4.** Il était une fois – **5.** Tout de suite après – **6.** Soudain – **7.** Il y a très longtemps – **8.** Cela montre que... – **9.** Ce jour-là – **10.** C'était à l'époque de... – **11.** C'est alors que... – **12.** Finalement – **13.** Un matin – **14.** En un clin d'œil – **15.** Et depuis ce jour-là – **16.** Dans le pays de... – **17.** Brusquement – **18.** Tout d'un coup – **19.** C'est ce qui explique... – **20.** À la suite de... – **21.** En fin de compte – **22.** En un instant

4 Choisissez d'écrire au présent ou au passé la légende que vous allez raconter.

a. La légende des Demoiselles coiffées est racontée au présent. Racontez-la au passé.
« Il était une fois un garçon nommé Guillaume. Chaque jour, il allait chercher du bois... »
Attention à l'emploi des temps. À la place du passé composé, vous pouvez aussi utiliser le passé simple (voir page 108).

b. Comparez les deux versions.

5 Racontez une légende du folklore de votre région.

Vous pouvez choisir une légende qui explique :

– l'existence d'un lieu (comme les Demoiselles coiffées)

– les pouvoirs curatifs d'une eau ou d'une plante

– la naissance d'une ville

– un épisode de l'histoire (l'animal imaginaire qui terrorise la région)

etc.

2 C'est la tradition !

Présentez une manifestation traditionnelle

1 Lisez le texte. Vous visitez la région de Sète avec un(e) ami(e) et vous lui proposez d'aller voir les joutes. Répondez aux questions de votre ami(e) en reformulant les informations du texte.

LA SAINT-LOUIS ET LES JOUTES NAUTIQUES DE SÈTE

◆ La joute est attestée sur le littoral languedocien depuis le début du XVIIᵉ siècle. C'est un vrai sport, encadré par une fédération nationale, riche de nombreuses écoles et de centaines de licenciés dans tous les ports de la côte. La fête de la Saint-Louis à Sète, au mois d'août, en est la manifestation phare, le point d'orgue d'une passion vécue tout au long de l'année, partagée depuis les plus jeunes jusqu'aux plus anciens, découpée en tournois réservés à des classes d'âge et de poids savamment distribuées. Des milliers de personnes y assistent. Depuis les tournois sur chariots pour les plus petits jusqu'aux tournois impressionnants des poids lourds, des centaines de jouteurs vont se mesurer sur plusieurs journées consécutives, mettant en œuvre l'apprentissage de l'année passée et les conseils des anciens. [...]

◆ En costume blanc, obligatoire, le jouteur, pieds nus pour s'assurer une meilleure prise, prend place sur la plate-forme de bois fixée à l'extrémité d'une échelle, elle-même fixée à l'arrière d'une

barque qui garde les traits des embarcations de pêche régionales. Il est équipé d'une lance en bois de pin, terminée par trois pointes courtes et d'un bouclier de bois, un pavois, vieux mot qui renvoie aux tournois des chevaliers médiévaux. Sa barque, blanche elle aussi, décorée de bleu ou de rouge, embarque sur ses huit mètres, en plus de lui, rameurs, barreurs, musiciens et ramasseurs de pavois. Les embarcations s'élancent, se faisant face l'une l'autre, sur des trajectoires parallèles. Sous la violence mesurée du coup de lance, l'un des deux jouteurs est déséquilibré, quelquefois projeté en l'air avant de choir dans l'eau, parfois ce sont les deux jouteurs qui tombent. Les spectateurs acclament le gagnant, réconfortent le perdant ; les plus érudits commentent la performance technique. Et tout recommence jusqu'à la victoire du champion de l'année qui doit avoir éliminé trois adversaires, avec fair-play.

Charles Peytarcé,
Fêtes et Traditions populaires du Languedoc-Roussillon et Aveyron,
© Romain Pagès Éditions et Midi Libre, 2005.

a. Tu voudrais qu'on aille voir quoi, les joutes ? Ça consiste en quoi ?
b. Où est-ce que ça se pratique ?
c. Qui participe ?
d. C'est vraiment une tradition du coin ?
e. En fait, ça ressemble à un tournoi du Moyen Âge, non ?
f. Ce n'est pas dangereux ?

2 Retrouvez sur la photo les détails de l'affrontement décrit dans le deuxième paragraphe.

3 Dites si les phrases suivantes sont vraies ou fausses.
a. Les jouteurs peuvent se battre contre n'importe quel adversaire.
b. La compétition de joutes dure une journée.
c. Les jouteurs ont tous le même vêtement.
d. Les bateaux sont des barques de pêche de la région spécialement aménagées.

4 Relevez dans le texte les mots qui ont les sens suivants :
– l. 1 à 20 : exister – bord de mer – moment le plus important – catégories
– l. 21 à 40 : s'affronter – qui se suivent – stabilisé – le bout – type de bateau – armes des combattants du Moyen Âge
– l. 41 à la fin : celui qui dirige le bateau – contrôlée – tomber – applaudir – savant

5 Réalisez un document pour le catalogue du musée des traditions.
Présentez une manifestation traditionnelle d'une région ou d'un pays que vous connaissez bien.
Recherchez quelques photos de cette tradition et rédigez un bref commentaire de chacune d'elles.
– manifestation de type jeux ou compétition (utilisez le vocabulaire du tableau)
– défilé costumé
– danse

Combats et compétitions

• un combat (combattre) – une lutte (lutter) – un affrontement (s'affronter) – une bataille (se battre – les boxeurs se battent – il se bat contre son adversaire) – un duel – un tournoi – une joute

• attaquer (une attaque) – s'élancer vers (se jeter sur... foncer sur...) son adversaire / se défendre – résister un adversaire – un concurrent / un partenaire

• gagner – remporter une victoire, une élection, des suffrages / perdre
être désigné vainqueur – être élu – obtenir (remporter) une récompense, un prix, une médaille

Présentez les particularités d'une fête

Noël en France et dans le monde
Noël en Provence...

En Provence, comme ailleurs en France, la fête de Noël mélange les traditions religieuses et profanes.

Quinze jours avant Noël, on installe la crèche, représentation de la naissance de Jésus, avec de petites figurines : les santons. Ici, Jésus est supposé être né en Provence et tous les personnages typiques de la région (les bergers, le poissonnier, etc.) se mêlent aux Rois mages et aux anges pour lui rendre hommage. Dans la crèche, on dépose de petites coupes contenant du blé qu'on aura mis à germer pour la Sainte-Barbe et qui aura poussé d'une dizaine de centimètres pour Noël.

Parallèlement, comme partout en France, on décore l'arbre de Noël. Les rues, les places et les façades sont couvertes de guirlandes lumineuses. Les plus petits se font photographier en compagnie du Père Noël.

Le soir de Noël, les églises sont pleines de catholiques pratiquants ou non pratiquants, ainsi que de personnes venues en touristes. On célèbre la messe de minuit en langue provençale. Les gardians[1] à cheval accueillent les participants à l'entrée de l'église. Une procession en costume traditionnel vient déposer devant l'autel de jeunes agneaux et les produits de la terre. On chante des chants folkloriques et le célèbre « Minuit chrétien[2] ».

Ce soir-là, on fait un dîner de réveillon avec, au menu, quelques plats recherchés comme les huîtres ou le foie gras. À la fin du repas, on présente un plateau de treize desserts qui rassemble les fruits et les friandises de la région et symbolise Jésus et ses douze apôtres[3].

Le lendemain, comme dans le reste de la France, les enfants découvrent les cadeaux au pied de l'arbre de Noël ou dans la cheminée. Le repas de midi est souvent l'occasion de rassembler la famille.

1. Éleveur de taureaux en Camargue. – 2. Chant religieux du XIXe siècle. – 3. Compagnons de Jésus.

... en Allemagne...

Comme dans de nombreux pays, les petits Allemands commencent à préparer Noël dès le début du mois de décembre.

Certaines familles préparent des calendriers très originaux avec des guirlandes et des petits paquets.

Chaque dimanche de l'Avent1, on allume une chandelle de la couronne de branches qu'on a fabriquée.

À la Sainte-Barbara, on met des branches de forsythia dans un vase, elles fleuriront pour Noël.

À la Saint-Nicolas, tous les enfants posent leurs bottes à la porte de leur chambre.

Le sapin est décoré le 24 décembre par les enfants.

Au repas de Noël, les Allemands dégustent une oie grillée accompagnée de chou rouge et de pommes.

Le soir du 24 décembre, c'est l'Enfant Jésus (coutume protestante) ou le Père Noël qui apporte les cadeaux et les dépose sous le sapin.

Le jour des Rois, des enfants déguisés en Rois mages écrivent les initiales des trois rois sur les portes.

D'après www.joyeux-noel.com

1. Période qui précède Noël.

[... ET AILLEURS]

Des Français qui vivent en Suède et en Espagne parlent des fêtes de Noël dans leurs pays de résidence.

---

1 🌐 Lisez le document et écoutez l'enregistrement. Comparez la fête de Noël dans les différents pays. Caractérisez les célébrations selon les lieux.

On célèbre...	En Provence	En Allemagne
La lumière		
La renaissance, l'espoir	Le blé qui germe	
Les offrandes, les cadeaux		
Le récit de la naissance de Jésus dans les Évangiles	La crèche	

2 Relevez et classez le vocabulaire de la religion.

3 Présentez une fête originale dans votre catalogue du musée des traditions.

3 Un problème ?

ENQUÊTE SUR LES SOUHAITS DES HABITANTS

1 — Indiquez vos préférences en matière de limitation de vitesse :

• sur les autoroutes
○ vitesse limitée à .... ○ pas de limitation

• sur les routes
○ vitesse limitée à .... ○ pas de limitation

• en ville
○ vitesse limitée à .... ○ pas de limitation

2 — Est-il impératif de généraliser les radars de contrôle de vitesse ?
○ oui ○ non

3 — Les contrôles pour conduite en état d'ivresse devraient-ils être :
○ plus fréquents ○ moins fréquents
○ sans changement

4 — Les sanctions sont-elles :
○ assez sévères ○ pas assez sévères ○ trop sévères

5 — L'usage du téléphone portable en voiture doit-il être :
○ strictement interdit ○ toléré ○ libre

6 — Vous paraît-il nécessaire que les feux de croisement soient allumés le jour par beau temps ?
○ oui ○ non

7 — Le port de la ceinture de sécurité en ville doit-il être :
○ obligatoire ○ facultatif

8 — Pour faciliter la circulation lorsque plusieurs voies se croisent, est-il préférable d'aménager :
○ des ronds-points ○ des feux rouges ○ les deux

9 — Dans votre ville, pensez-vous qu'il y a :
○ assez de feux rouges ○ pas assez ○ trop

10 — La circulation des voitures dans les centres-villes doit-elle être :
○ autorisée pour tous les véhicules
○ réservée aux seuls résidents
○ interdite à tout le monde

11 — En ville, faut-il :
○ agrandir ou multiplier les zones piétonnes
○ les diminuer ou les supprimer
○ les réserver au centre historique

12 — Le stationnement dans les rues doit-il être :
○ autorisé pour tous les véhicules
○ interdit à tous les véhicules
○ réservé aux résidents et limité à leur quartier

13 — Pensez-vous qu'il faille :
○ augmenter le nombre de pistes cyclables
○ ne pas les augmenter

14 — Le vélo doit-il être prioritaire sur la voiture dans les cas suivants :
○ quand la piste cyclable est coupée par une rue
○ sur un rond-point ou un croisement sans feux

15 — La circulation des vélos sur les trottoirs doit-elle être :
○ strictement interdite ○ tolérée

16 — Les transports en commun de votre ville vous paraissent-ils :
○ suffisants ○ insuffisants
○ satisfaisants ○ pas satisfaisants
○ gênant la circulation automobile

17 — Quel transport en commun souhaiteriez-vous développer dans votre ville ?
○ le bus ○ le métro ○ le tramway
○ autres : ....

NOS SONDAGES

• D'une manière générale, diriez-vous des personnes suivantes qu'elles conduisent de façon plus dangereuse que les autres ?

	Oui plutôt	Non plutôt pas	Sans opinion
Les jeunes	71	25	4
Les personnes âgées	71	25	4
Les hommes	24	71	5
Les femmes	8	87	

• Selon vous, que faudrait-il faire en priorité pour améliorer la sécurité routière ?

	Réponse citée en premier
1. Développer un système anti-démarrage en cas d'alcoolémie du conducteur	22
2. Brider les moteurs, c'est-à-dire limiter leur puissance	20
3. Améliorer la formation des conducteurs	15
4. Améliorer l'état des routes et la signalisation	14
5. Aménager la voirie pour une meilleure sécurité des piétons	5
6. Faire davantage de campagnes de communication	5
7. Sanctionner plus sévèrement les infractions	7
8. Multiplier les contrôles sur les routes	6
9. Limiter davantage les vitesses autorisées	4
10. Sans opinion	2

Enquête TNS Sofres (juillet 2008).

[LE MICRO-TROTTOIR] ◀◀ ▶ ▶▶

Trois personnes qui travaillent à Paris donnent leur opinion sur la circulation dans la capitale.

La place de l'Étoile (place Charles-de-Gaulle) à Paris.

Répondez à l'enquête

Travail collectif. Pour chaque question de l'enquête :

a. Répondez individuellement.

b. Comptez les différentes réponses des étudiants de la classe.
Exemple : vitesse sur les autoroutes : pas de limitation (2) – limitée à 140 (5) – limitée à 130 (5), etc.

c. Dégagez quand c'est possible l'opinion majoritaire.
« La plupart des étudiants estiment que la vitesse sur autoroute devrait être limitée à... »

Commentez les sondages

1• Sondage sur la conduite dangereuse

a. Formulez les résultats du sondage.
« Beaucoup de personnes interrogées pensent que... »
b. Donnez votre propre opinion.

2• Sondage sur les mesures à prendre pour améliorer la sécurité routière.

a. Expliquez chaque mesure. Quelles seraient ses conséquences ?
Exemple : 1• – pose d'un appareil qui détecte si le conducteur a bu trop d'alcool → coût de l'appareil
b. Donnez votre opinion. Seriez-vous favorable à cette mesure ? Pourquoi ?

Écoutez le micro-trottoir

Aide à l'écoute
– préconiser : recommander
– dissuasif : qui est fait pour empêcher
– « J'en ai ras le bol » (*fam.*) : j'ai ai assez
– « C'est le bordel » (*familier et vulgaire*) : c'est le désordre

1• Comment chaque intervenant vit-il ses déplacements dans Paris ? Pourquoi ?

2• Quelle solution propose t-il ?

Exprimer une obligation ou une interdiction

1980 ...

1990 ...

2000 ...

2005 ...

Godi et Zidrou, *L'Élève Ducobu*, © Godi - Zidrou - Éditions du Lombard, 2006.

❶ Lisez l'extrait de la bande dessinée.

a. Imaginez les différents panneaux d'interdiction entre 1975 et aujourd'hui.

b. Formulez ces interdictions en utilisant les différentes formes présentées dans le tableau.

❷ Nuancez vos ordres. Classez les mots dans l'ordre décroissant...

a. de l'obligation : impératif – ...

b. de l'interdiction : interdit – ...

> autorisé – conseillé – déconseillé – défendu – facultatif – impératif – interdit – libre – obligatoire – permis – prohibé – suggéré – toléré

❸ Reformulez ces indications en utilisant les expressions du tableau.

Exemple : **a.** Il est nécessaire que vous ayez une tenue correcte.

a. Tenue correcte exigée

b. Défense de fumer

c. Médicaments à prendre le matin

d. Entrée libre

e. Épreuve de dessin facultative

f. Stationnement toléré pour les usagers de la poste

g. Port du casque obligatoire

❹ Lois et règlements. Reliez les mots des deux colonnes.

le code...	du lycée
les directives...	pour monter les meubles
les instructions...	des naissances
la loi...	de la route
les principes...	de l'administration
la règle...	de la Constitution
le règlement...	de l'accord du participe passé
la régulation...	votée par les députés

Formes grammaticales de l'obligation

1. Une personne donne un ordre

a. Je vous demande de vous arrêter... (Je vous conseille de... donne l'ordre de... ordonne de...).

b. L'impératif : Arrêtez-vous ! Prenez-en !

2. Une personne dit qu'on lui a donné un ordre

Je dois m'arrêter – Je suis obligé(e) de tourner – Je suis contraint(e) de ralentir – Je suis tenu(e) de vérifier la pression de mes pneus – J'ai le plein à faire (avoir à...).

3. Emploi de « on »

Ici, on doit ralentir.

On est prié de ne pas stationner.

4. Emploi d'une forme impersonnelle

Le « il » ne représente pas une personne.

• *Il faut* + **infinitif** : il faut partir – Il nous faut partir. *Il faut que* + **subjonctif** : il faut que vous partiez.

• *Il est* + **adjectif** + *de* : il est nécessaire de se reposer – Il est obligatoire (impératif, conseillé, interdit) de...

• *Il est* + **adjectif** + *que* + **subjonctif** : il est impératif que nous fassions le plein d'essence.

• Le verbe peut se mettre au conditionnel pour exprimer une nuance de politesse, de distance et pour atténuer l'ordre :

Il serait bon de partir tôt.

Il serait nécessaire de s'arrêter.

5. La construction « *être* + participe passé »

L'entrée est interdite – L'accès nous a été refusé.

6. La forme pronominale

La roue de secours se place dans le coffre.

Le niveau d'huile se vérifie tous les 10 000 km.

7. Certains ordres écrits ne comportent pas de verbes

Photos interdites – Entrée réservée au personnel.

5 Complétez avec les verbes du tableau. Relevez les expressions imagées qui expriment les idées d'obéissance et de désobéissance.

Arthur est une forte tête. À l'école, il n' _____ pas le règlement. Il ne _____ pas les horaires. À la maison, il n'en fait qu'à sa tête. Il ne veut pas _____ à notre façon de vivre. Il _____ nos conseils. Samedi dernier, il nous a _____ : il est rentré à une heure du matin.

Mais nous avons décidé de le placer dans un internat.

Là-bas, on va le faire marcher au pas. Il va filer doux. Il finira bien par _____ à la volonté des adultes.

- obéir / désobéir à quelqu'un
- respecter la loi – se soumettre (se plier, se conformer) à la loi – observer une consigne
- transgresser (mépriser – se moquer de) la loi

Éviter des répétitions

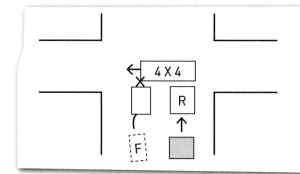

Constat d'accident

Je roulais tranquillement entre **une Renault Clio** et **une Fiat** quand cette dernière a commencé à me doubler.
C'est alors que le véhicule qui roulait devant le mien a freiné.
Un 4x4 arrivait à sa droite et il lui a cédé la priorité. Celui-ci a traversé l'avenue à grande vitesse. Mais la voiture qui me doublait ne l'avait pas vu et l'a heurté violemment...

1 Dans le texte ci-dessus relevez et classez les mots qui se substituent (ou se réfèrent) aux mots en gras.

Je → me _____
Une Renault Clio → _____

_____

2 Réécrivez les informations suivantes en évitant la répétition des mots en gras.

Faits divers
- Un mendiant a refusé à une chanteuse les 5 000 € que **la chanteuse** proposait **au mendiant**. **Le mendiant** a estimé que **5 000 €** c'était trop élevé. Les 5 000 € ont été versés **par la chanteuse** à une œuvre sociale.
- C'est au moyen d'une simple boule de neige qu'un voleur a réussi à dérober une somme importante à un homme de 50 ans. **Le voleur** a lancé **la boule de neige** au visage de **l'homme de 50 ans** au moment où **l'homme de 50 ans** sortait d'une banque. **L'homme de 50 ans** portait une serviette contenant 10 000 € et le voleur a arraché **cette serviette** à **l'homme de 50 ans**.

La substitution

Pour éviter la répétition d'un même nom, pour faire référence à un nom déjà cité dans un texte on peut utiliser :

1. un autre nom plus général ou plus spécifique
la voiture → le véhicule – la Renault – la Clio

2. un pronom démonstratif ou « ce dernier »
Deux voitures roulaient derrière moi, une Peugeot et une Audi. **Celle-ci** a essayé de me doubler. (**Cette dernière** a commencé à me doubler.)

3. un pronom personnel (voir p. 130)
Une voiture est arrivée sur ma gauche. **Elle** ne **m'**a pas vu.

4. un pronom possessif (voir p. 131)
Cette voiture consomme beaucoup. **La mienne** est plus économe.

5. un pronom indéfini (voir p. 132)
Je trouve que tu roules très vite. **Les autres** roulent plus lentement. Et **la plupart d'entre eux** ont allumé leurs phares.

Travaillez vos automatismes

1 Emploi des pronoms objets directs. Confirmez comme dans l'exemple.

Nouvelle voiture
- Marie a acheté sa nouvelle voiture ?
– Oui, elle l'a achetée.
- Elle a pris toutes les options ?
– _____

2 Emploi des pronoms représentant un nom introduit par la préposition « à » ou complément de lieu. Confirmez comme dans l'exemple.

Conseils de voyage
- Ne va pas dans le Nord du pays.
– N'y va pas !
– _____

3 Un problème ?

Incidents de voyage

Voiture en panne, infractions au code de la route, retard de l'avion, prestations décevantes du tour opérateur, météo catastrophique, visa refusé... Qu'il soit long ou court, un voyage réserve souvent des surprises.

Il faut savoir y faire face.

Soyez en règle

Voici le contenu du sac du voyageur. Trouvez les documents correspondant aux définitions.

(1) l'attestation d'assurances • (2) le carnet de vaccinations • (3) la carte bancaire • (4) la carte d'identité • (5) la carte de réduction • (6) la carte grise • (7) la carte vitale • (8) le chéquier • (9) la déclaration de douanes • (10) les devises • (11) le livret de famille • (12) le passeport • (13) le permis de conduire • (14) la photo d'identité • (15) le visa

a. On vous le délivre au consulat du pays où vous allez voyager.
b. Sa validité expire au bout de dix ans.
c. On est obligé de la coller sur le pare brise de sa voiture.
d. On doit toujours les avoir quand on conduit sa voiture.
e. On la colle sur le passeport.
f. Pour un ressortissant de la Communauté européenne, elle est suffisante pour voyager en Europe.
g. Ces documents sont utiles en cas de problèmes de santé.
h. Il est nécessaire pour avoir un extrait d'acte de naissance.
i. Il est obligatoire pour voyager dans certains pays tropicaux.
j. Elle est nécessaire pour payer ses achats dans beaucoup de pays.
k. Pour voyager moins cher en train.

Prenez le volant

1 Lisez le sketch « Les automobilistes ». Faites la liste des infractions au code de la route.

2 Relevez le vocabulaire des parties de la voiture. Associez-les avec un numéro du dessin. Trouvez le nom des parties correspondant aux autres numéros.

3 Relevez les façons familières de parler.

4 Imaginez une suite au sketch.

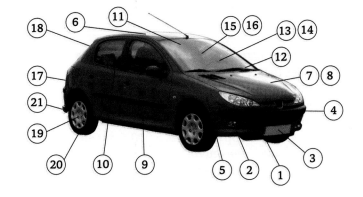

5 Que faut-il faire ? Trouvez la solution correspondant à chaque problème.

a. Un pneu est à plat.
b. La voiture dérape dans un virage.
c. Le voyant lumineux de la jauge d'essence clignote.
d. Vous lisez 160 km/h au compteur.
e. Vous tombez en panne sur une route.
f. Une voiture heurte l'arrière de la vôtre.

(1) S'arrêter à une station-service
(2) Ralentir
(3) Faire un constat
(4) Remplacer la roue par la roue de secours et faire réparer le pneu crevé
(5) Faire vérifier la pression des pneus et vos amortisseurs
(6) Mettre le gilet de sécurité et placer le triangle

6 Quel type d'infraction commettent-ils ?

a. Il roule trop vite.
b. Elle s'est garée sur un passage piéton.
c. Il ne s'est pas attaché.
d. Un de ses clignotants ne marche pas.
e. Elle n'a pas laissé passer la voiture qui venait à sa droite.

(1) Défaut de ceinture
(2) Feux de signalisation défectueux
(3) Stationnement interdit
(4) Excès de vitesse
(5) Refus de priorité

Les automobilistes

Sketch des humoristes Chevallier (C) et Laspalès (L).

Deux automobilistes discutent

C : Moi, je dis que sur la route, il faut être prudent parce que le danger vient toujours des autres.

L : Tiens, l'autre jour, je monte une côte, il y a un type qui n'avançait pas devant moi. Il y avait la ligne jaune. J'ai pas attendu, hein. J'ai doublé !

C : Tu as bien fait.

L : Ouais, seulement, tu te rends compte s'il y avait un connard[1] qui était venu en face !

C : Moi, l'autre fois, au carrefour, c'était rouge, j'étais pressé, je suis passé quand même.

L : T'as bien fait.

C : Ouais mais seulement un gars serait arrivé de l'autre côté, je le bigornais[2], moi !

L : En plus le gars, il sait pas que tu es pressé, il fonce.

C : C'est vert, il passe, le con[1] !

L : Ces types-là, ils sont pas maîtres de leur véhicule, ils sont crispés.

C : Moi, quand je conduis, j'ai toujours un thermos[3] avec du cognac, ça me détend.

L : Ils le disent à la Sécurité routière : « Faut se détendre. »

C : Tous les 200 km ils disent. Tu bois un petit coup, tu te détends.

L : Il faut boire très frais.

C : Mais pas d'alcool pur !

L : Jamais. Faut couper avec de la glace.

C : Il faut manger un peu aussi. Moi, quand je m'arrête, souvent, je prends toujours des frites en cornet, dans du journal, elles sont bien chaudes, bien grasses... qui laissent des traces sur les doigts.

L : C'est pour ça que je mets toujours un étui en fourrure autour du volant sinon je glisse dans les virages.

C : Mais c'est obligatoire pour la sécurité, ils l'ont dit au journal de TF1, sur la 5... Obligatoire, ils ont dit. Volant en fourrure à l'avant, ceintures à l'arrière.

L : Ouais, dans le coffre.

C : Faut faire vérifier ses freins aussi. C'est important ça.

L : Sur la plage arrière, j'ai un chien en plastique, quand je freine il remue la tête. Comme ça les autres derrière, ils voient que je freine.

C : De toute façon, tes feux arrière quand tu freines, ils s'allument.

L : Pas les miens, ils sont pétés[4] depuis longtemps... Le système antipollution, tu l'as, toi ?

C : Ah non ! Moi j'ai pas de pot d'échappement du tout, comme ça je ne pollue rien du tout.

L : T'es pas gêné par le bruit ?

C : Non, je mets des Cotons-Tiges dans les oreilles.

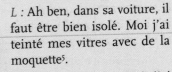

L : Ah ben, dans sa voiture, il faut être bien isolé. Moi j'ai teinté mes vitres avec de la moquette[5].

C : C'est pas bête. Moi, j'ai le pare-brise qui est tout en écussons de là où je suis allé cet été. Ça m'isole rudement bien et ça me distrait en même temps.

L : Ça ne te gêne pas pour la visibilité ?

C : Non, je conduis tout à l'oreille, moi.

L : Moi pareil. C'est les klaxons des autres qui me guident.

1. Imbécile (*terme familier et vulgaire mais très employé*). – 2. Abîmait (*fam.*). – 3. Bouteille spéciale qui conserve le liquide chaud ou froid. – 4. Cassés (*fam.*). – 5. Tapis qui couvre tout le sol d'une pièce.

3 Un problème ?

🎧 Écoutez le point route et la météo ///////

❶ Le point route

Que s'est-il passé dans ces lieux ? Quelles en sont les conséquences ?

Repérez les différents lieux sur la carte p. 148. S'agit-il de région, de département, de ville ?

• Région Rhône-Alpes : .... • Seine-et-Marne : ....

• Autour de Lille : ....

Aide à l'écoute

– Rosny-sous-Bois : poste central de la surveillance des routes

– Bourg-Saint-Andéol : petite ville de l'Ardèche (Rhône-Alpes)

– Sancy : village de Seine-et-Marne

❷ La météo

Quelle est la tendance générale ?

Au fur et à mesure de l'écoute, complétez la carte.

Aide à l'écoute

– *mitigé* : mélangé, variable

– *une ondée* : une pluie

– *le vent d'autan* : vent apportant en général des pluies dans la région de Toulouse

👥 Conseils aux automobilistes

• La France dispose d'un réseau important d'autoroutes signalées par les lettres A ou E (quand il s'agit de grandes voies européennes). Pour aller de Dunkerque à Marseille, on met neuf heures en suivant l'A16, l'A6 et l'A7. La plupart de ces autoroutes sont à péage. La vitesse y est limitée à 130 km/h (110km/h par temps de pluie ou de brouillard). Ces autoroutes sont jalonnées d'aires de service et de repos.

• Comme les autoroutes, les routes nationales (signalées N1, N2, etc.) convergent vers Paris. Entre les agglomérations importantes, elles sont souvent à quatre voies. Les pouvoirs publics s'emploient toutefois à relier les régions entre elles.

Le réseau des routes départementales (signalées D1, D2, etc.) est très développé dans les zones rurales.

Sur les nationales et les départementales la vitesse est limitée à 90 km/h sauf indication contraire.

• La traversée d'une agglomération – il suffit de quelques maisons pour faire une agglomération – est limitée à 50 km/h.

Pour faciliter le contournement des grandes villes, l'automobiliste trouvera des périphériques, des rocades ou des voies rapides.

Exprimez votre satisfaction ou votre déception ///////

❶ Lisez le texte de la page 33.

Qui écrit ? À qui ? Pour quelles raisons ?

❷ Faites la liste des motifs d'insatisfaction de l'auteur de la lettre.

❸ Relevez les mots grammaticaux qui introduisent certaines phrases. Classez-les selon qu'ils introduisent :

– une série d'arguments de même type ;

– un argument opposé au précédent.

❹ Complétez l'argumentation suivante avec les mots grammaticaux du tableau.

> Monsieur,
>
> J'ai loué une voiture à votre agence et je n'ai pas été satisfaite de cette location.
>
> ...., j'avais réservé une Renault Clio.
>
> ...., c'est une Renault Picasso qui m'a été remise.
>
> ...., la voiture est tombée en panne le deuxième jour.
>
> ...., j'ai été tout de suite dépannée mais cette panne m'a fait perdre une demi-journée.
>
> ...., la jauge d'essence ne fonctionnait pas.

Satisfaction et déception

• **La satisfaction**

Ce programme me satisfait (satisfaire) – il me convient (convenir)

Je me contente de dix jours de vacances (se contenter de)

Dix jours me suffisent – Je n'en demande pas davantage.

Je suis satisfait, content, ravi, comblé – J'en ai eu pour mon argent

• **La déception**

Ce programme ne me satisfait pas – Il n'est pas satisfaisant – Il ne me convient pas

Le voyage m'a déçu(e) (décevoir) – Je m'attendais à voir davantage de monuments – J'espérais qu'on allait visiter plus de sites

Ce n'était pas terrible – Ça laissait à désirer

Je regrette d'y être allé – Je m'en mords les doigts

❺ Vous venez de faire un stage, une formation ou un voyage.

Les organisateurs vous demandent de faire le bilan de ce que vous avez vécu.

Rédigez ce bilan en exprimant vos satisfactions et vos déceptions.

Madame, Monsieur,

Nous rentrons d'un séjour de quinze jours dans votre club de vacances de C...

Nous tenons à vous faire part de notre profonde insatisfaction.

En effet, la réalité du séjour a été bien différente de celle qui est décrite dans votre catalogue.

Certes, les bungalows étaient bien sur la plage mais de gigantesques travaux de dragage empêchaient tout accès à la mer. Pour se baigner, il fallait faire près de 500 m à pied en longeant la route.

Et nous avons eu bien d'autres motifs de déception.

Tout d'abord, nous nous attendions à des bungalows tout confort. Or, nous n'avions l'eau au lavabo et à la douche que quelques heures par jour. Par ailleurs, la climatisation est restée en panne toute la première semaine de notre séjour.

Ensuite, nous avons eu la surprise de devoir prendre nos repas à l'extérieur du club. Pourtant votre catalogue présentait de magnifiques photos de somptueux buffets. Mais on nous a dit que le personnel des cuisines était en grève.

Enfin, autre déception : le club n'organisait aucune excursion et on nous a orientés vers une agence de tourisme locale. Or, votre catalogue promettait deux excursions gratuites. En revanche, celles de l'agence locale nous ont toutes été facturées.

Vous comprendrez que ces problèmes ont gâché notre séjour. La quasi-totalité des participants étaient également indignés.

Nous estimons donc avoir subi un préjudice et nous vous demandons réparation sous forme d'un remboursement ou d'un séjour offert dans un lieu irréprochable.

Nous vous prions d'agréer, Madame, Monsieur, l'expression de nos salutations distinguées.

Nathalie et Thierry Cartier

Pour introduire les phrases d'une argumentation

• Pour énumérer des arguments qui portent sur la même idée
D'abord... Ensuite, etc. (voir p. 117)

• **En revanche (Par contre)...** introduit une idée symétrique et opposée à la précédente.
Le voyage s'est bien passé. En revanche (par contre), à l'arrivée il n'y avait personne pour nous accueillir.

• **Pourtant** introduit une affirmation apparemment contradictoire avec la circonstance qui précède et inversement.
Il pleuvait. Pourtant je suis sorti.
Je suis sorti. Pourtant il pleuvait.

• **Toutefois, Cependant** introduisent un fait auquel ce qui précède aurait pu s'opposer.
Il pleuvait. Toutefois (Cependant) il faisait chaud.

• **Certes** introduit un argument qui va dans le même sens que ce qui précède. Mais cet argument est suivi d'un argument contraire.
Nous sommes allés sur la Côte d'Azur. Certes, c'est une région magnifique mais il y avait beaucoup trop de monde.

• **Or** introduit souvent une information nouvelle qui va modifier la conclusion attendue.
La brochure de l'agence de voyages présentait un bungalow au bord de l'eau. Or, celui qu'on nous a attribué était à 50 m. Inutile de vous dire que nous n'étions pas contents.

DOSSIER ENVIRONNEMENT

PROTECTION DE L'ENVIRONNEMENT

Notre réglementation est-elle appropriée ?

Les parcs régionaux suffiront-ils à sauver la faune et la flore sauvages ?

Souvent, nous ne connaissons plus les animaux qu'à travers le petit et, de plus en plus rarement, le grand écran. Vision aseptisée qui nous amène à croire que les animaux sauvages ne sont que des images animées qui nous attendent dans la nature. Ce qui, dans les parcs nationaux, en France, en Europe et en Afrique, devient de plus en plus vrai. À force de voir des touristes, les animaux les plus sauvages s'anthropisent[1] et, souvent, diminuent leurs distances de fuite, c'est-à-dire la distance qu'ils admettent entre eux et l'homme, par définition inquiétant. C'est le cas des bouquetins dans les parcs nationaux alpins français. Ce qui implique aussi un accablant changement de comportement de l'homme : il y a dix ans, les touristes se promenant dans la Vanoise rêvaient que les chamois ou les bouquetins prennent la pose pour les appareils photo. Aujourd'hui, les gardes moniteurs constatent que les touristes équipés de caméras supplient les mêmes animaux de bouger, n'hésitant pas à leur jeter des pierres pour qu'ils s'agitent un peu plus devant les objectifs braqués. C'est puni par la loi, évidemment, mais qui peut faire appliquer les textes contre les imbéciles ? Aucune loi ne réussira à nous rapprocher de la plupart des espèces sauvages, faune ou flore. Et 99,9 % des Français sont incapables de reconnaître les centaines d'espèces végétales protégées par un arrêté de 1982, auxquelles il faut ajouter celles d'une quinzaine de décrets de protection régionale : une fleur répandue en Normandie peut être rarissime en Auvergne. Où est-ce écrit, où et comment est-ce rappelé ? L'essentiel étant que les naturalistes soient contents, avec leur petit jouet légal, et le ministère également. Le chardon bleu disparaît ? Comment est-ce possible ? il existe un décret qui organise strictement sa protection ! Quant aux oiseaux, il serait peut-être plus efficace de prendre une fois pour toutes un décret prescrivant qu'il faut leur foutre la paix à tous, plutôt que de faire des listes qui ne signifient pas grand-chose pour les citadins, le mot étant pris au sens très large de ce terme.

Claude-Marie Vadrot,
L'Horreur écologique,
Delachaux et Niestlé, 2007.

1. Deviennent familiers des humains.

BRIGADES VERTES

PROTECTION MILIEU-NATUREL

Nos lois ne sont-elles pas égoïstes ?

Il y a une grande hypocrisie dans l'écologie très autoritaire telle qu'elle est pratiquée aujourd'hui. Après avoir pillé la planète, les pays occidentaux voudraient empêcher les autres pays d'accéder au développement, d'utiliser leurs matières premières. On ne peut pas interdire à un État comme le Brésil d'avoir recours à tous les moyens pour sortir de la pauvreté. J'étais au côté de l'écrivain malien Amadou Hampâté Bâ un jour qu'il recevait un prix littéraire. Une dame est venue vers ce grand gaillard, très africain d'aspect, et lui a demandé : « Qu'est-ce que vous comptez faire pour sauver les éléphants ? » il lui a répondu : « Madame, les éléphants sont de sales bêtes qui piétinent nos plantations. » La dame a été très choquée...

J.M.G. Le Clézio, propos recueilli par François Dufay, *L'Express*, 16/10/2008.

Le bien peut être pire que le mal

Le gecko, un lézard d'Afrique, est arrivé à Nîmes vers 1970, probablement dans une valise ou un conteneur car sa présence a été signalée dans le quartier de la gare des marchandises. Rien n'a été fait pour le supprimer. Résultat : en quarante ans, il a considérablement étendu son territoire, faisant disparaître le lézard gris originaire de la région, un lézard évoqué par les écrivains et faisant partie du patrimoine local.

Dernier exemple : les biocarburants. Pour produire ce nouvel « or vert » tiré du soja ou du colza, il faut de nouvelles terres. Des millions d'hectares de forêts sont en train de disparaître, déséquilibrant l'écologie de certaines régions. Les petits paysans qui exploitaient ces terres doivent les céder aux grands exploitants.

Autre effet pervers, les cours du soja s'envolent et les éleveurs ont des difficultés à nourrir leur bétail.

Être un éco-citoyen
Franck Châtelain de l'Ademe (Agence de l'environnement et de la maîtrise de l'énergie) explique les gestes simples que chacun pourrait faire pour éviter la dégradation de la planète.

Réflexion sur les parcs nationaux

1• Lisez l'article de la p. 34. Trouvez le sens des mots nouveaux à l'aide des définitions suivantes :

– l. 1 à 20 : protégé des impuretés – animal sauvage de l'espèce des chèvres

– l. 21 à 40 : animal de la famille des cerfs – personnel des parcs naturels – tourné en direction de quelqu'un

– l. 41 à la fin : décision administrative – textes de loi – très rare – plante à fleur épineuse – laisser tranquille – habitants des villes

2• Recherchez les arguments qui permettent de répondre à la question du titre...
– dans le comportement des hommes
– dans celui des animaux
– dans les lois sur l'écologie

3• Recherchez des passages de l'article qui correspondent à ces affirmations :
– C'est un article scientifique et sérieux.
– L'auteur fait de l'ironie.
– L'auteur est en colère.
– Il fait des propositions.

4• Répondez à la question posée par le titre de l'article (tour de table).

Questions d'écologie

1• Partagez-vous la lecture des deux articles ci-contre. Préparez :
– une présentation orale de l'article (en le reformulant) ;
– votre opinion sur le problème posé.

2• Présentez votre travail à l'autre groupe. Discutez.

Écoutez l'interview

1• Au fur et à mesure de l'écoute, complétez le tableau.

Les gestes qu'il faut faire	Leur justification
Éteindre...	
Remplacer...	
Dégivrer...	
Pour se laver...	
Quand on se brosse les dents	

2• Quels autres gestes simples proposez-vous de faire pour être un « éco-citoyen » ?

[L'INTERVIEW]

4 Attention fragile !

DEVENEZ ÉCO-CITOYEN

✔ **En** cinquante ans nous avons consommé la moitié des ressources de la planète.

✔ **Dans** trente ans, sa population aura doublé.

✔ **D'ici à** 2040, le pétrole aura disparu.

NOUS NE RESTERONS PAS LES BRAS CROISÉS **JUSQU'À CE QUE** LA TERRE SOIT ÉPUISÉE.

D'ores et déjà il faut AGIR.

Dès maintenant, IL FAUT CHANGER NOTRE FAÇON DE VIVRE.

DORÉNAVANT SOYONS ÉCO-CITOYENS !

---

❶ Dans les phrases ci-dessus, observez les temps des verbes.

nous avons consommé → passé

le pétrole aura disparu → ...

Classez les mots en gras :

– ceux qui introduisent une durée

– ceux qui introduisent un moment

Comparez les emplois de en et dans.

❷ Employez les temps du futur. Utilisez les verbes suivants :

avoir des enfants – être à la retraite – se marier – divorcer – partir à l'étranger – réussir – acheter un appartement – finir ses études – etc.

Des amis font des rêves d'avenir. Imaginez ce qu'ils disent

Je _____ Tu _____ Mes parents _____ Ta copine _____

Ton copain _____ Nous _____

Exemple : Dans cinq ans, j'aurai fini mes études ...

❸ Complétez avec les mots des rubriques 3 et 4 du tableau « Expression du futur ».

Colère

« J'en ai assez de vivre dans cette ville polluée.

_____ 20 ans, elle sera devenue un enfer.

Et _____ 20 ans, mes poumons ont le temps de ressembler à ceux d'un fumeur.

Je ne vais pas rester ici _____ ma mort.

_____ je me mets à la recherche d'une maison à la campagne. Je chercherai _____ je l'aie trouvée.

_____ l'été prochain, il faut que je sois installé. »

Expression du futur

1. Les temps utilisés pour parler du futur

• **Le futur simple**

Dans trente ans, il n'y aura plus de pétrole.

• **Le futur antérieur** (exprime une action qui s'est achevée dans le futur ou antérieure à une action future)

Nous aurons épuisé les réserves de pétrole.

• **Le futur proche** (quand l'action future est proche dans l'esprit de la personne qui parle)

Le prix de l'essence va augmenter.

• **Le présent** (quand on veut produire un effet, par exemple, dramatiser pour exprimer l'urgence)

Dans trente ans, il n'y a plus de pétrole.

2. L'expression de l'imminence

*Marie est **sur le point de** partir. Elle ne va pas tarder à partir. Elle part dans un instant (un moment, une seconde), dans peu de temps, d'un instant à l'autre, bientôt, sous peu Son départ est proche (imminent).*

3. Pour situer dans le futur

• *Il sera prêt le 8 août, **dès** le 8 août, **à partir du** 8 août.*

• ***À partir de maintenant** (**dorénavant**, **désormais**), je vais consommer moins.*

• *Pierre a **d'ores et déjà** commencé.*

• *Il restera à Rome **jusqu'au** 30 juin. Il y restera **jusqu'à ce que** la conférence soit finie.* (subjonctif)

4. Pour exprimer la durée

***D'ici à** 2050, la Terre se sera réchauffée de 2 degrés.*

***Dans** 20 ans, la température aura augmenté de 1 degré.*

*Nos ressources pétrolières seront consommées **en** 50 ans.*

Décrire une évolution

• **L'évolution**

(se) changer – progresser – (se) développer

• **Le changement**

(se) changer – (se) transformer – (se) métamorphoser – (se) modifier – varier

devenir – **verbes construits à partir de l'adjectif + suffixe -ir** (rougir – grandir)

• **L'amélioration**

(s') améliorer – progresser – (se) perfectionner – (se) moderniser – (se) renouveler

(se) corriger – réparer – rénover – restaurer – se bonifier – s'amender

• **La dégradation**

(se) dégrader – (s')abîmer – (se) détériorer – endommager altérer – dénaturer

casser – démolir – détraquer

4 Complétez avec un verbe du tableau « Décrire une évolution ».
Un nouveau directeur a été nommé. Il est excellent. Il a complètement _____ l'entreprise.
Il a _____ de nouveaux marchés.
Les machines ont été _____ .
Il a fait _____ les entrepôts.
Chaque salarié a pu faire un stage pour _____ , de sorte que chacun a pu _____ .
Le chiffre d'affaire de l'entreprise a _____ .

5 Remplacez les expressions soulignées par un verbe en -ir.
a. Avec le printemps, le gazon est devenu vert et épais.
b. Quand Claudia a appris la nouvelle, elle est devenue toute pâle.
c. Le vent est devenu frais.
d. Hugo est devenu grand.
e. Ici, la route est plus large.
f. Allez plus lentement.

Exprimer un souhait – Imaginer

L'alter-mondialiste :
« Moi, je souhaite qu'il n'y ait plus de pétrole.
On n'irait plus chercher la nourriture à l'autre bout du monde.
Je rêve d'un arrêt des importations.
J'ai envie de consommer des produits locaux.
Chacun aurait son jardin, élèverait des poules et des lapins. J'espère voir ce jour-là ! »

1 Dans le texte ci-dessus, observez :
a. les phrases qui expriment le souhait ou l'espoir.
Relevez les différentes constructions :
– *Je souhaite* + *que* + sujet différent + subjonctif
–
b. les phrases qui expriment des faits imaginés.

2 Une jeune cadre parle de son avenir.
Formulez ses phrases à partir des idées suivantes et en utilisant les verbes du tableau
Exemple : **a.** Je rêve de créer mon entreprise.
a. créer mon entreprise
b. être indépendante
c. difficultés rapidement surmontées
d. prêt bancaire accordé
e. situation internationale favorable
f. développement de l'entreprise
g. entreprise de 50 salariés dans 5 ans

Espoirs – Souhaits – Rêves

1. L'espoir
J'espère venir / que vous viendrez – J'ai bon espoir que vous viendrez – Il faut espérer que vous viendrez – Je compte sur vous – Je m'attends à sa visite / à ce qu'il vienne me voir (idée d'anticipation)

2. Le souhait
Je vous souhaite une bonne route – Je souhaite pouvoir venir vous rendre visite – Je souhaite que vous soyez vite rétabli (subjonctif)
Je rêve d'elle – Je rêve de lui parler – Je rêve qu'elle m'écoute (subjonctif)
J'ai envie de vacances – J'ai envie de partir – J'ai envie qu'elle vienne avec moi (subjonctif) – Pourvu qu'il fasse beau
J'aspire à quelques jours de vacances (à partir)
J'ai l'ambition de lui plaire.

3. Le conditionnel exprime des faits imaginés ou rêvés
J'aimerais que nous soyons en vacances. Nous ferions la grasse matinée. Nous irions nous baigner. Nous ferions…

Voir aussi « Hypothèse et supposition » p. 93.

3 Imitez le texte de l'alter-mondialiste. Formulez un souhait utopique.
« Je souhaiterais qu'il n'y ait plus Internet (de voiture, d'avions, etc.). »

Travaillez vos automatismes

1 Verbe au futur antérieur avec pronom complément
En classe, vous savez anticiper
• Mardi, je ne serai pas là. Vous ferez l'exercice 8.
– Je l'aurai déjà fait.
• Alors vous travaillerez le texte de la p. 63.

2 Exprimez un espoir ou un souhait. Confirmez comme dans l'exemple.
Projets
• Tu pourras m'accompagner ? Tu le souhaites ?
– Oui, je souhaite pouvoir t'accompagner.
• Et Marie, elle viendra ? Tu l'espères ?
– Oui, j'espère qu'elle viendra.
…………

Attention fragile !

Vivre autrement

Nous ne pouvons pas y échapper. Des changements importants s'annoncent dans les années qui viennent : pénurie de pétrole, raréfaction de l'eau douce et des ressources alimentaires. Beaucoup de scientifiques affirment que nous allons changer notre mode de vie.

Individuellement ou en petits groupes, vous réfléchirez à la façon de vivre autrement.

Vous présenterez vos réflexions sur une affiche ou un panneau que vous présenterez oralement.

Imaginez votre nouveau quartier

Montpellier : le nouveau quartier de Port Marianne

Le nouveau quartier de Port Marianne s'étend au bord du Lez, fleuve côtier reliant la ville à la mer. Agrémentées de passerelles piétonnes et arborées, de restaurants sympathiques, les berges du fleuve incitent à la promenade à pied ou à l'apprentissage de la navigation pour petits et grands.

C'est le deuxième centre ville de Montpellier et la nouvelle mairie y a été inaugurée en 2011. Il prolonge le quartier d'Antigone, construit entre 1982 et 1992 qui jouxte le cœur historique de la ville. Parfaitement desservi par les lignes 1 et 3 du tramway, à quelques minutes de la célèbre place de la Comédie, Port Marianne est l'exemple même du centre urbain du XXIᵉ siècle. Il comporte aussi bien des bureaux, des universités, des immeubles d'habitation qui s'inscrivent dans une optique de développement durable, que tous les équipements publics (écoles, poste, etc.). De nombreux architectes et urbanistes ont participé à ce projet comme André Fainsilber, Christian de Portzamparc ou Jean Nouvel, chacun réalisant sa part de rêve et créant une entité urbaine à part entière.

Parce qu'aujourd'hui les loisirs se conçoivent d'abord à proximité des lieux de travail et d'habitation, le complexe de l'Odysseum, organisé autour d'un parc intérieur et desservi par une station de tramway, réunit sur un seul site des équipements de toute dernière génération : un multiplexe, une patinoire, un aquarium, un planétarium, un bowling, un centre de remise en forme, un karting, un mur d'escalade, un théâtre de plein air ainsi que des restaurants et des brasseries à thèmes. L'Odysseum est aussi un centre commercial avec de nombreuses enseignes et boutiques.

Parc Marianne, espace naturel de 4,5 hectares, offre un cadre de verdure agréable aux habitants qui aiment venir s'y reposer le dimanche ou en fin de journée. Des panneaux explicatifs invitent à reconnaître les oiseaux de nos villes et de nombreuses grenouilles et crapauds peuvent être observés de près dans la Lironde, affluent du Lez.

Du fait de son positionnement à quelques minutes de la mer (Palavas les Flots, Carnon, La Grande Motte) et du cœur historique de Montpellier, Port Marianne est appelé à devenir un secteur stratégique pour le développement de la préfecture de l'Hérault.

Sources : www.montpellier.fr

1 Lisez l'article sur Port Marianne.
a. Quels avantages trouve-t-on à vivre dans ce quartier ?
b. Selon vous, ce quartier a-t-il des défauts ?

2 🌐 Écoutez le document sonore.
a. Enrichissez la présentation de Patrick et Brigitte Baronnet faite ci-dessous.
« Le couple Baronnet venait de... Ils se sont installés il y a... »
b. Rédigez une phrase explicative pour chacune des parties du dessin.
(1) éolienne – hauteur : ...

Écologie et urbanisme

1. Les matériaux
la pierre – le béton – la brique – la terre – le fer – le verre – le bois – le plastique – le polystyrène – la paille – la laine

2. L'énergie
les énergies traditionnelles : le charbon, le bois, l'électricité (une centrale thermique, nucléaire, hydroélectrique) – le gaz – le fuel
les énergies renouvelables : le vent (une éolienne) – le soleil (un panneau solaire) – la géothermie (des capteurs) l'isolation d'une maison (isoler du froid, du chaud) – la ventilation (ventiler) – le chauffage (se chauffer) – le refroidissement, la climatisation (climatiser)

3. Le recyclage
le recyclage des ordures (le tri sélectif – recycler les bouteilles en plastique)
la récupération des eaux de pluie (récupérer) – une citerne – un réservoir

4. La protection
contre les inondations : une construction sur pilotis – une digue – un talus – un remblai
contre les tempêtes et les tornades : un abri (s'abriter) – un système d'alerte

3 Imaginez et dessinez votre quartier du futur.
– Faites la liste des risques qui menacent votre ville dans le futur.
– Imaginez les transformations nécessaires pour faire face à ces risques.
– Présentez ce projet par écrit (il peut être illustré de photos ou d'un dessin).

[L'INTERVIEW]

Une maison écologique – À Moisdon-la-Rivière, dans le bocage nantais (paysage de prés séparés par des haies), Patrick et Brigitte Baronnet ont transformé une ferme locale en maison écologique.

Des idées pour être éco-citoyen ///////////

1 Lisez l'article ci-contre.
Vous devez présenter le projet d'Helsinki au conseil municipal de votre ville. Préparez cette présentation en soulignant les avantages du projet et faites-la devant la classe.

2 Recherchez des idées originales pour améliorer certains comportements des habitants de votre ville :
– l'habitude de klaxonner à tout propos
– les crottes de chien sur les trottoirs
– les gobelets ou les canettes abandonnés sur les bancs
– les journaux laissés dans le métro, les sacs plastiques, etc.

3 Rédigez brièvement chaque idée.

 IDÉES

À Helsinki
des poubelles publiques polies

La ville d'Helsinki va installer des poubelles polies qui diront merci avec des voix de personnalités finlandaises quand on s'en sert.

« Nous sommes toujours à la recherche de nouvelles idées pour rendre la ville plus propre. Et cette idée est géniale et amusante », a déclaré à l'AFP Élina Nummi, une responsable du projet pour la capitale finlandaise.

Quatre poubelles parlantes, d'apparence pourtant ordinaire, seront installées dans le centre-ville d'Helsinki du 22 août jusqu'à la fin du mois de septembre. Elles seront munies d'un détecteur qui activera un haut-parleur lorsque des déchets y seront déposés. L'utilisateur entendra alors un leader municipal ou une célébrité finlandaise le remerciant de son effort. [...] Des poubelles parlantes ont déjà obtenu beaucoup de succès dans d'autres villes européennes comme Berlin.

AFP (Agence France Presse), 19/08/2008.

Consommez autrement

DE NOUVELLES RELATIONS ENTRE PRODUCTEURS ET ACHETEURS

En cette fin d'après-midi, les voitures défilent devant le magasin qui jouxte les serres et les vergers de Denise et Daniel Vuillon. « J'espère que vous aimez les tomates ! » lance en rigolant Daniel aux 65 familles d'« Amapiens » venues chercher un panier fruits et légumes aux Olivades, leur exploitation située à Ollioules (Var). Pour 27,50 €, ils repartent avec dix produits différents, cueillis le matin même : pommes de terre, melon, brugnons[1], oignons rouges… et 11 kg de tomates rouges, cœur de bœuf[2], noire zébrée, verte[2]… « Cette diversité de produits, c'est super ! Leur goût est plus marqué qu'en supermarché où ils sont plein d'eau », s'enthousiasme Paola, libraire, adhérente depuis cinq ans à l'Association pour le maintien d'une agriculture paysanne (Amap), fondée en 2001 par le couple Vuillon. « Ces produits cultivés sans produits chimiques sont rassurants et je préfère donner directement mon argent à un paysan plutôt qu'à la grande distribution », ajoute Simon, un marin toulonnais. Afin de perpétuer cette alternative, Nadine s'est portée volontaire pour récolter les patates douces le lendemain. « Si nous, consommateurs, voulons continuer à manger des produits sains, il faut se mobiliser ! Et puis se casser le dos ensemble, ça crée des liens ! », sourit cette institutrice de 52 ans. Et des liens, Denise et Daniel Vuillon en ont noué avec 210 familles abonnées aux trois distributions hebdomadaires de leur Amap. Sept ans après avoir

L'Amap des Champs Libres de Fontenay-sous-Bois (94). C'est l'heure de la distribution hebdomadaire des produits bio.

importé le concept en France, le couple de maraîchers[3] continue avec passion à promouvoir ce système, qui permet à un groupe de consommateurs de bénéficier d'un panier de fruits et légumes de saison bio, moyennant un prépaiement six mois à l'avance. Grâce à cette sécurité financière, l'agriculteur peut maintenir son activité, et les consommateurs manger des produits fraîchement cueillis dont ils connaissent l'origine.

Corinne Boyer, *La Croix*, 25/08/2008.

1. Variété de pêche. – 2. Variétés de tomate. – 3. Producteurs de légumes et de fruits.

1 Lisez le texte ci-dessus. Approuvez ou désapprouvez les affirmations suivantes.
a. Les Amapiens sont les habitants du village d'Amapy.
b. Les maraîchers Vuillon vendent leurs produits au marché de la ville.
c. Les produits des Vuillon sont meilleurs que ceux du supermarché.
d. Les clients des Vuillon les aident quelquefois à récolter leurs produits.
e. Pour obtenir les produits des maraîchers Vuillon, il faut payer avant qu'ils ne soient semés.
f. Les Vuillon et leurs clients ont d'excellentes relations.

2 Rédigez une brève définition de l'Amap en expliquant son fonctionnement.
L'Amap est …

3 Réflexion en commun. Faites la liste des avantages et des inconvénients du système d'achat proposé par l'Amap.

4 Enrichissez votre vocabulaire de l'agriculture.
Remettez dans l'ordre les différentes étapes de la production de fraises.
(a) Les fleurs donnent des fruits.
(b) On récolte les fruits.
(c) On sème des graines.
(d) On laboure le champ.
(e) Les graines germent.
(f) On arrose les plants.
(g) On fertilise le champ.
(h) Les tiges poussent.
(i) Les plants fleurissent.

5 Lisez l'encadré sur les droits des consommateurs français. Cherchez des situations dans lesquelles un consommateur peut faire appel à ces organismes.

Informations et protection **du consommateur**

• Différentes institutions ont été mises en place en France pour assurer la santé, la sécurité et les intérêts économiques du consommateur. Certains de ces organismes sont publics comme l'Institut national de la consommation et son magazine *60 millions de consommateurs* qui intervient régulièrement à la télévision. D'autres sont privés comme *Que choisir ?*.

• Le consommateur peut s'adresser à eux en cas de publicité mensongère, de produits défectueux et dans tous les cas où il pense avoir été lésé par le vendeur.

• En cas de vente à domicile, à distance ou à crédit, l'acheteur dispose de sept jours pour se rétracter (retourner un appareil, annuler l'achat à crédit d'un appartement). Beaucoup de commerçants acceptent que l'acheteur retourne un produit dans une durée qui peut aller d'une semaine à un mois. Le produit est alors échangé ou remboursé.

• Enfin, de nombreux produits sont garantis pendant une durée déterminée qu'il est possible de prolonger en payant une extension de garantie. Le service après vente (SAV) répare ou échange les produits défectueux sous garantie.

Choisissez votre mode de vie

10 SOCIÉTÉ

Ils ont décidé de se débrouiller **seuls**

Soizic et David vivent seuls sur l'île de Quéménès. Un bout de terre de 26 hectares, sans arbres, battu par les vents, qui fait face au port du Conquet, à la pointe du Finistère. Ces deux trentenaires ont signé un contrat de neuf ans avec le Conservatoire du littoral pour remonter l'exploitation agricole et créer des chambres d'hôtes sur l'île.

« Je me suis donné cinq ans pour être complètement autonome, sur le plan de l'énergie et de la nourriture. » Dominique a 50 ans. Il vit avec sa famille dans un pavillon près de Nice et travaille chez lui comme webmaster indépendant. Il y a deux ans, il a vu une émission de télé où l'on annonçait que les réserves de pétrole tiendraient moins de trente ans. « J'ai pris conscience que la conjonction de la vie sans pétrole et du réchauffement climatique risque d'entraîner l'effondrement de notre économie. Il pourrait y avoir des émeutes de la faim. » Dominique se prépare à une vie en totale autarcie pour lui et pour sa famille. Dans de grandes remises, il a entassé des objets hétéroclites : scies, marteaux, mais aussi des planches, morceaux de fer et même plusieurs vieux satellites de télévision... Dominique récupère tout en prévision du moment où il n'y aura plus d'électricité. Il fait aussi des stocks de conserves et de confitures qui devraient leur permettre de tenir plusieurs années.

Sur ses 5 000 m² de terrain, il a commencé un potager et a installé une éolienne. Pour l'instant, dans la famille, personne ne veut vivre sans confort : le couple a deux voitures, les enfants ont plusieurs télés, et il est hors de question de parler de toilettes sèches. Les voisins autour de lui sont parfois goguenards : « J'essaye de sensibiliser les gens mais ils s'en fichent. »
Dominique raconte son projet sur un site Internet : autarcies.com

Estelle Cintas, *Ça m'intéresse*, Prisma Presse, 2008.

❶ Lisez les textes ci-dessus. Dialoguez avec votre voisin(e).
Vous connaissez Soizic et David. Votre voisin(e) connaît Dominique. Vous parlez d'eux. Vous échangez vos opinions sur leurs choix de vie.
« Je connais deux jeunes extraordinaires ... »

❷ Réflexions en petits groupes de 4 à 6 étudiants :
« Pourriez-vous vivre en autarcie ? »

Comment affronteriez-vous un monde de pénurie d'eau, de nourriture, d'électricité, de fuel, etc. ?

Présentez votre projet « vivre autrement »

a. Mettez au point vos affiches ou vos panneaux.
b. Présentez-les à la classe.

Plaisir de dire

> A noir, E blanc, I rouge, U vert, O bleu : voyelles,
> Je dirai quelque jour vos naissances latentes.
>
> Arthur Rimbaud

1 🌐 Le « e » non prononcé.

Il est plus ou moins prononcé selon les accents
régionaux et individuels.
Sentez le rythme des groupes de mots.

a. Le « e » non prononcé dans un mot
Marché du samedi
À la boucherie
À l'épicerie
À la poissonnerie
À la boulangerie
À la chocolaterie

b. Le « e » non prononcé à la fin d'un mot
Au cinéma :
La Femme d'à côté
Une époque formidable
Le Deuxième Souffle
La Grande Vadrouille
La vie est un long fleuve tranquille
Pauline à la plage
La Belle et la Bête
Un homme et une femme
La Cuisine au beurre
Marche à l'ombre

2 🌐 Le « e » [ø] fermé de « heureux » et le « e » [œ] ouvert de « peur »

Dans la bibliothèque :
La Peur (Maupassant)
Jeux dangereux (Bordeaux)
Le Monde à peu près (Rouaud)
La Valse des adieux (Kundera)
Deux sœurs (Jünger)
Les Fleurs bleues (Queneau)
Un merveilleux malheur (Cyrulnik)

3 🌐 Le [ɑ̃] nasal. À différencier du [a].

> *Être ange*
> *Être ange*
> *C'est étrange*
> *Dit l'ange*
> *Être âne*
> *C'est étrâne*
> *Dit l'âne*
> *Cela ne veut rien dire*
> *Dit l'ange en haussant les ailes.*
> *Pourtant*
> *Si étrange veut dire quelque chose*
> *Étrâne est plus étrange qu'étrange*
> *Dit l'âne [...]*
>
> Jacques Prévert, *Fatras*, Gallimard, 1966.

4 🌐 Le [ɔ̃] nasal. À différencier du [ɔ] et du [ɑ̃]

> **Chanson d'automne**
>
> Les sanglots longs
> Des violons
> De l'automne
> Blessent mon cœur
> D'une langueur
> Monotone.
>
> Tout suffocant
> Et blême quand
> Sonne l'heure
> Je me souviens
> Des jours anciens
> Et je pleure [...]
>
> Paul Verlaine, *Poèmes saturniens*, 1866.

5 🌐 Le [ɛ̃] nasal. À différencier du [ɛ].

> J'ai cueilli ce brin de bruyère
> L'automne est mort souviens-t'en
> Nous ne nous verrons plus sur terre
> Odeur du temps brin de bruyère
> Et souviens-toi que je t'attends.
>
> Guillaume Apollinaire, *Alcools*, Gallimard, 1913.

Évaluez-vous

 Vous savez définir. Vous savez décrire une évolution et exprimer un souhait.

À faire sous forme de tour de table. Chaque étudiant fait un rapide bilan du cours sur l'unité 2 :
– il donne une opinion sur la progression de son apprentissage ;
– il définit l'activité qui lui a paru la plus efficace ;
– il exprime un souhait pour la suite du cours.
Notez votre intervention orale avec votre voisin(e).

…/10

 Vous savez faire face à des situations embarrassantes.

Que dites-vous dans les situations suivantes ? (À faire sous forme de tour de table ou de brefs dialogues avec votre voisin(e).)
a. Vous voyagez en voiture dans un pays francophone. Vous avez fait réparer votre véhicule dans un garage. Vous repartez mais 10 kilomètres plus loin vous tombez à nouveau en panne. Vous téléphonez au garagiste.
b. Vous êtes sur la route au volant. Un gendarme vous arrête. Vous ne comprenez pas ce qu'il vous dit. Vous lui posez des questions.
c. Vous avez loué par Internet un appartement meublé. Quand vous voyez l'appartement, vous êtes déçu(e). Vous exposez au propriétaire ou à l'agent immobilier les raisons de votre déception.
d. Vous logez dans une famille. On vous propose d'aller voir un spectacle que vous désapprouvez (corrida de taureaux, combat de coqs, match de boxe, etc.).
e. Vous faites une sortie en voiture avec un membre de cette famille. Il conduit très mal et trop vite. Vous lui dites que vous avez peur..

…/10

 Vous comprenez des informations et des opinions sur une ville.

Écoutez cet extrait d'un micro-trottoir.

• Première intervenante
a. Imaginez la question posée à l'intervenante ?
b. Quelle est sa profession ?
c. Où est-elle allée ?
d. Qu'est-ce qui l'a frappée ?
e. Quelle comparaison fait-elle ?

• Deuxième intervenant
f. Où est-il allé ?
g. Qu'est-ce qui l'a frappé ?
h. Quelle sensation a-t-il éprouvée ?
i./j. Quels lieux cite-t-il ?

…/10

4  **Vous comprenez des informations sur une tradition.**

Écoutez ces informations sur une tradition de la région d'Arles : la course camarguaise.
Une personne qui n'a jamais vu de course camarguaise vous pose des questions. Répondez.

• Est-ce que c'est vrai ?
a. Dans les courses camarguaises, on tue le taureau.
b. C'est une tradition dangereuse.
c. Les taureaux sont espagnols.
d. Les hommes doivent s'approcher très près du taureau.
e. C'est réservé à des professionnels.

• Qu'est-ce que c'est ?
f. une arène
g. une cocarde
h. une manade
i. un razeteur
j. un razet

…/10

5 Vous comprenez un article parlant d'environnement.

Lisez l'article ci-dessous. Un ami vous pose les questions suivantes. Répondez.

a. J'ai entendu dire qu'à Lille il y avait des bus écologiques.

b. Tu peux m'expliquer à quel carburant ils fonctionnent ?

c. De quand date ce projet ?

d. Ça concerne tous les bus de Lille ?

e. C'est utilisé ailleurs ?

Lille : le bus qui roule aux épluchures

Une nuit entière pour faire le plein. Branchés à la canalisation qui traverse le terminal flambant neuf de Sequedin[1], les bus au repos remplissent leur réservoir. Une centaine de mètres plus loin se trouve l'une des plus grandes usines de méthanisation au monde. Un estomac d'acier, capable de digérer chaque année 100 000 tonnes d'épluchures de légumes, de restes de repas, de feuilles mortes… De quoi produire un gaz qui abreuvera une centaine de bus lillois à la rentrée.

Faire rouler les transports publics d'une métropole de 1 million d'habitants sans polluer et en recyclant ses déchets : voilà la performance lilloise. Cerise sur le gâteau, le biogaz ne fait pas monter les prix des matières agricoles, contrairement aux autres biocarburants comme l'éthanol, l'huile de colza ou de tournesol.

« Ce projet, dont la pertinence paraît aujourd'hui limpide, est le résultat de décisions pionnières prises au début des années 1990, à un moment où ces questions étaient beaucoup moins à la mode », souligne Pierre Hirtzberger, responsable des résidus urbains à la communauté urbaine de Lille, dirigée par Pierre Mauroy (PS). Avec Göteborg, Rome et Stockholm, Lille tente maintenant de convaincre l'Union européenne du bien-fondé de son dispositif. En France, Montpellier, Forbach et Paris se sont d'ores et déjà montrées intéressées.

Alexandre Lenoir, *L'Express*, 13/09/2007.

1. Ville de la banlieue de Lille.

.../10

6 Vous savez donner des informations et formuler une opinion sur une question d'environnement.

Vous habitez une commune où les moyens de transport ne sont pas écologiques. Sur le forum du site de la mairie, vous écrivez un message dans lequel vous suggérez la solution adoptée par la ville de Lille.

.../10

7 Vous comprenez des informations relatives à un itinéraire.

Lisez cet itinéraire. Complétez le plan de la randonnée. Notez toutes les informations nécessaires pour s'orienter (lieux, étapes, sentiers qu'il ne faut pas prendre, etc.)

Randonnée des volcans (puy de Côme)

Prenez la route, à droite, en quittant le parking et empruntez le premier chemin à gauche, une centaine de mètres plus loin ❶. Marchez sur ce chemin plus ou moins envahi par la végétation en été. Sur votre droite, vous apercevez entre les branches le puy de Côme (1 253 m) ❷. Laissez un petit sentier sur la droite. Continuez, une centaine de mètres plus loin, au niveau d'un petit abri en béton, tournez à droite ❸ sur un chemin qui s'enfonce rapidement dans les bois et commence à s'élever. À la petite fourche ❹, partez sur la droite. Vous rejoignez bientôt le GR ❺ que vous prenez à gauche. Plus loin, sur la gauche, un pré ❻ vous offre une vue dégagée pour admirer à gauche le Cliersou (1 197 m) ❼ et en face le Grand Suchet (1 199 m) ❽. Juste après, quittez le GR pour emprunter le premier sentier à gauche indiqué par une marque verte sur un arbre ❾. Grimpez à travers les bois sur les pentes du Cliersou que vous

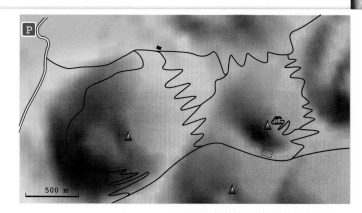

contournez par la droite. À la sortie du bois, sur votre gauche, vous apercevez le Cliersou avec ses superbes grottes accessibles par un petit sentier, à gauche, sur les flancs du volcan ❿.

.../10

Vous savez décrire un paysage.

Vous partagez un logement avec un(e) ami(e). Pendant qu'il (elle) est en voyage, vous achetez une affiche géante représentant un paysage pour tapisser un mur de votre salon. Vous écrivez un message à votre ami(e) et vous lui décrivez l'affiche.

.../10

 Vous utilisez correctement le français.

a. Les constructions relatives. Regroupez chaque groupe d'informations en une seule phrase. Utilisez les pronoms relatifs.

Dans le guide touristique du Berry

(1) George Sand est une femme écrivain du XIXe siècle. Elle a vécu dans le Berry. Son roman le plus célèbre est *La Mare au diable*.

(2) Voici la mare du bois de Chanteloube. On prête des pouvoirs magiques à cette mare. George Sand s'en est inspirée pour son roman.

(3) La vielle est un instrument de musique. On la fait marcher avec une manivelle. On faisait danser les villageois du Berry avec cet instrument.

b. Expression de l'obligation. Formulez ces consignes de manière différente en variant la construction.

Visa obligatoire → Il faut ...
Ce chemisier se lave à la main → ...
Inscription avant le 1er juin → ...
Il est déconseillé de se baigner → ...
Vous n'êtes pas obligé de donner un pourboire → ...

c. Emploi du futur antérieur. Mettez les verbes à la forme qui convient.

Les jeunes ont fait la fête dans l'appartement. Ils rassurent leurs parents.

« Ne vous inquiétez pas pour le désordre. On s'en occupe. Allez vous coucher. Demain matin, quand vous vous réveillerez, les copains (*partir*), nous (*ranger*) tout, j(e) (*passer*) l'aspirateur, le lave-vaisselle (*faire*) la vaisselle, et nous vous (*préparer*) le petit déjeuner ».

d. Emploi des prépositions de temps. Complétez avec les mots suivants :

dans – d'ici à – d'ores et déjà – jusqu'à – en.

Léa est archéologue et elle va bientôt travailler sur un chantier de fouilles en Syrie.

Luc : Tu pars quand ?
Léa : _____ un mois.
Luc : Et tu y resteras ?
Léa : _____ 31 mai. Je pense visiter la Jordanie quinze jours puis j'irai sur le chantier en Syrie.
Luc : Tu t'es documentée ?
Léa : _____, j'ai lu la documentation qu'on m'a envoyée mais _____ mon départ j'aurai complété mon information.

e. La cohérence du texte. Remplacez les mots soulignés par un autre mot pour éviter les répétitions.

La légende du gouffre de Padirac (Périgord)

Saint Martin parcourt la région du Périgord sur son âne. <u>Saint Martin</u> veut évangéliser les gens du pays. Un jour, <u>saint Martin</u> se retrouve face au diable. <u>Le diable</u> porte un grand sac rempli d'âmes qu'il emporte en enfer. <u>Le diable</u> arrête saint Martin et provoque <u>saint Martin</u> : « Si tu sautes par-dessus le trou que je vais faire, je te donne mon sac. » Saint Martin répond <u>au diable</u> qu'il est d'accord. Alors un énorme gouffre s'ouvre dans le sol mais l'âne de saint Martin parvient à franchir <u>le gouffre</u>. Saint Martin demande au diable de lui donner son sac. <u>Le diable</u> jette <u>son sac</u> à <u>saint Martin</u> et disparaît dans le gouffre.

À cause de cette légende, les habitants de la région crurent longtemps que le gouffre de Padirac conduisait à l'enfer.

.../20

Évaluez vos compétences

	Test	Total des points
• Votre compréhension de l'oral	3 + 4	.../20
• Votre expression orale	1 + 2	.../20
• Votre compréhension de l'écrit	5 + 7	.../20
• Votre expression écrite	8 + 8	.../20
• La correction de votre français	9	.../20
	Total	**.../100**

Projet : la petite fabrique de chansons

Un bout de phrase, quelques images, un fragment de vie... il suffit de quelques mots bien choisis pour faire une chanson et beaucoup de chefs-d'œuvre restés dans les mémoires ont été écrits en quelques minutes sur la nappe en papier d'un restaurant.

Observez les textes de ces chansons. Vous verrez qu'ils ont souvent été produits grâce à une technique facile à imiter. Seul ou en petit groupe, vous pourrez alors imaginer quelques textes de chansons. Et si vous les écrivez en pensant à une mélodie, vous pourrez aussi les chanter.

Listes

Rose et Jeanne Cherhal font partie des nombreuses auteures-interprètes de la nouvelle chanson française qui se sont révélées dans les années 2000.

La liste

Aller à un concert
Repeindre ma chambre en vert
Boire de la vodka
Aller chez Ikea
Mettre un décolleté
Louer un meublé
Et puis tout massacrer

Pleurer pour un rien
Acheter un chien
Faire semblant d'avoir mal
Et mettre les voiles¹
Fumer beaucoup trop
Prendre le métro
Et te prendre en photo
[...]
J'ai rien trouvé d'mieux à faire
Et ça peut paraître bien ordinaire
Mais c'est la liste des choses
que j'veux faire avec toi

Extrait de l'album « Rose » de Rose
Paroles et musique : Keren Rose
Éditeur : Blonde Music

1. Expression familière : partir.

Un trait : Danger

Pour modifier votre annonce d'accueil, tapez 1
Assurez-vous de ne rien oublier dans le train
Vous avez sélectionné Sans plomb 98
Retournez ce dossier à l'agence au plus vite

[refrain]
Un trait : danger, deux traits : sécurité
Veuillez taper votre code d'accès
Écoutez-le, le monde vous parle.

La vente d'alcool est interdite aux mineurs
Défense de fumer dans l'enceinte du lycé
Les enfants de moins de 6 ans doivent être accompagnés
L'abus de jeux vidéo provoque l'arrêt du cœur
[...]

Paroles et musique : Jeanne Cherhal, Éditions Tibia.

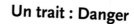

❶ La chanson de Rose
a. Qu'est-ce qui, d'après vous, a inspiré cette chanson ?
b. Observez comment elle est construite
c. Que révèle chaque phrase sur la personnalité de la chanteuse ?
Aller à un concert → elle aime sortir, elle aime la musique

❷ La chanson de Jeanne Cherhal
a. Où peut-on entendre ou lire chacune des phrases de cette chanson ?
Exemple : pour modifier votre annonce d'accueil → le menu d'un répondeur téléphonique
b. Pourquoi d'après vous cette chanson a-t-elle eu du succès ?

❸ Écrivez un texte de chanson construit sur une énumération. Voici des titres de chansons. Choisissez-en un et imaginez le texte.
• listes d'action (Imitez la chanson de Rose)
Le voyage – Le mariage
Jour de pluie – L'installation
• listes de phrases (Imitez la chanson de Jeanne Cherhal)
Publicités – Le cocktail
Les professeurs – Le régime
Exemple : Le voyage
Acheter les billets
Remplir les valises

Images

Francis Cabrel s'est fait connaître dans les années 1980 et a contribué au renouveau de la chanson à texte. Il chante l'amour, la campagne et la nostalgie du passé.

❶ Lisez la chanson « Carte postale ».
a. Quel est le lieu décrit dans cette chanson ?
b. Observez la construction des phrases. Retrouvez la construction courante :
Les postes de télévision allumés…
c. Classez chaque vers selon qu'il évoque le passé ou le présent

❷ Inspirez-vous de ce texte et de sa construction. Évoquez un lieu (une rue, un quartier, une école, un cinéma, etc.), une personne ou une activité qui ont changé avec le temps.
Exemple : Mon quartier
Démolie l'ancienne boulangerie
Fermée l'auto-école Vincent
Arraché l'arbre devant l'épicerie
…

Carte postale

Allumés les postes de télévision
Verrouillées les portes des conversations
Oubliés les dames et les jeux de cartes
Endormies les fermes quand les jeunes partent
Brisées les lumières des ruelles en fête
Refroidi le vin brûlant, les assiettes
Emportés les mots des serveuses aimables
Disparus les chiens jouant sous les tables
Déchirées les nappes des soirées de noces
Oubliées les fables du sommeil des gosses
Arrêtées les valses des derniers jupons
Et les fausses notes des accordéons
C'est un hameau perdu sous les étoiles
Avec de vieux rideaux pendus à des fenêtres sales
Et sur le vieux buffet sous la poussière grise
Il reste une carte postale […]

Paroles et musique : Francis Cabrel, 1981.

Répétitions

Abd Al Malik est un rappeur dont les parents sont originaires du Congo. Il a obtenu un prix en 2007 aux Victoires de la musique. Il milite pour la paix et l'entente entre les communautés.

Gibraltar[1]

Sur le détroit de Gibraltar y'a un jeune Noir qui pleure un rêve qui prendra vie, une fois passé Gibraltar.
Sur le détroit de Gibraltar y'a un jeune Noir qui s'demande si l'histoire le retiendra comme celui qui portait le nom de cette montagne
Sur le détroit de Gibraltar y'a un jeune Noir qui meurt sa vie bête de « Gangsta rappeur » mais…
Sur le détroit de Gibraltar y'a un jeune homme qui va naître, qui va être celui qu'les tours empêchaient d'être.
Sur le détroit de Gibraltar y'a un jeune Noir qui boit, dans ce bar où les espoirs se bousculent, une simple canette de Fanta.
Il cherche comme un chien sans collier le foyer qu'il n'a en fait jamais eu et se dit que p't-être bientôt il ne cherchera plus […]
Sur le détroit de Gibraltar y'a un jeune Noir qui prend vie, qui chante et dit enfin « Je t'aime » à cette vie […]

Abd Al Malik

❶ Lisez la chanson « Gibraltar ».
Reformulez le texte comme s'il s'agissait d'une histoire que vous racontez.
« Sur le détroit de Gibraltar, il y a un jeune Noir qui va… »

❷ Observez :
a. les contractions de mots (y'a : il y a)
b. les constructions de phrases. Quelle est la construction la plus fréquente ?

❸ Inspirez-vous de la construction de cette chanson. Écrivez un petit texte de chanson en l'honneur de quelqu'un que vous connaissez.
Par exemple, à l'occasion de son anniversaire, d'un succès, d'une promotion, etc.

1. Petit territoire britannique dans le sud de l'Espagne et nom du détroit (couloir maritime) entre la Méditerranée et l'océan Atlantique. Gibraltar vient de l'arabe « Djebel Al Tariq », la montagne de Tariq, chef des armées d'Afrique du Nord qui ont conquis le sud de l'Espagne au VIIIe siècle. Le détroit de Gibraltar est aussi un point de passage des Africains émigrant en Europe.

Projet
Fragments de vie

Lynda Lemay est une chanteuse québécoise appréciée pour ses textes drôles ou émouvants.

Le 29 août 2000, au théâtre Saint-Denis

Y'a fallu qu'on m'tire et qu'on m'traîne
Pour que j'y vienne
J'étais dévorée par la gêne
Mais qu'à cela n'tienne

Trempée de sueur dans mon petit
Débardeur de laine
J'me suis r'trouvée dans le
Couloir de l'arrière-scène

J'ai rencontré les producteurs, les techniciens
Les musiciennes, jusque-là...
Y'avait pas de problèmes

Ce qui faisait battre mon cœur
Comme si j'courais un marathon
C'était l'gars dans la loge du fond

On a tout fait pour me calmer
Pour m'empêcher
De prendre mes jambes à mon cou et d'm'en aller
On m'a fait boire un coup
On m'a déconcentrée
Pour venir à bout
D'enfin me le faire rencontrer

J'ai entendu une voix de Québécois
Appeler « Lynda, Lynda », jusque-là
Y'avait pas d'problèmes

J'me suis r'tournée comme une toupie
C'est là que la voix du Québécois m'a dit :
« J'te présente Johnny[1] »

Il était là y'me regardait droit dans les yeux
J'me sentais comme Alice au pays merveilleux
C'était comme une affiche de lui grandeur nature
Sauf que l'affiche n'est pas restée collée au mur

Il m'a tendu la main, je l'ai serrée
Juste un peu trop longtemps
Jusque-là... pas vraiment de problème
C'est lorsqu'en partant, il a dit :
« En passant, vous êtes très jolie »
Alors là,
C'était l'paradis !

Je suis r'tournée chez moi avec un sourire niais
Depuis ce sourire ne me quitte plus jamais
Je suis peut-être pas exactement jolie
L'important c'est qu'le compliment vienne de Johnny.

Paroles et musique de Lynda Lemay,
© Éditions Raoul Breton et Hallynda.

1. Johnny Hallyday est un chanteur-interprète français très populaire qui, depuis ses premiers succès dans les années 1960, a su s'adapter à tous les styles musicaux à la mode. Grand professionnel, il fait encore salle comble en 2008 à l'âge de 65 ans.

❶ Lisez la chanson. Repérez les marques de la prononciation québécoise. Retrouvez l'orthographe normale des mots.
« Il a fallu qu'on me tire... »

❷ Vous devez faire un vidéo-clip de cette chanson. Faites la liste des plans cinématographiques que vous allez tourner.
(Vous pouvez travailler en petits groupes et vous partager les strophes de la chanson.)

unité 2

S'intégrer dans un milieu professionnel

Pour **communiquer** lors d'une activité professionnelle, pour **comprendre** des francophones qui parlent de leur métier, vous allez apprendre à...

...**trouver** du travail, **vous débrouiller** dans vos rapports avec la hiérarchie, les collègues, les syndicats, le public

La Foire internationale de Lyon.

...**parler** d'un produit, de sa production, de sa commercialisation

...**décrire** et **évaluer** un projet de développement économique, environnemental ou culturel

Le musée des Civilisations de l'Europe et de la Méditerranée inauguré le 4 juin 2013.

LES CHEMINS DE LA RÉUSSITE

Nora Barsali,
conseillère ministérielle et chef d'entreprise

DOSSIER CARRIÈRE

Née à Livry-Gargan (Seine-Saint-Denis) dans une cité HLM des années 60, Nora Barsali a, selon ses propres termes, « eu la chance de grandir dans une cité où seules deux familles algériennes étaient installées », « Je n'ai donc pas connu de ghetto. Nos voisins étaient portugais, italiens, espagnols ou français d'origine rurale. Nous étions une famille parmi d'autres, modeste, mais avec des valeurs », poursuit-elle.

Échaudés par l'expérience de leurs fils et fille aînés, élèves à l'école publique du coin, M. et Mme Barsali décident très tôt de scolariser leur petite Nora et son jeune frère dans un établissement privé... catholique. « Le matin, je partais pour l'école où des bonnes sœurs en cornette[1] faisaient la classe aux élèves en blouse, se souvient Nora. Et le soir, je regardais mon père faire ses prières en djellaba... C'était un aller-retour permanent. » Ce n'est cependant pas cela qui coupe Nora de ses camarades de classe, mais les différences sociales : « Mes copines partaient en vacances chez leur tante à Nice, moi je restais au centre aéré[2]. Je n'étais presque jamais invitée chez elles. » Nora travaille beaucoup, rêve de faire Sciences-Po[3]. La décision de

ses parents de s'installer en Algérie alors qu'elle n'a que 17 ans ruine ses espoirs.

[...] Nora vit donc son installation en Algérie comme un exil – « un déracinement ». À peine a-t-elle obtenu son bac qu'elle décrète face à des parents compréhensifs : « Mon avenir est dans mon pays, en France. » Elle rentre direction Dijon, où des amis l'accueillent. Mais loin de Paris, et obligée de travailler pour payer ses études, elle doit renoncer à Sciences-Po et choisit des études de lettres et de littérature anglo-américaine. En 1990, elle décroche une bourse d'études d'un an dans une université de Floride. L'année suivante, elle obtient un poste dans une université californienne. Puis un master en cinéma et médias à l'université de San Francisco. Des études entièrement financées par les facs américaines. [...]

De retour en France, Nora la bosseuse réussit à se faire une place au soleil dans un milieu réputé dur : celui des relations publiques et de la communication. « Sur le marché du travail, j'ai dû arracher mon droit à l'égalité. Je voyais bien qu'en face la tentation était grande de me dire : "C'est déjà bien pour vous d'être arrivée là." » Pour Nora Barsali, ce n'est jamais « déjà bien ». Après des années passées dans les grandes entreprises de consulting,

elle crée sa propre entreprise, Nora Communication, en 2003.

1. Jusque dans les années 1970, les religieuses portaient de larges coiffes. – 2. Centre municipal de loisirs pour enfants. – 3. Grande école pour l'étude des sciences politiques.

B.C., *Marianne*, 29/11/2005.

Depuis 2003, date de la création de sa société, elle conseille les entreprises et pouvoirs publics en communication notamment sociale ; en 2005, elle mène une étude qualitative avec le chercheur Olivier Noël sur les discriminations envers les jeunes issus des minorités visibles, ce qui la conduit à entrer comme conseillère dans deux cabinets ministériels de 2005 à 2008.

Elle lance en 2011 une collection inédite de guides pratiques gratuits pour promouvoir l'égalité professionnelle en entreprise et un meilleur accès à l'emploi de publics éloignés du marché du travail (jeunes, personnes handicapées, femmes, seniors). Avec le soutien d'une dizaine de grandes entreprises et après la parution en mars 2011 du guide *Égalité femmes/hommes en entreprise*, le guide de l'emploi des jeunes en entreprise constitue le deuxième volet de cette collection.

www.agirpourlegalite.fr - 2013

Enfant d'émigrés italiens, Tonino Benacquista abandonne ses études de cinéma, fait de petits boulots comme accompagnateur de nuit aux Wagons-lits ou accrocheur d'œuvres d'art avant de devenir un auteur à succès.
Ces expériences inspireront ses premiers romans.
Il est aussi l'auteur de nouvelles, de scénarios de films et de bandes dessinées.

Virginie Guyot est la première pilote de chasse à entrer dans la très fermée Patrouille de France qui effectue des vols acrobatiques très spectaculaires.

[L'INTERVIEW]

Une comédienne raconte son parcours professionnel.

Le parcours de Nora Barsali

1• Lisez l'article sur Nora Barsali. Notez les étapes de sa vie.
– Naissance à Livry-Gargan dans une cité HLM (années 1960)
– ....

2• La classe se partage les deux recherches suivantes :
– Quels atouts (avantages) Nora Barsali a-t-elle eus dans sa vie ?
– Quels obstacles, quels freins a-t-elle rencontrés ?

3• Présentez votre recherche à l'autre groupe. Donnez votre opinion sur le parcours de Nora Barsali.

L'interview

1• Écoutez l'interview de la comédienne. Notez les principales étapes :

a. de sa formation,

b. de sa vie professionnelle (lieux et activités).

2• Quelles difficultés a-t-elle rencontrées ? Aide à l'écoute
– *Feydeau* : auteur de comédies (1862-1921).
– *sketch* : petite scène de théâtre.
– *j'en ai marre* : j'en ai assez de…, je ne supporte plus…
– *gamin(e)* : enfant.

Tour de table : votre parcours professionnel idéal

Quel parcours professionnel aimeriez-vous faire dans votre vie ?
– une ascension continue dans le même domaine (comme Nora Barsali)
– un parcours avec différents métiers
– un parcours régulier en restant au même niveau
– etc.

5 Beau parcours

Faire une chronologie

C'est en 1988 alors qu'il chantait avec le Glyndebourne Touring Opera que Roberto Alagna a obtenu le prix Pavarotti du meilleur ténor. Mais c'est après avoir chanté l'opéra *La Bohème* qu'il s'est fait connaître dans le monde entier.

Avant qu'il ne devienne chanteur lyrique, il avait fait du cabaret.

Mais quand il a chanté à Montmartre pour la première fois à l'âge de 17 ans, il y avait sept ans qu'il étudiait la musique. Depuis sa naissance, il entendait chanter autour de lui les membres de sa famille.

❶ Dans les phrases ci-dessus, relevez les expressions qui permettent d'introduire :

a. une action qui précède une autre action

b. une action qui succède à une autre action

c. deux actions qui ont lieu en même temps

d. la durée d'une action

Reformulez différemment chaque phrase.

Exemple : Quand (À l'époque où) Roberto Alagna chantait avec le Glyndebourne Touring Opera...

❷ Le passé composé exprime une action accomplie au moment présent. Complétez avec une conséquence au présent.

Il a bien dîné → il n'a plus faim

Ils ont beaucoup marché → ....

Je me suis lavé et habillé → ....

J'ai bien dormi → ....

Clara est sortie → ....

Myriam n'est pas venue au cours → ....

❸ Début, continuation et fin d'une action.

a. Classez les verbes ci-dessous.

> achever (de) – (s')achever – (s')arrêter (de) – cesser (de) – commencer (à) – continuer (à) – débuter – démarrer – se dérouler – durer – entreprendre (de) – finir (de) – se mettre (à) – (se) poursuivre – (se) prolonger – (se) terminer – recommencer – renouveler – reprendre

Début de l'action	
Continuation	
Fin de l'action	
Recommencement	

b. Employez ces verbes (en les variant) pour raconter les déroulements suivants :

• les études de Léa

• la fête locale

• les recherches faites par la police

« Léa s'est mise au piano à l'âge de 10 ans. Elle a continué à jouer jusqu'à... »

Curriculum vitae de Bertrand

1995 : baccalauréat

1995-1997 : classe préparatoire

1998-2000 : études à HEC (de janvier à juin 2000 stage chez Sony à Bangkok)

01/01/2001 - 30/06/2001 : CDD chez Peugeot (Sochaux)

01/09/2001 - 31/12/2001 : CDD chez Valeo (Amsterdam)

01/01/2002 : recruté en CDI par Valeo (Bruxelles)

❹ Répondez à ces questions d'après le CV de Bertrand.

a. Ça fait combien de temps que Bertrand est sorti d'HEC ?

b. Combien de temps ont duré les études à HEC ?

c. Il a fait combien d'années d'études après le bac ?

d. Depuis combien de temps est-il à Bruxelles ?

e. Quand il a eu son CDI, ça faisait combien de temps qu'il travaillait chez Valeo ?

f. Quand il est parti à Amsterdam, il y avait longtemps qu'il travaillait ?

❺ Reliez les deux phrases avec une expression d'antériorité (←), de simultanéité (=), de postériorité (→).

Exemple : **a.** Après avoir passé le bac, Hélène a entrepris des études de pharmacie.

Parcours diversifié

a. Hélène a passé le bac. (→) Elle a entrepris des études de pharmacie.

b. Elle a terminé ses études de pharmacie. (→) Elle a pris une année sabbatique.

c. Elle a fait un séjour au Canada. (=) Elle a préparé un diplôme de biologie végétale.

d. Elle a commencé à enseigner. (←) Elle a fait sa thèse.

e. Elle préparait sa thèse. (=) Elle a fait des voyages d'études dans le Grand Nord.

f. Elle est rentrée en France. (→) Elle a obtenu un poste au Muséum d'histoire naturelle.

g. Elle a été recrutée au Muséum d'histoire naturelle. (←) Elle a écrit un livre.

h. Elle travaille au Muséum. (=) Elle fait des émissions pour la télévision.

6 Est-ce qu'il (elle) l'a déjà fait ? Posez des questions à votre voisin(e).

Exemple : Tu es déjà allé(e) en France ? – Oui, j'y suis déjà allé(e). / Non, je n'y suis jamais (pas encore) allé(e).

a. aller en France
b. faire un petit boulot pendant les vacances
c. travailler dans une entreprise
d. lire un roman de Victor Hugo, etc.

Succession et durée des événements passés

1. Le passé composé exprime :

a. une action accomplie au moment présent
- *Tu déjeunes avec moi ? – Non, j'ai déjeuné. Je n'ai pas faim.*
- *Agnès est là ? – Non, elle est déjà partie mais Clara n'est pas encore partie.*

b. une action passée indépendante du moment présent
La semaine dernière, nous avons déjeuné au Sélect.

2. Pour préciser la durée d'un événement passé

a. par rapport au moment présent
- si l'action dure encore
*Il travaille chez Renault **depuis** vingt ans. – **Il y a (ça fait, voilà)** deux ans **qu'**il occupe le poste de chef d'atelier.*
- si l'action est achevée
*Elle a démissionné **depuis** deux ans. **Il y a** deux ans **qu'**elle cherche un emploi.*

b. par rapport à un moment passé
*Paul a trouvé du travail avant-hier. **Il y avait (ça faisait)** six mois **qu'**il cherchait. Il était au chômage **depuis** six mois.*

c. sans point de repère
*J'ai remplacé Marie **pendant** son absence.*

N.B. Pendant / en
Il a réparé la machine en dix minutes. (= La machine est maintenant réparée.)
Il a réparé la machine pendant dix minutes. (= Il a travaillé dix minutes mais la machine n'est peut-être pas réparée.)

3. Pour exprimer l'antériorité

- ***Avant de** + infinitif – **Avant de** travailler chez Axa, j'étais aux AGF.*
- ***Avant que** + subjonctif – **Avant que** Marie (**ne**[1]) soit recrutée chez Century 21, elle travaillait dans une petite agence immobilière.*

[1]. Ce « ne » n'a pas de valeur négative. Il est souvent oublié.

- *Pierre **avait précédé** Marie au poste de contrôleur.*
- *Mon séjour aux États-Unis est **antérieur** à mon recrutement.*

4. Pour exprimer la postériorité

- ***Après** + infinitif passé – **Après** avoir travaillé aux États-Unis (Après m'être perfectionné en anglais), j'ai été recruté par une banque d'affaires.*
- ***Après que** + indicatif* (mais on entend souvent le subjonctif) – ***Après que** j'ai trouvé du travail (Après que je me suis installée), Pierre est venu me rejoindre.*
- ***J'ai succédé** à Pierre.*
- *Ma nomination est **postérieure** à celle de Marie.*

5. Pour exprimer la simultanéité

- **Deux actions ponctuelles** – *Pierre est entré dans l'entreprise **quand (lorsque, au moment où, l'année où)** je l'ai quittée.*
- **Deux actions progressives** – ***Au fur et à mesure qu'**il s'adapte, il devient plus performant.*
*Il a fait ses études **tout en travaillant**.*
- **Une action en relation avec une situation** – *Marie a démissionné **quand (alors que)** j'étais en vacances.*
- **Deux actions identiques** – *Luc et Clara ont été recrutés **en même temps**. Leur recrutement **a coïncidé** avec le départ de M. Florent.*

 Travaillez vos automatismes

1 Expression de la simultanéité. Vous n'avez pas vu votre amie depuis l'année 2000. Répondez d'après les informations ci-dessous :

Ce que vous avez fait :
2000 : licence de droit (en même temps que)
2001 : séjour à New York (À l'époque où)
2002 : année sabbatique (lorsque)
2003 : voyage en Chine (Alors que)
2004 : retour en France (coïncider)
2005 : rencontre avec Victoire (L'année où)

- En 2000, j'ai réussi ma licence de droit.
– Tu as réussi ta licence en même temps que j'ai réussi la mienne.

2 Expression de l'antériorité et de la postériorité. La police vous interroge. Répondez « non ».
- Votre ami est rentré puis vous êtes sorti.
– Non, je suis sorti avant qu'il (ne) rentre.

À la recherche d'un emploi

Vous suivez le parcours d'un demandeur d'emploi. Vous apprendrez à consulter les offres d'emploi, à rédiger un curriculum vitae (CV) et une lettre de motivation, à participer à un entretien d'embauche.

Comprendre une offre d'emploi

Trouvez nos offres d'emploi classées par secteurs.

Secteurs

- accueil – secrétariat
- agriculture – agroalimentaire
- art – culture – mode
- artisanat
- automobile – aéronautique
- banque – bourse – assurances
- biologie – physique – chimie
- BTP
- bureautique
- collectivités – secteurs publics
- communication
- distribution – marketing – vente
- documentation – traduction
- édition – presse
- électronique – mécanique
- environnement
- export international
- enseignement – formation
- gestion – comptabilité
- immobilier
- informatique
- juridique et fiscal
- management – direction
- média – audiovisuel
- multimédia – Internet
- production – maintenance – sécurité
- santé
- tourisme – hôtellerie – loisirs

Directeur centre d'hébergement (H/F)

L'association Club des loisirs de la jeunesse cherche à promouvoir la rencontre entre les milieux sociaux ainsi que les valeurs de laïcité, de démocratie et de culture à travers les loisirs populaires dans sa maison de vacances « La Clarée ». Cette ancienne ferme située dans les Alpes est aménagée en centre de séjour de 90 places.

Mission : garantir le fonctionnement en équilibre de la maison et un bon niveau d'activité.
Directeur efficace, organisateur et fédérateur, vous avez une bonne pratique du marché touristique, culturel et social ; vous savez travailler en autonomie, encadrer et animer des équipes professionnelles ou bénévoles.
Contrat : CDI – **Date :** dès que possible

Conseiller de vente trilingue anglais / langue européenne

Enseigne de boutiques de luxe cherche un conseiller de vente (H/F) parfaitement trilingue (français, anglais + 3e langue européenne) pour une surface de vente située dans le 06. Vous aurez la responsabilité de l'animation du showroom ainsi que la fidélisation de la clientèle majoritairement étrangère et particulièrement exigeante. En complément de l'accueil des clients et de la vente, vous serez en charge du réassort et de la mise en place de la collection.
Vous avez une expérience de la vente de produits de luxe, vous possédez un bon sens commercial, de réelles qualités relationnelles, vous souhaitez rejoindre une équipe internationale performante et motivée, alors déposez votre CV sur notre site. Si votre profil correspond, nous vous rappellerons dans les 48 h.

Stage assistant(e) relations presse

Les Éditions du Colibri recherchent pour leur service de presse un(e) stagiaire.
Mission : assister les attachées de presse dans leurs tâches quotidiennes : préparation des revues de presse, suivi téléphonique, contacts journalistiques et auteurs, recherche d'info, travail rédactionnel…

Profil souhaité : niveau bac + 2 minimum, rigoureux, organisé, dynamique, autonome, bonnes qualités rédactionnelles, connaissance de la bande dessinée et des médias concernés.
Durée : 6 mois

1 Vous cherchez du travail dans un pays francophone. Vous consultez le site d'offres d'emploi ci-dessus. Sur quelle(s) ligne(s) du menu cliquerez-vous si...

- vous cherchez un emploi de :
a. journaliste – **b.** comptable – **c.** infirmier(ère) – **d.** styliste – **e.** ingénieur en mécanique – **f.** garde forestier

- vous avez envie de :
g. enseigner votre langue à des adultes – **h.** faire des travaux de peinture – **i.** travailler dans une ferme – **j.** être serveur (serveuse) dans un restaurant – **k.** être manœuvre dans la construction de bâtiment – **l.** réparer des ordinateurs

2 Travail en petits groupes. Recherchez des métiers correspondant à chaque secteur.
Exemple : Accueil, secrétariat → hôtesse d'accueil, secrétaire, assistante

3 Lisez les trois petites annonces ci-dessus. Pour chacune, relevez les informations suivantes :
Lieu d'exercice – Type d'emploi – Type de contrat et durée – Informations sur l'entreprise qui offre l'emploi (nom, secteur de l'économie, autres informations) – Descriptif de l'emploi (Que devra-t-on faire ?) – Compétences et qualités requises

Rédiger un curriculum vitae

Une entreprise recrute un(e) documentaliste. Julien a envoyé le CV suivant. Il a été recruté.

Julien **BERTRAND**

25 ans, né à La Rochelle
Nationalité française
Célibataire – Permis B
Adresse : ....
Tel. 00 00 00 00 00
Adresse e-mail : ....

> **Diplômé en documentation**
> **Une expérience polyvalente**
> **dans le secteur de la communication**

Mes compétences

Rédiger
Rechercher de la documentation en français, en anglais et en espagnol
Analyser et synthétiser de l'information
Maîtrise des NTIC

Mes outils

Maîtrise de Word, McPaint, Claris Draw, Excel, PowerPoint, QuarkPress, Photoshop, Internet Explorer, Netscape et des annuaires et moteurs de recherche.

Ma formation

- Maîtrise de sciences de l'information et de la communication à l'université Paris-X
- Licence d'information et de communication à la faculté des lettres de Paris-X
- Deug d'histoire à l'université de Rennes
- Baccalauréat STS, mention bien

Expérience professionnelle

2006 – Modérateur sur le site www.xxx.com
2005 – Stage en alternance et CDD dans l'entreprise MP+ (travail éditorial sur un site Internet)
2003 – Animateur saisonnier dans un camp de vacances
Stage de communication dans l'entreprise Publidéco de Montmorillon (réalisation d'une plaquette publicitaire)
2002 – Stage auprès des éducateurs d'un centre d'aide par le travail
2001 – Stage de communication dans une radio locale (animation d'une émission quotidienne)

Activités

Musicien (guitare et accordéon) – Photographie
Plongée en apnée, aïkido
Membre d'une association caritative

J. Legeay et D. Perez, « 100 CV et lettres de motivation », *L'Étudiant,* 2008.

NTIC : nouvelles technologie de l'information et de la communication – Deug : diplôme d'études universitaires générales (2e année d'université) – STS : sciences, technologie et société – CDD : contrat à durée déterminée

---

❶ Présentez le CV de Julien à votre voisin(e) comme si vous étiez tous deux recruteurs.

Faites des hypothèses sur la personnalité du candidat ainsi que sur ses qualités.

❷ Confrontez ce CV aux attentes des recruteurs. (voir encadré p. 57, paragraphe 4)

a. Le CV correspond-t-il à ces attentes ?
b. Quel est le handicap de Julien ? Pourquoi a-t-il été recruté ?
c. Auriez-vous recruté Julien ?

Beau parcours

Rédiger une lettre de motivation

Sophie pose sa candidature à un poste de responsable éditoriale.

Madame,

Mon cursus universitaire en lettres et en histoire de l'art m'a doté d'une très bonne culture générale que j'entretiens continuellement. J'ai par ailleurs acquis au cours de mes missions dans l'édition un solide savoir-faire rédactionnel.

Mes expériences de rewriter et de correctrice dans des domaines variés m'ont permis de développer une bonne faculté d'adaptation et une grande rigueur de travail. Enfin, ma pratique courante du traitement de texte et mon sens de l'organisation seront des atouts supplémentaires pour m'impliquer efficacement dans les missions que vous proposez.

Souhaitant vivement vous rencontrer pour vous exposer plus amplement mon expérience et mes motivations, je me tiens à votre disposition et vous prie de recevoir, Madame, l'expression de mes salutations distinguées.

Legrand

Voici quelques débuts de lettres de motivation :

Suite à votre annonce parue dans ... je vous transmets ma candidature...

Comme me l'a conseillé mon oncle Jean ..., je vous envoie un CV afin que vous puissiez examiner ma candidature

Ayant obtenu mon bac professionnel d'industrie graphique, option préparation de la forme imprimante, je suis actuellement à la recherche d'un emploi.
Je propose d'apporter activement mes services au sein de votre association sachant qu'elle contribue à l'initiation des jeunes à l'utilisation des nouvelles technologies.

En consultant les offres d'emploi parues dans ..., j'ai appris que votre société était à la recherche d'un directeur commercial pour son unité de Madrid en Espagne.
Ne correspondant pas au profil du poste, je me permets cependant de vous adresser ma candidature de secrétaire de direction. En effet, je suppose que le directeur commercial que vous allez recruter devra être accompagné d'une assistante ...

J. Legeay et D. Perez,
« 100 CV et lettres de motivation », *L'Étudiant*, 2008.

❶ Lisez la lettre de motivation de Sophie.

a. Repérez les informations qui doivent figurer dans son CV :
• sa formation • son expérience professionnelle

b. Faites la liste des qualités qu'elle met en valeur.
(1) Très bonne culture générale
(2) ....

c. D'après le vocabulaire et le style de la lettre, pouvez-vous dire que Sophie possède les traits de personnalité suivants :
• la confiance en soi   • l'esprit logique
• l'assurance   • la volonté
• l'orgueil   • la courtoisie

❷ Lisez les débuts des lettres de motivation. Dans quelles situations ces demandes d'emploi ont-elles été écrites ?

❸ Rédigez une lettre de motivation pour l'emploi que vous souhaitez obtenir.

Préparer un entretien d'embauche

❶ 🔊 Écoutez le document sonore (p. 57). Notez ce que vous apprenez sur ce candidat.
a. études et formation
b. expérience professionnelle
c. activités extra-professionnelles

Relevez les qualités et les défauts observés ou supposés du candidat.

	qualités	défauts
observés		
supposés		

Conseils aux demandeurs d'emploi

On pourra trouver des offres d'emploi par les annonces de Pôle emploi, les sites de recrutement privés (spécialisés et généralistes), les annonces dans la presse et les sites des entreprises.

1. Le CV

Compte tenu des centaines de demandes qu'il reçoit, un responsable des recrutements fait d'abord un premier tri et n'accorde que quelques secondes d'attention à chaque CV. Il faut donc :
– attirer son attention
– être clair
– aller à l'essentiel. Montrer qu'on a la formation, l'expérience et les qualités requises pour occuper le poste.

2. La lettre de motivation

Elle doit mettre en valeur l'intérêt et les compétences du candidat pour le poste demandé. Sauf demande expresse de l'annonceur, elle est numérique et ne doit pas dépasser une page. La correction de la langue et l'orthographe sont à surveiller.

Beaucoup de recruteurs cherchent sur Internet des renseignements complémentaires sur les candidats. Il est donc conseillé de bien gérer son image à travers les réseaux sociaux généraux (Facebook, Twitter) ou professionnels (Viadeo, Linkedin) ainsi que sur son blog.

3. L'entretien d'embauche

S'habiller en conformité avec les normes de l'entreprise. Être un peu en avance au rendez-vous.

Serrer la main tendue par le recruteur. Se présenter simplement : « Bonjour, (se nommer)… Merci de me recevoir. » Si le recruteur dit : « Parlez-moi de vous… », ne pas être trop long.

Ne pas évoquer de problèmes personnels ni les moments négatifs de votre carrière.

Être concret. Répondre précisément aux questions que l'on vous pose.

Ne parler du salaire qu'à la fin de l'entretien.

Donner de soi une image positive sans exagérer.

À la fin de l'entretien, remercier. Le lendemain, envoyer un courriel de remerciements.

4. Les qualités recherchées par le recruteur

adaptabilité – communication – créativité - disponibilité dynamisme – leadership – mobilité – motivation – persévérance – sens de l'organisation – sens des responsabilités – sociabilité – stabilité émotionnelle – travail d'équipe

[LE DOCUMENT SONORE]

Écoutez le document sonore. Guillaume Ducros a passé un entretien d'embauche pour un poste d'animateur culturel au musée d'Orsay. Les recruteurs se concertent.

---

2 Surveillez vos gestes et vos attitudes. Trouvez dans la liste les traits de caractères révélés par les attitudes et les gestes suivants :

Exemple : **a.** → l'équilibre, la volonté

a. le corps droit – **b.** le dos voûté – **c.** la tête droite – **d.** la tête relevée – **e.** la tête baissée – **f.** les gestes lents – **g.** les gestes rapides – **h.** le corps immobile – **i.** de nombreux gestes – **j.** des mouvements amples – **k.** une démarche et des gestes mesurés

le calme – l'énergie – l'équilibre – la lassitude (ou la dépression) – la passion – le sentiment d'infériorité – le sentiment de supériorité – la sociabilité – la timidité – la vivacité – la volonté

3 Mettez en valeur les qualités recherchées par le recruteur. À quel(s) mot(s) de la rubrique 4 des « Conseils aux demandeurs d'emploi » correspondent les phrases suivantes ? S'agit-il d'une qualité ou d'un défaut ?

a. Il est un peu mou. – **b.** Elle aime planifier son travail. – **c.** Il aime sortir des sentiers battus. – **d.** Elle préfère travailler seule. – **e.** Il se méfie des inconnus. – **f.** Elle sait être calme. – **g.** Il supporte mal le changement. – **h.** Elle n'hésite pas à rester tard au bureau. – **i.** Il éprouve des difficultés à transmettre ses idées. – **j.** Elle est passionnée par ce qu'elle fait. – **k.** Il est toujours prêt à partir en mission. – **l.** Elle va toujours au bout de ses projets. – **m.** Quand il fait une erreur, il l'assume. – **n.** C'est toujours elle qui prend les décisions.

4 Méfiez-vous des questions pièges. Que veut savoir le recruteur en posant ces questions ?

a. Avez-vous des frères et des sœurs ? – **b.** Pensez-vous qu'une femme puisse réussir à ce poste ? – **c.** Comment réagissez-vous aux critiques ? – **d.** Vous me semblez un peu jeune pour ce poste. Qu'en pensez-vous ? – **e.** Préférez-vous travailler seul ou en équipe ? – **f.** Vous avez plusieurs fois changé d'entreprise. Pourquoi ?

Exemple : **a.** Il se méfie des enfants uniques qui peuvent être trop indépendants, égoïstes et qui ne savent pas travailler avec les autres. Si l'on est enfant unique, on peut dire qu'on avait beaucoup de copains, qu'on aimait les jeux collectifs, etc.

6 Comment on s'organise ?

onbosse.com

http://onbosse.com

onbosse.com

Le site indépendant des jeunes acteurs de l'économie
Pour un dialogue sans a priori hiérarchique, syndical ou politique

Identifiez-vous

Inscrivez-vous

| Qui sommes-nous | Dernières informations | Vos droits | Nos rendez-vous | **Le forum** |

Antalia

Une circulaire de la direction nous a informés hier qu'à compter du 1er octobre les boîtes aux lettres électroniques des employés absents seraient systématiquement ouvertes. Motif : pouvoir traiter les affaires urgentes. Bien que je comprenne cette raison, je pense que le courrier doit rester une affaire personnelle.

➡ **Répondez**

Émyly 45

D'accord avec toi, sous réserve que tu ne retiennes pas les informations.

Rémisol

Je ne comprends pas ta réaction. À moins que tu n'aies quelque chose à cacher.

Jeanpy

Nous venons d'apprendre que notre entreprise préparait un plan de licenciement. Je comprends qu'en temps de crise une entreprise doive licencier du personnel mais à condition qu'elle ait de réelles difficultés. Or la nôtre fait des profits et le directeur a été augmenté. Les politiques (de gauche comme de droite) ont beau dire que cette situation est injuste, les entreprises font toujours passer les ressources humaines après les ressources des actionnaires. Et cela va continuer, à moins qu'une loi ne l'interdise.

➡ **Répondez**

Kadima

Je suis secrétaire comptable et au-dessus de moi il y a le directeur financier et administratif. Avant son arrivée, j'étais autonome. Aujourd'hui, mon travail dépend de lui et je dois aller chercher mon travail dans son bureau. Si je n'y allais pas, je n'aurais rien à faire. Ce n'est jamais lui qui vient vers moi. Il me lance sans cesse des phrases blessantes disant que je fais mal mon travail. Pour me rembourser mes notes de frais ou accepter mes congés, il met plus de temps qu'avec les autres. J'ai essayé de parler plusieurs fois avec lui mais il me dit que tout va bien. Face à ce mur, je ne sais plus quoi faire.

➡ **Répondez**

Lucadelille

Au cours de mon bilan annuel, ma hiérarchie m'a suggéré de demander un poste de chef de projet. J'ai répondu que je préférais rester contrôleur de qualité ou avoir un poste équivalent même si cet emploi devait être moins bien rémunéré. J'ai expliqué que je tenais avant tout à protéger ma vie privée. J'ai appris ensuite que ma réponse avait été interprétée comme un manque d'ambition. Certains m'ont dit que j'aurais dû accepter.
Pourquoi avoir de l'ambition implique-t-il qu'on grimpe dans la hiérarchie ? Ne peut-on avoir l'ambition de faire correctement son travail ?

➡ **Répondez**

DANS LA PRESSE

CONCILIER VIE DE FAMILLE ET TRAVAIL

Création de crèches d'entreprise, aménagement du temps de travail, suppression des réunions tardives : les 29 entreprises qui ont signé, vendredi 11 avril, la Charte de la parentalité, s'engagent à « *favoriser la parentalité en entreprise* ». « *Le monde du travail a tout à y gagner*, a souligné le ministre du travail, Xavier Bertrand. *Un parent qui a trouvé un mode de garde pour son enfant est aussi un salarié plus efficace car il a l'esprit tranquille.* »

Cette charte est née d'une inquiétude portée par l'association SOS-Préma : 65 000 enfants naissent prématurés[1] chaque année, un chiffre qui a progressé de 45 % depuis 1995. Pour sa fondatrice Charlotte Lavril, cette augmentation est en partie liée au stress qui règne dans le monde du travail.

Cette charte prend acte d'une réalité : aujourd'hui, près de 60 % des enfants de moins de 6 ans grandissent au sein de couples dont les deux parents travaillent. La prise en charge de la conciliation continue cependant à reposer sur les mères : le taux d'activité des femmes, qui s'établit à 80 % quand elles ont un enfant, chute à 60 % quand elles en ont deux et 37 % quand elles en ont trois ou plus. Malgré les naissances, les hommes, eux, conservent un taux d'activité de plus de 90 %.

Au nom de l'égalité professionnelle, la charte propose donc de créer un environnement favorable aux salariés parents en encourageant les « bonnes pratiques ». « *Il faut également faire changer les mentalités*, annotait la secrétaire d'État à la famille, Nadine Morano. *Le père et la mère doivent prendre la même part à l'éducation des enfants. Le congé parental[2], le temps partiel[3], cela concerne les mères mais aussi les pères.* »

Le Monde, 12/04/2008.

---

1. Enfant né avant le terme normal de neuf mois. – 2. À la naissance d'un enfant, la mère prend un congé payé de maternité. L'un des deux parents a droit aussi à un congé parental non payé pour élever l'enfant. – 3. Dans certaines entreprises, le salarié peut choisir de n'effectuer qu'une partie de son temps de travail.

Le site onbosse.com

1• Quel est le but de ce site ? Qui y participe ? Pourquoi ? Quel type de message le site veut-il éviter ?

2• Lisez le premier message. Analysez :
– le point de vue d'Antalia
– le point de vue de la direction
Lisez les réponses au message. Que répondriez-vous à Antalia ?

3• Partagez-vous les trois autres messages. Pour chacun (à faire en petits groupes) :
a. formulez le problème posé par le participant ;
b. proposez une ou plusieurs réponses ;
c. présentez votre réflexion à la classe. Discutez.

4• Observez et relevez :
a. comment les paroles, les pensées et les directives sont rapportées (dans les messages d'Antalia et de Lucadelille)
La circulaire nous a informés que ... seraient ouverts (« conditionnel » pour rapporter une phrase dont le verbe est au futur)
b. les mots et les expressions qui introduisent les idées (dans tous les messages) :
– de condition ou d'implication
– de restriction

L'extrait de presse

a. Lisez l'article et notez-en les principales informations.
Fait principal → signature ...
But : ...
Causes : 1 ...   2 ...

b. Vous êtes un des chefs d'entreprise qui a signé la charte de la parentalité. Utilisez vos notes pour répondre à ces deux questions d'un journaliste.
– Quels problèmes spécifiques les femmes qui travaillent rencontrent-elles ?
– Qu'allez-vous faire dans votre entreprise pour résoudre ces problèmes ?

L'interview

Quelles précisions Anne-Laure Parot donne-t-elle :
• sur les objectifs donnés aux salariés
• sur leur façon de travailler
• sur les responsables ?
Ces remarques sont-elles valables pour toutes les entreprises ?

Aide à l'écoute
– reporting : compte rendu d'activité.
– PME : petite ou moyenne entreprise.

 **[L'INTERVIEW]**

Anne-Laure Parot, médecin du travail, participe à une émission de radio sur le caractère pénible du travail.

6 Comment on s'organise ?

Rapporter des paroles et des pensées

Marie : Tu es content de ton nouveau boulot ?
Luc : Pas vraiment. Ce poste ne me convient pas. J'ai été stupide de l'accepter. J'étais plus heureux comme commercial.
Marie : Qu'est-ce que tu vas faire ?
Luc : Je démissionnerai dès que j'aurais trouvé quelque chose. Au fait, ton cousin ne cherche pas un commercial ?
Marie : Si.
Luc : Tu peux me donner ses coordonnées ?

Alors, je lui ai demandé s'il était content de son nouveau boulot. Il m'a répondu que le poste ne lui convenait pas, qu'il avait été stupide de l'accepter et qu'il était plus heureux quand il était commercial.
Je lui ai demandé ce qu'il allait faire. Il m'a répondu qu'il démissionnerait dès qu'il aurait trouvé quelque chose.
Il m'a aussi demandé de lui donner les coordonnées de mon cousin qui cherche un commercial.

❶ Observez ci-dessus comment le dialogue de la première situation est rapporté dans la seconde.
Notez les transformations :
a. des types de phrases (déclaratives, interrogatives, impératives)
b. des temps verbaux

❷ Vous avez entendu le dialogue suivant. Rapportez-le à une collègue de travail.
« Pierre a dit qu'il … »

Au bureau. Devant la machine à café
Pierre : Je ne supporte plus Béatrice.
Lara : Qu'est-ce qu'elle t'a fait ?
Pierre : J'ai oublié d'envoyer les invitations aux services des douanes. Elle l'a dit au directeur.
Lara : Envoie-les tout de suite, tes invitations.
Pierre : C'est trop tard. Elles arriveront après l'ouverture de la foire.
Lara : Alors, va voir le directeur et excuse-toi. Il comprendra.

❸ Dans les paragraphes 3 et 4 du tableau ci-contre, trouvez les verbes qui introduisent généralement les mots suivants :
a. avouer un crime
b. _____ un secret à quelqu'un
c. _____ une bonne nouvelle
d. _____ des vœux de bonne santé
e. _____ la guerre
f. _____ un discours
g. _____ un poème
h. _____ un point de vue

❹ Quels verbes des paragraphes 3 et 4 utiliserait-on dans les situations suivantes :
a. Un jeune employé timide et inexpérimenté a fait une erreur. La directrice demande des explications.
« Il bafouille, répète que … »

Rapporter des paroles ou des pensées

1. Rapporter des paroles : voir p. 133 les différentes constructions.

2. Rapporter des pensées. On utilise les mêmes constructions.
• Je me demande : « Est-ce qu'il va venir ? » → Je me demande s'il va venir.
• Je n'ai pas cru ce qu'il m'a dit.
• J'ai pensé qu'il avait été malade.

3. Verbes qui introduisent des paroles rapportées indirectement (construction ci-dessus)
Exemple : Le ministre a annoncé qu'une nouvelle loi serait votée.
Annoncer – avouer – bredouiller – chuchoter – confesser – confier – crier – déclarer – exposer – gueuler (*fam.*) – hurler – marmonner – murmurer – redire – répéter – répondre – répliquer – rétorquer

4. Autres verbes synonymes de « dire »
Ces verbes peuvent introduire des paroles rapportées directement :
L'officier de police interroge le suspect : « Où étiez-vous hier soir ? »
ou le contenu de ces paroles : « Il l'accusait d'être l'auteur du cambriolage. »
Accuser (de) – apostropher – bafouiller – bégayer – blaguer – couper la parole – développer – dévoiler – formuler – interroger – médire – prononcer – rabâcher – réciter – se vanter (de)

b. Le feu s'est déclaré au premier étage de l'hôtel.
c. L'arrière-grand-mère raconte ses souvenirs à ses arrière-petits-enfants.

Négocier

LES GRÈVES DANS LES TRANSPORTS

Transports routiers – **Bien que** les négociations aient duré toute la nuit, aucun accord n'a été signé entre les syndicats et les entreprises de transport. **À moins d'**une surprise de dernière minute, la grève devrait se prolonger tout le week-end.

Trafic aérien – Hier soir, les syndicats des pilotes de ligne étaient prêts à reprendre le travail **à condition que** le gouvernement retire son projet de loi sur les retraites. Une telle décision **implique** un arrêt de la réforme des retraites. Il est probable que le gouvernement ne reculera pas, **encore que** le ministre des Transports ait rappelé que les négociations restaient ouvertes.

1 Dans le texte ci-dessus, classez les expressions qui introduisent :

a. une condition – **b.** une restriction – **c.** une concession

2 Vous êtes promoteur immobilier et vous avez en projet la construction d'un immeuble.

Un futur client vous interroge : « L'immeuble sera-t-il construit dans deux ans ? »

Répondez en exprimant des conditions, des restrictions, des concessions. Variez les expressions.

• **Conditions** : avoir le permis de construire – vendre la moitié des appartements sur plan – obtenir un crédit des banques – trouver des équipes compétentes

• **Restrictions** : mauvais temps qui peut retarder le chantier – personnel qui refuse de faire des heures supplémentaires – ouvriers incompétents – grève du personnel

• **Concessions** : délais courts – mauvaise situation de l'immobilier.

3 Reliez les idées suivantes en utilisant les expressions entre parenthèses.

Après une représentation du Malade imaginaire *de Molière*
• Les acteurs n'étaient pas très bons. L'actrice qui jouait Toinette s'en est bien sortie. Les acteurs ont été applaudis. *(encore que – quand même)*
• J'avais lu de mauvaises critiques. Je suis allée voir cette pièce. J'ai été déçue. *(bien que – je reconnais)*
• *Le Malade Imaginaire* est une pièce géniale. L'interprétation compte beaucoup. Les comédiens ont fait des efforts. Ça manquait de rythme. Les décors étaient très beaux. *(même si – malgré – il reste que)*

Les moments de la négociation

1. Poser des conditions

• Les grévistes reprendront le travail...
... **si** le gouvernement supprime le projet de loi.
... **à condition qu'**il soit à l'écoute des revendications. (subjonctif)
... **à condition d'** (**sous réserve d'**) être entendu.

• Les grévistes **posent des conditions**. (**mettent des conditions**)
Leur accord **est conditionné par**... **Il est soumis à**...

• La reprise du travail **implique** un accord avec le gouvernement.

2. Exprimer la dépendance

Le montant de la retraite **dépend** (**est fonction**) **du** nombre d'années de travail.

3. Faire des restrictions

• Vous ne pouvez pas partir avant 18 h...
... **sauf si** vous avez fini votre travail.
... **à moins que** vous n'ayez fini votre travail. (subjonctif)
... **à moins d'**avoir fini votre travail.

• Faire une restriction – mettre une clause restrictive à un contrat – formuler des exigences

4. Faire des concessions

• **Bien qu'**il soit malade, il va travailler. (subjonctif)
Même s'il est malade, il va travailler. (idée d'habitude).

• Il est malade. Il va travailler **quand même**. (**malgré tout** – **tout de même**)

• **Malgré** (**en dépit de**) ses ennuis de santé, il est allé travailler.

• Agnès n'a pas fait de longues études. **Il reste** (**Il n'empêche**... **Il n'en reste pas moins**...) qu'elle fait une belle carrière.

• Normalement, le catalogue devrait être prêt en fin de semaine. **Encore que** je doive m'absenter deux jours. (subjonctif)

 Travaillez vos automatismes

1 Rapporter des paroles. Écoutez ce qu'a dit Marie. Rapportez ses paroles à votre amie Justine.

• J'ai réussi à mon examen.
– Elle m'a dit qu'elle avait réussi à son examen.

2 Emploi de *bien que*. **Étonnez-vous comme dans l'exemple.**
Un surdoué
• Il a 18 ans. Il a créé son entreprise.
– Bien qu'il ait 18 ans, il a créé son entreprise.

6 Comment on s'organise ?

Travailler au fil des jours

Vous voilà recruté(e) dans un pays francophone comme chercheur associé dans un laboratoire, assistante traductrice dans une PME ou tout simplement ouvrier dans une exploitation agricole.

Vous allez peut-être vous apercevoir que les relations professionnelles et les habitudes de travail sont différentes de celles de votre pays. Autant s'y préparer.

Sachez traiter avec la hiérarchie

1 **Classez les emplois ci-contre selon leur niveau dans la hiérarchie :**
– les dirigeants
– les cadres intermédiaires
– les exécutants

a. chef du service export – **b.** chef comptable – **c.** assistante de direction – **d.** directeur commercial – **e.** contrôleur de qualité – **f.** responsable de chaîne – **g.** technicien supérieur – **h.** ouvrier spécialisé – **i.** manutentionnaire – **j.** secrétaire général – **k.** stagiaire – **l.** président-directeur général (P-DG) – **m.** technicien de surface – **n.** aide-soignante

2 **Qui dirige quoi ? Reliez le nom du dirigeant et ce qu'il dirige.**

le bâtonnier	une association
le commissaire	les avocats
le général	une armée
le président	l'administration d'un département
le Premier ministre	un collège
le préfet	le gouvernement
le principal	un lycée
le proviseur	un parti politique
le secrétaire général	les inspecteurs de police

3 **Lisez les conseils « Les relations dans l'entreprise ».**

a. Associez chaque paragraphe à l'un des titres suivants :
(a) Gardez votre personnalité
(b) Qui fait quoi ?
(c) Respectez la hiérarchie
(d) Comprendre les habitudes
(e) Modestie et discrétion

b. En suivant les conseils donnés dans ce texte, comment réagiriez-vous dans les situations suivantes ?
(1) Vous avez demandé à votre chef de service une journée de congé exceptionnel pour assister au mariage d'un copain qui a lieu loin de chez vous. Le congé vous a été refusé. Un collègue vous dit : « Va voir la directrice. »
(2) C'est votre premier jour dans l'entreprise. Un homme vous aborde : « Bonjour, je suis Patrick Ranglet. Je travaille dans le bureau d'à côté. On se tutoie ? »
(3) Votre supérieur vous a demandé une note sur un sujet relatif à votre pays. Vous le lui apportez avec trois jours de retard. Il vous le reproche vivement.

4 **Lisez la bande dessinée de James.**
a. De qui et de quoi se moque l'auteur de la BD ?
b. Donnez des idées à James. Recherchez des idées humoristiques dans les activités professionnelles que vous connaissez (entreprises, écoles et universités, administrations).

LES RELATIONS DANS L'ENTREPRISE

● Il est nécessaire de connaître les missions incombant aux uns et aux autres, et de comprendre les rapports de force qui en résultent. L'outil indispensable, c'est l'organigramme : service, nom, fonction, position hiérarchique... Consultez cette photographie de la vie de l'entreprise pour ne pas commettre d'impair.

● Les premiers temps, la position d'observateur est de rigueur. Faites preuve de discernement et de prudence dans vos contacts avec votre supérieur ainsi qu'avec vos collaborateurs. Il ne faut pas tomber dans les excès : évitez de passer pour une personne timorée. Un juste équilibre entre humilité et dynamisme est idéal.

● Certaines entreprises utilisent le tutoiement, d'autres autorisent une tenue vestimentaire décontractée. Ces usages varient selon les sociétés, les secteurs d'activité mais également selon les positions hiérarchiques. Pour ne pas commettre d'impair, attendez l'autorisation de vous conformer à ces pratiques. En général, l'attitude de votre chef est un excellent indicateur sur ce que vous pouvez faire.

● Prendre une initiative ou exprimer un avis différent font partie des réactions possibles face à un supérieur. Évidemment, si ce dernier fait preuve d'un caractère trop autoritaire ou abusif, la marge de manœuvre est plus ou moins grande. À vous d'évaluer vos champs d'action.

● En cas de problème, faites-en part en premier lieu à votre responsable hiérarchique direct. C'est à lui que revient la prérogative de régler ce problème. En cas de conflit avec ce dernier, vous pouvez en avertir son supérieur. Mais seulement après avoir tenté une conciliation et l'avoir informé de vos démarches.

www.meteojob.com/guide-expo

Dans les bandes dessinées de James, disciple moderne de La Fontaine, ce sont des animaux qui incarnent les acteurs de l'entreprise. Le perroquet est ici le DRH et le chien, le directeur adjoint.

James, *Dans mon open space* (1. Business Circus), Dargaud, 2008.

6 Comment on s'organise ?

5 Écoutez l'interview de Patrick. Complétez les informations suivantes :

• **L'entreprise dans laquelle il est embauché**
– type : _____ – importance : _____ – ancienneté : _____
• **Les fonctions de Patrick dans l'entreprise**
– au début : _____ – par la suite : _____
• **les relations avec le responsable**
– première relation : _____ – évolution de la relation : _____

– causes de cette évolution : _____

Aide à l'écoute

– *logistique* : l'organisation matérielle d'un service ou d'une opération.
– *être censé* : être supposé faire...
– *marrant (fam.)* : amusant.
– *les prud'hommes* : tribunal qui règle les conflits relatifs au travail.
– *merdique (fam. et vulg.)* : sans intérêt, sans valeur.

6 Lisez les lettres ci-contre qu'un employé a adressées à sa hiérarchie.

a. Pour quelles raisons ces lettres ont-elles été écrites ?
b. Rédigez la phrase principale de la lettre ou du message que vous écririez à votre hiérarchie dans les circonstances suivantes :
• Vous travaillez à Montpellier depuis 5 ans.
Votre entreprise vous propose une mutation à Grenoble.
Cela ne vous intéresse pas.
• Vous travaillez dans une entreprise mais une autre entreprise vous propose un travail plus intéressant.

> J'ai le plaisir de vous informer de la naissance de ma fille Éva le 12 juillet 2008.
> Je souhaite bénéficier des trois jours de congé auxquels j'ai droit du 14 au 16 juillet.
> Vous trouverez ci-joint une copie de l'acte de naissance de mon enfant.

> Je vous serais reconnaissant de bien vouloir me faire parvenir une attestation d'emploi mentionnant ma fonction, mon salaire ainsi que la date de mon embauche (le 1er septembre 2006).
> En vous remerciant par avance...

> Je m'aperçois que vous n'avez toujours pas procédé au paiement de mes heures supplémentaires pour la période du 1er juillet au 31 août dernier. Pendant cette période, j'ai effectué 40 heures supplémentaires.
> Je vous serais reconnaissant de bien vouloir rectifier mes bulletins de salaire des mois de juillet et d'août et de régulariser cette situation lors du versement de mon prochain salaire.

[L'INTERVIEW] ◀ ▶ ⏸

Patrick raconte son expérience professionnelle dans une société de course, la CGV (course à grande vitesse), qui assure le transport de lettres ou de paquets dans les villes.

Droit du travail et syndicats

• En France, **la législation du travail** est extrêmement précise et contraignante. Au moment de son embauche, le salarié signe un **contrat de travail** qui précise le type de son contrat (à durée déterminée ou indéterminée, à temps partiel, etc.), ses fonctions, ses conditions de travail, son salaire, etc.

• On compte en France **quatre syndicats importants** qui négocient et concluent des accords avec les entreprises ou l'État :

– la **CGT** (confédération générale du travail) et **FO** (force ouvrière) qui, bien qu'indépendants des partis politiques, ont par tradition une culture de gauche (communiste ou socialiste),

– la **CFDT** (confédération française démocratique du travail) et la **CGC** (confédération générale des cadres) qui ont davantage une culture de la négociation.

Comparés aux autres salariés européens, **les Français sont peu syndiqués**. La proportion de travailleurs syndiqués est d'environ 8 % en France contre 80 % en Belgique, 35 % en Irlande et au Portugal et 20 % en Allemagne.

Pourtant **le nombre et la durée des conflits sociaux** (grève, occupation d'entreprise) semblent particulièrement élevés. Cela tient à deux causes :

– dans le secteur public, en particulier les transports, les écoles et les administrations, 20 % des salariés sont syndiqués. Leur mobilisation a un impact immédiat sur la vie quotidienne des Français ;

– jusqu'à une époque récente, les Français privilégiaient l'affrontement à la négociation.

Ayez de bons rapports avec vos collègues

1 Lisez l'extrait du film *Le Placard*. Caractérisez le ton de chaque phrase du dialogue avec les adjectifs suivants :

agressif – enjoué – froid – gai – gêné – inquiet – intrigué – méprisant – scandalisé – stupéfait

Faites des hypothèses sur ce qui s'est passé avant cette scène et sur ce qui va se passer après.

Un extrait du film *Le Placard*

Dans les toilettes d'une entreprise, Suzanne se refait une touche de maquillage. Mademoiselle Bertrand, la chef comptable, entre.

Mlle Bertrand : Bonjour, Suzanne.
Suzanne : Bonjour, mademoiselle Bertrand, vous allez bien ?
Mlle Bertrand : Très bien... Qu'est-ce qu'il y a, Suzanne ?
Suzanne : Rien.
Mlle Bertrand : Vous êtes sûre ?
Suzanne : Oui, oui, pourquoi ?
Mlle Bertrand : Parce que quand la secrétaire du patron vous regarde comme ça, on ne se sent pas très rassuré.
Suzanne : Non. Tout va bien... Mademoiselle Bertrand, je ne voulais pas vous le dire mais le président parle de donner une promotion à Pignon.

Plus tard dans le bureau des comptables. François Pignon entre...
Pignon : Bonjour, mademoiselle Bertrand... Bonjour, Ariane... Quelqu'un veut un café ? [*Les deux femmes le regardent méchamment.*] Pas de café... [*Pignon va chercher un café et revient.*]
Mlle Bertrand : Vous le saviez ?

Pignon : Quoi donc ?
Mlle Bertrand : Que j'étais virée. Le président est content des retombées publicitaires de votre défilé. Vous allez être bientôt chef comptable à ma place.
Pignon : Mais on ne peut pas vous virer comme ça. C'est pas possible.
Mlle Bertrand : On va m'accuser de harcèlement sexuel. Vous avez bien manœuvré, mon petit bonhomme !

Le Placard, film de Francis Veber, 2001.

2 Partagez-vous les scènes ci-dessous. Préparez un dialogue avec votre voisin(e) et jouez-le.

Une journée dans l'entreprise

• **9 h** – Vous venez d'arriver au bureau. Votre chef de service passe et vous présente un nouveau collègue.
• **10 h** – Une collègue passe. Elle récolte de l'argent pour le cadeau que le personnel va faire à Rémi qui part à la retraite.
• **13 h** – Vous êtes à la cantine avec Armelle ou avec Arnaud. Sujet de conversation : le comité d'entreprise organise un week-end à la neige mais on sait que Dubois y va avec ses cinq enfants...

• **14 h** – Dans le couloir, vous rencontrez Romain. Il cherche désespérément quelqu'un qui puisse le remplacer. « Je suis de permanence au Salon dimanche de 9 h à 15 h. Or, j'ai ma belle-mère qui vient déjeuner. Tu ne pourrais pas me remplacer ? »
• **16 h** – Devant la machine à café. Roland est effondré. La DRH lui a dit qu'il n'était pas fait pour le poste qu'il occupe. Il faut le rassurer.

Entente et mésentente

• **La sympathie et la confiance**
Au bureau, on s'entend bien. Avec ma collègue, on se comprend. On est sur la même longueur d'onde...
J'ai confiance en elle. Je peux compter sur elle.
Nos relations (nos rapports) sont courtoises, bonnes, cordiales, chaleureuses, amicales.

• **L'antipathie et la méfiance**
On ne s'entend pas... (toutes les expressions ci-dessus à la forme négative)

Nos relations (nos rapports) se sont dégradées, sont glaciales, conflictuelles.
Nous avons des désaccords, des divergences, des différends à propos de...
Je n'ai pas confiance en lui. Je me méfie de lui.
Cette collègue me tient à distance. Elle m'ignore. Elle m'évite.
Nous nous sommes disputés (querellés). Nous avons eu une altercation, une prise de bec (*fam.*).
Nous sommes fâchés, brouillés. Nous simmes en froid.
Elle a fait des remarques désobligeantes (méchantes), des critiques.
J'ai subi des brimades (voir p. 19), des mesquineries.

GRAND NETTOYAGE DE FIN D'ANNÉE

Avec les marchés de Noël vient le moment des bilans. Une année s'achève. Des modes, des choses, des idées, des gens ont vieilli. D'autres ont occupé le devant de la scène. Le temps est venu de faire le point.
Qu'est-ce qui vaut la peine de passer le cap du 1er janvier ? Qu'est-ce qui, au contraire, mériterait de passer à la trappe ? Notre rédaction s'est livrée au petit jeu des « On jette... On garde... ».

INFORMATION

ON JETTE...

les journaux gratuits. Pour la pauvreté de l'information, la tristesse de l'illustration, l'encre qui tache les doigts...
La mauvaise qualité pousse à l'incivisme et beaucoup n'arrivent même pas jusqu'à la poubelle du couloir du métro.
Il paraît qu'ils connaissent des difficultés financières. Tant mieux.

ON GARDE...

les sites Internet des quotidiens et des magazines. C'est l'avenir. Ils sont de plus en plus visités. À l'heure où l'information galope, comment pourrait-on attendre la sortie du quotidien *Le Monde* le lendemain, à midi, alors que son site Internet la propose le jour même ?
Et ces sites sont d'autant plus intéressants qu'on peut en quelques clics comparer les commentaires des différents journaux. Sans compter ceux des lecteurs...

OBJETS

ON JETTE...

les jetables. Tous : rasoirs, stylos, appareils photo, sacs plastiques. Et on les jette cette fois-ci définitivement pour que ces objets qui mettent des centaines voire des milliers d'années à se dégrader ne polluent plus notre environnement.

ON GARDE...

le durable. Stylo Montblanc, beau rasoir dont on se contente de changer la lame, flacon de parfum rechargeable, le bel objet a de l'avenir. Il rassure, il personnalise et on s'y attache.

CUISINE

ON JETTE...

les plats cuisinés. Trop salés, trop sucrés, trop gras, bourrés de conservateurs, de stabilisants, de modificateurs de goût, de parfums artificiels. Leur emballage devrait porter la mention « À consommer avec modération ».

ON GARDE...

les marchés bio. Quand on sait que les fruits reçoivent au minimum six traitements chimiques qui laissent des traces sur leur peau, que les carottes et les pommes de terre après avoir poussé dans un sol saturé de pesticides sont ensuite lavées et recouvertes de produits conservateurs, on a envie de retrouver la belle tomate difforme et craquelée et la pomme de terre terreuse du paysan qui fait passer le goût et la qualité avant l'esthétique et la productivité.

MAISON

ON JETTE...

le verre noir. C'était le must de ces dernières années. Certains aiment son mystère et le goût des liquides dévoilés seulement au moment où on le porte à la bouche. Pas nous. En matière de boisson, comme ailleurs, le plaisir des yeux va de pair avec celui du goût, y compris quand il s'agit d'eau minérale.

ON GARDE...

la cheminée mobile. Finie la cheminée de grand-mère qui oblige tout le monde à se réfugier dans le même coin de la même pièce. Aujourd'hui, la cheminée se fait nomade. Celle-ci, en inox et verre, peut se poser n'importe où dans l'appartement. Fonctionnant au bioéthanol (alcool agricole naturel), elle ne fait pas de cendres et ne dégage ni fumée ni odeur.

PRODUITS DE BEAUTÉ

ON JETTE...

Les déclinaisons de la thalassothérapie en vinothérapie, lactothérapie et chocolathérapie. En temps de crise, c'est du gaspillage !

D'après le magazine *Atmosphères*.

les produits cosmétiques pour hommes. Les ventes des parfums et des produits de soins du visage pour homme ont explosé ces dernières années. Ces messieurs ont envie de sentir autre chose que l'homme et de ne pas vieillir plus vite que leurs compagnes.

ACCESSOIRES

Le grand cabas des filles. Le mystère féminin en ce début de millénaire a la forme d'un grand cabas de fille. Pour deviner son contenu, il faut être scanner. Il remplit autant d'offices qu'elles jouent désormais de rôles dans la société : outil de travail, icône de mode, signe extérieur de culture, tiroir secret, malle à trésors, objet transitionnel, mini-poubelle et trousse de secours. Le cabas de fille se porte long, large, mou et déstructuré. Les femmes le jettent sur l'épaule, contre la hanche, parfois en travers du corps. C'est une arme et un bouclier. Son ampleur a grossi avec le droit des femmes. Parfois, c'est lourd. Elles-mêmes, souvent, s'en méfient. Elles l'entrebâillent délicatement. […]

Suit une exploration à deux bras, rageuse, méchante, amoureuse. Des objets surgissent, lapins du chapeau : un téléphone portable, une brosse à cheveux, des lunettes de soleil, deux stylos, un blush suivi de son pinceau, un mascara, un autre de rechange, un baume à lèvres, une crème pour les mains, un cahier, un titre de transport, trois journaux, un dossier, un pull au cas où, un porte-cartes, une écharpe, un carnet de chèques, une vieille lettre écrite à la main, une facture d'électricité, un baladeur, un précis de philosophie, un trousseau de clés, une tétine de bébé – « Tiens, elle est là, celle-là ? » –, cinq échantillons de parfum. […]

Jérôme Garcin, *Nouvelles Mythologies*, © Éditions du Seuil, 2007.

[MICRO-TROTTOIR]

Le livre va-t-il disparaître ?

Lecture de l'article p. 66

1• Partagez-vous les cinq premières rubriques de l'article. Faites la liste des arguments utilisés pour rejeter ou conserver les choses. Complétez éventuellement avec d'autres arguments. Discutez les choix de l'auteur de l'article.

2• Présentez votre réflexion à la classe.

Le micro-trottoir

Notez l'opinion et les arguments des participants.

	Réponse : oui/non	Arguments
1	non	Le livre a toujours été là…
2	……	……

L'article « Le grand cabas… »

1• Faites la liste des rôles attribués au cabas. Trouvez des exemples. Discutez.

Outil de travail : les femmes préfèrent souvent le sac à l'attaché-case.
Icône de mode : …

2• En faisant l'inventaire du sac, qu'apprend-on sur la propriétaire ?

Continuez le « Grand nettoyage de fin d'année » (Travail en petits groupes)

Choisissez un domaine (cuisine, automobile, etc.). Recherchez ce qu'on devrait jeter ou conserver. Exposez les raisons de votre choix.

Présentez vos choix à la classe. Discutez.

Conserver ou jeter

• **Conserver**
J'ai conservé (j'ai gardé) mes anciens cahiers de lycée.
Ranger, stocker, entasser des objets dans un placard, à la cave, au grenier.
Elle garde ses vieilles robes. Elle ne peut pas s'en séparer. Elle ne peut pas s'en défaire.
Le bijou que j'ai acheté, je l'ai mis en lieu sûr.

• **Jeter**
Se débarrasser d'un vieux meuble – jeter un aspirateur cassé à la poubelle – mettre au rebut – éliminer ses vieilles chaussures
Ces vieux livres m'encombrent.
Un vide-grenier – une brocante – une vente aux enchères – une salle des ventes – vente sur Internet

7 Bon produit

Faire des comparaisons

Voici le couteau Opinel. Il est resté tel que son inventeur, Joseph Opinel, l'a fabriqué en 1890 en Savoie. Il n'est pas tout à fait identique aux autres couteaux de poche. Il se distingue par son manche en bois et sa bague de sécurité. Il se différencie aussi des autres par sa simplicité. On l'utilise davantage pour de petits travaux que comme ustensile de cuisine.

1 Recherchez dans le texte les mots ou expressions qui expriment.

a. la ressemblance   **b.** la différence

Trouvez des expressions équivalentes dans le tableau.

2 Dites le contraire en reformulant les phrases suivantes :

Agnès et Michel sont retournés voir le village de leur enfance
Agnès : Dernièrement, j'ai revu le village où je suis née. J'ai retrouvé la maison de mon enfance **telle que** je l'avais laissée. Je n'ai remarqué **aucun** changement dans le village. Il y a **autant de** magasins dans la rue principale. C'est **la même** boulangerie et l'épicerie est toujours **aussi petite**. Le café des Arts **se distingue** toujours par sa belle façade et sa terrasse.
Michel : Moi aussi, j'ai revu mon ancien village mais j'ai eu une expérience totalement opposée...

3 Complétez avec une forme comparative ou superlative.

En tout Marie est meilleure que Pierre
a. Pierre est un bon musicien mais Marie est _____.
b. Pierre a une bonne oreille mais Marie distingue _____ la fausse note faite par un musicien dans un orchestre.
c. Pierre chante bien mais Marie chante _____.
d. Pierre a beaucoup d'amis mais Marie en a _____.
e. Marie ne fait pas de la très bonne cuisine mais Pierre fait _____ que j'aie jamais mangée.

4 Reformulez ces phrases sans utiliser les mots soulignés.

a. L'information sur Internet <u>n'a rien à voir avec</u> celle qu'on peut lire dans la presse écrite.
b. En politique, la gauche et la droite, <u>c'est bonnet blanc et blanc bonnet</u>.
c. Léonard n'a pas invité François. <u>On ne mélange pas les torchons et les serviettes</u>. Et puis, François au milieu des amis de Léonard, ça aurait <u>fait tache</u>.
d. <u>Tel</u> père, <u>tel</u> fils.

Comparer

1. L'identité et la ressemblance

• Elle a acheté le **même** tee-shirt. Il est **pareil** (**identique**) au mien.
Tel (**telle**, etc.) (**que**) – Cet artisan fabrique des vitraux tels qu'on les faisait au Moyen Âge.
Tel qu'il est, ce produit ne peut être vendu.

• **Ça ressemble à... On dirait...**
C'est l'image, la réplique, le reflet, la copie de...
Entre X et Y il y a des ressemblances, des similitudes, un air de famille, une parenté.
Ils sont ressemblants, semblables, proches, voisins, comparables.
On peut les confondre.

2. La différence

X et Y sont **différents**, **éloignés**, **distincts**.
Ils **diffèrent** (**se distinguent**) par plusieurs détails.
À la différence de X... Par opposition à X... En comparaison de X... Par rapport à X... Y est plus coloré.

3. Formes comparatives irrégulières (voir p. 133)

a. meilleur (comparatif de *bon*) – **mieux** (comparatif de *bien*) – **pire** (= plus mauvais) – **davantage** (= encore plus) – **moindre** (= plus petit)

b. Emploi du subjonctif selon le sens

• C'est le meilleur gâteau qu'il ait (jamais) mangé. (= Il n'en a jamais mangé de meilleur)

• On lui a proposé plusieurs gâteaux. C'est le meilleur qu'il a pris. (= Il a pris le meilleur)

5 Utilisez les expressions du tableau pour comparer ces deux peintures.

Madame Ginoux (V. Van Gogh)   *Lee Miller* (P. Picasso)

Décrire une organisation ou un fonctionnement

Cette clarinette en si bémol appartient à la gamme du fabricant Buffet Crampon. Celui-ci fait partie des meilleurs fabricants d'instruments à vent dans le monde.

Elle comporte 17 clés et se compose de 4 pièces qui se démontent pour être rangées dans un étui.

Pour monter l'instrument, emboîter les 4 pièces les unes dans les autres. Appliquer l'anche (languette en bois) sur le bec. Fixer cette anche avec le collier que vous vissez.

Pour jouer, souffler dans le bec en bouchant les trous et en appuyant sur les clés.

1 Dans le texte ci-dessus, relevez les verbes et expressions verbales qui servent à décrire :
– de quoi est composée une clarinette ;
– comment elle fonctionne.

2 Complétez avec un verbe du tableau.

> • appartenir (à) – être inclus (dans) – faire partie (de)
> • comprendre – se composer (de) – comporter – contenir – compter – se diviser (en) – inclure – englober

La Cité des sciences et de l'industrie _____ des lieux les plus visités de Paris.
Elle _____ plusieurs espaces de vulgarisation scientifique.
La célèbre Géode _____ à cet ensemble.
La médiathèque _____ 300 000 documents écrits et informatiques.
Le billet _____ la visite d'Explora et de la Cité des enfants mais n' _____ pas l'entrée à la Géode.

3 Utilisez les verbes du tableau pour décrire une organisation que vous connaissez.
(entreprise, établissement scolaire, organisation administrative de votre pays, magasin, musée, etc.)

4 Trouvez dans la liste l'opération informatique qui convient à chaque situation.

> afficher – cliquer – coller – couper – effacer – enregistrer – imprimer – insérer – mettre en veille – sauvegarder – sélectionner

a. _____ un document avant d'éteindre l'ordinateur
b. _____ un passage intéressant
c. _____ sur une icône pour ouvrir l'application
d. _____ une photo ou un tableau dans un document
e. _____ un passage inutile
f. _____ des données sur une clé USB
g. _____ un document sur du papier
h. _____ dix lignes d'un texte pour les _____ dans un autre document
i. _____ la barre d'outil

5 Trouvez le mode d'organisation de chaque ensemble. Trouvez d'autres exemples de ce mode d'organisation.
Exemple : le classement des 20 équipes de la Ligue 1, des élèves d'une classe, des dossiers dans un classeur, des livres dans une bibliothèque par ordre alphabétique des auteurs, etc.

a. le classement · des services d'une entreprise
b. la composition · d'une réunion
c. la hiérarchie · d'un discours
d. l'ordre du jour · d'un stage
e. l'organigramme · d'un bâtiment
f. le plan · d'une phrase
g. le programme · des tâches domestiques
h. la répartition · des 20 équipes de Ligue 1
i. la structure · des classes sociales

6 Utilisez le vocabulaire du tableau pour expliquer la fabrication d'un objet que vous savez faire (objet décoratif, pliage, etc.).

> **Les actions** : ajuster – clouer – coller – couper – fixer – mesurer – peindre – percer – scier – serrer – suspendre
> **Les outils** : un marteau – un mètre (ruban métrique) – une perceuse – une scie – un tournevis
> **Les objets** : une cheville – un clou – de la colle – un crochet – une planche

 ## Travaillez vos automatismes

1 Emploi des pronoms à la forme négative.
L'écrivain est étourdi. Répondez.
• Il a sauvegardé son travail ?
– Non, il ne l'a pas sauvegardé.

2 Construction « *faire* + infinitif ».
Il n'est pas très bricoleur. Répondez.
• Il a fabriqué ce cadre lui-même ?
– Non, il l'a fait fabriquer.

Nouveau produit

Seul(e) ou en petit groupe, vous imaginerez un nouveau produit ou vous améliorerez un produit déjà existant.

Vous réaliserez une enquête sur les besoins et les motivations des consommateurs. Vous décrirez votre produit et réfléchirez à une politique de communication pour le faire connaître.

Apprenez à parler d'innovation et de marketing

HISTOIRE D'UN SUCCÈS FONDÉ SUR L'INNOVATION : AFFLELOU

Alain Afflelou a débuté comme jeune opticien à 23 ans dans les années 1970, en ouvrant son premier magasin à Bordeaux. En 1979, il franchise le concept Afflelou, qui connaîtra un succès foudroyant : dès 1984, la chaîne comporte 100 magasins. En 2006, Afflelou est le premier réseau de franchise en Europe, avec 779 points de vente, dont 664 en France. Il réalise près de 500 millions d'euros de chiffre d'affaires.

La clé de ce succès tient dans une véritable révolution du métier d'opticien : Alain Afflelou est le premier à comprendre, affirme-t-il, que « porter des lunettes, ce n'est pas être malade ». Il transforme les lunettes en véritable accessoire de mode permettant d'affirmer sa personnalité. Pour cela, il réalise des innovations dans tous les éléments du mix marketing[1], grâce à un véritable souci du client.

Dans ce domaine du produit, Afflelou n'a de cesse[2] de révolutionner son métier en proposant des innovations, des produits correspondant aux aspirations des clients, comme les verres « quasi indestructibles », les 2Ai, lancés en 1994. Un autre exemple de produit répondant aux préoccupations des clients est le « Forty », commercialisé en 1997 ; ce sont des lunettes pour voir de près, destinées aux clients de plus de 40 ans. Ceux-ci sont gênés de porter des lunettes car cela leur rappelle qu'ils vieillissent. Pour dédramatiser le problème, Afflelou en fait un accessoire ludique[3], en proposant un pack de quatre paires de lunettes pour pouvoir en changer et en laisser différentes paires dans différents endroits.

Dans le domaine du prix, Afflelou est le premier à vendre des montures à prix discount, avec, dès 1978, l'offre « La moitié de votre monture à l'œil ». En 1999, il lance l'offre Tchin Tchin, « la deuxième paire pour un franc de plus », puis, en 2004, la Tercera, « Et pour 15 euros de plus une troisième paire ».

En ce qui concerne la distribution, les magasins Afflelou ont été les premiers à présenter les montures en libre accès en magasin. La conception et l'aménagement des magasins ont toujours été d'avant-garde et sont

régulièrement renouvelés pour rester au goût du jour, avec des surfaces de plus en plus grandes, une nouvelle couleur violette plus moderne inaugurée en 2004, et de nouveaux types de présentoirs.

La politique de communication est un des facteurs clés du succès de la marque, qui a le budget publicité le plus important du secteur et la notoriété spontanée la plus importante. La communication publicitaire d'Afflelou a très tôt mis en scène son créateur, avec un slogan demeuré célèbre, « On est fou d'Afflelou », inauguré en 1985 par l'agence RSCG. L'entreprise a également largement eu recours à la communication hors média, et notamment au sponsoring sportif, en étant partenaire du tournoi de tennis de Roland-Garros, de la course de voile « La solitaire du Figaro », et, depuis 2006, du club de football Paris Saint-Germain.

Gary Armstrong et Philip Kotler, *Principes de marketing*,
© Pearson Education France, 2007.

1. Le mix marketing est l'ensemble des outils que l'entreprise peut utiliser pour vendre son produit (l'amélioration ou la création du produit, le prix, le conditionnement, etc.). – 2. N'avoir de cesse de… : ne pas arrêter de… – 3. Amusant, avec lequel on peut jouer.

❶ Lisez le texte.

a. Dites de quoi il parle et présentez son organisation.
« Le texte présente d'abord … ensuite … »

b. Faites la liste des raisons du succès commercial des produits Afflelou.

c. À quelles motivations de l'acheteur Alain Afflelou a-t-il fait appel ?
(1) le désir de paraître jeune
(2) …

❷ Remettez dans l'ordre les étapes de la commercialisation d'un nouveau produit.

a. fabriquer
b. lancer une campagne publicitaire
c. concevoir le produit
d. faire une étude de rentabilité
e. recevoir les commandes

f. mettre au point
g. cibler un marché potentiel
h. expérimenter
i. expédier le produit
j. emballer le produit
k. faire une maquette, un prototype

❸ De l'idée à la réalisation. Classez les mots de la liste selon les étapes de la réalisation.

Le projet	
La réalisation	
Les retouches	
La finition	

achever – améliorer – avoir l'idée de… – concevoir – confectionner – construire – élaborer – ébaucher – faire un plan – finir – imaginer – mettre une dernière main à… – parfaire – produire – rajouter – refaire – retoucher – réaliser – reprendre – terminer

Chaque fois que c'est possible, donnez les noms correspondant aux verbes.

Exemple : achever → l'achèvement

Utilisez ces mots pour décrire les étapes d'une réalisation (un vêtement, une maison, un roman).

Choisissez votre type de produit

❶ Faites une recherche d'idées par deux ou trois.

Chaque équipe choisit une des grandes activités ci-contre.

Pendant trois minutes, recherchez et notez tous les produits liés à cette activité qui vous viennent à l'esprit.

Exemple : dormir → une chambre – un lit – des draps – une cure de sommeil – une tisane calmante – etc.

dormir – s'habiller – se déplacer – jouer – manger – boire – communiquer – apprendre – travailler – voyager – habiter – se soigner – créer – se ressourcer – se cultiver – se distraire – s'amuser – prendre soin de soi

❷ Choisissez le type de produit que vous allez imaginer ou améliorer.

Faites une enquête de besoins et de motivation

Rédigez un questionnaire pour connaître les besoins des acheteurs concernant votre produit.
Inspirez-vous du questionnaire ci-dessous. Proposez le questionnaire à la classe.

Enquête pour un projet de nouvelle cafetière multifonctions

1. Combien de tasses de café buvez-vous par jour chez vous ?

2. Buvez-vous :
   ☐ du thé   ☐ du cappuccino (ou café au lait)
   ☐ du chocolat   ☐ des tisanes

3. Comment préparez-vous votre café ?
   ☐ café soluble   ☐ cafetière classique
   ☐ machine à café expresso

4. Chez vous, prenez-vous généralement du café, du thé, du chocolat avec d'autres personnes ?
   ☐ oui   ☐ non   combien …

5. Seriez-vous intéressé(e) par une machine qui prépare plusieurs types de boissons chaudes (café, thé, chocolat, etc.) ?
   ☐ oui   ☐ non

6. Quel prix seriez-vous prêt à payer pour cette machine ?
   ☐ moins de 100 €   ☐ entre 100 et 150 €
   ☐ entre 150 et 200 €   ☐ plus de 200 €

7. Classez selon vos priorités les qualités que cette machine devrait avoir :
   … peu encombrante   … solide   … silencieuse
   … esthétique   … rapide   … facile à nettoyer

8. Pour préparer votre café avec cette machine, préférez-vous :
   ☐ du café moulu   ☐ des sachets de café soluble
   ☐ des capsules

9. Êtes-vous
   ☐ une femme   ☐ un homme
   Âge : …   Profession : …

INNOVATIONS

CONCOURS LÉPINE

GLISSE POUR TOUS

Une planche à roulettes qui colle aux pieds pour sauter les trottoirs avec facilité : voici le skateboard magnétique ! Couronné par le prix du ministère de la Jeunesse et des Sports au concours Lépine, le principe de ce concept est simple : les baskets adhèrent au plateau grâce à des aimants amovibles logés dans leurs semelles. « Dès lors toutes les acrobaties de free style sont permises ! Il suffit d'une légère rotation de la cheville pour libérer les pieds de ce skate révolutionnaire », plaide son inventeur, Philippe Riandet, trentenaire parisien. Les candidats débourseront 179 euros pour acquérir la panoplie. Reconnaissant pour le soutien financier apporté par la région Île-de-France, Philippe Riandet, fan de glisse, va encore plus loin : il présente cette semaine au concours Lépine ce modèle de skate… adapté aux pentes enneigées !

Bruno Monier-Vinard, *Le Point*, 01/05/2008.

LA PIZZA QUI DÉRIDE

La pizza « antirides », mise au point par un nutritionniste et un restaurateur de la région de Salerne, en Italie, aurait de réelles vertus contre le vieillissement grâce aux antioxydants contenus dans ses ingrédients. Baptisée « Primula », elle apporterait trois fois plus de fibres qu'une pizza classique et davantage de magnésium et de fer. La recette fait cependant débat. En effet, elle contiendrait de la farine intégrale qui, selon les puristes, empêcherait la pâte de lever correctement. Cependant, d'après le journal italien La Stampa, le pape lui-même aurait trouvé la Primula à son goût.

Libération, 15/08/2007.

LE FRIGO FAIT LE MALIN

Avant même que la grande distribution ne décide de coller une puce RFID sur la moindre barquette, on réfléchissait au MIT à notre futur « frigo intelligent ». On n'hésitait pas à le  doter d'une caméra et d'un logiciel de vision en plus du lecteur de codes-barres pour identifier les trois bananes qui auraient perdu leur étiquette. Alors dans quinze ou vingt ans, pas de souci, il sera là, chez Darty, le réfrigérateur qui sait ce qu'il a dans le ventre. Et qui signale qu'il faut manger les côtelettes avant mardi… Et qui alerte : « Plus que deux yaourts ! » Voire, qui nous concocte un menu : « Avec les aubergines et le reste de gruyère, pourquoi pas un gratin de… » À force, frigo malin sait ce que j'aime et combien je consomme… Il saura donc préparer la liste des courses et commander en ligne.

Marianne, 28/01/2006.

[L'INTERVIEW] ⏮ ▶ ⏭

Les contrefaçons – Tout créateur court le risque de voir sa création copiée et commercialisée. Mylène Duclay du service des Douanes présente les dangers des contrefaçons et explique comment reconnaître une imitation.

1 Lisez les articles du dossier « Innovations ».

a. Complétez les informations demandées dans le tableau.

	1	2	3
Type de produit	Pizza		
Auteur de l'innovation			
Lieu			
Caractéristiques de l'innovation			
Avantages			
Premières réactions du public			

b. Imaginez comment chaque intervenant a eu l'idée de son innovation.

2 🌐 Écoutez l'interview.

• L'introduction du journaliste. Quels sont les faits que le journaliste présente. Que montrent ces faits ?
• La première réponse de Mylène Duclay. Quelle idée développe-t-elle ? Notez les exemples donnés.
• La deuxième intervention de Mylène Duclay. Comment peut-on reconnaître un faux. Quels sont les exemples donnés ?

Aide à l'écoute

– absorber les chocs : atténuer les chocs.
– une fermeture éclair : fermeture métallique à glissière pour les blousons, pantalons, etc.

3 Imaginez les innovations que vous allez apporter à votre type de produit. Décrivez ce nouveau produit sous forme de notes que vous rédigerez à la fin du projet.

Faites un projet de communication

1 Faites la liste des arguments publicitaires que vous allez utiliser pour votre produit.

Les mots clés des motivations des consommateurs		
authenticité	économie	réalisation de soi
autonomie	environnement	santé
bien-être	équitable	sécurité
beauté	évasion	simplicité
convivialité	naturel	solidarité
durable	plaisir	temps libre

2 Faites la liste de vos supports publicitaires (affiches, page magazine, etc.).

3 Imaginez un slogan et une affiche publicitaire pour votre produit.

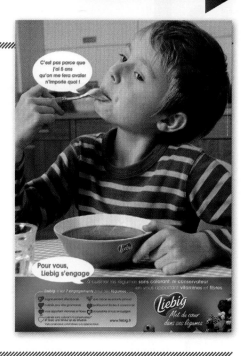

Rédigez votre projet de nouveau produit

Inspirez-vous du document suivant pour rédiger ce projet.

PROJET DE MACHINE À COUDRE MULTIFONCTIONS

De nouveaux besoins

Les enquêtes font apparaître un désir de retour à la couture et à la broderie comme activité de loisir domestique. Plusieurs motivations, exprimées par les femmes de 30 à 50 ans sont à l'origine de cette tendance :

– le besoin d'autonomie. On ne veut pas être obligé de faire appel à quelqu'un pour retoucher un vêtement quand on a pris ou perdu quelques kilos.

– le désir de réalisation de soi et de créativité. Créer un vêtement ou des rideaux est valorisant pour son image.

– le besoin d'authenticité. Beaucoup de femmes interrogées considèrent la broderie et la couture comme les éléments d'une culture traditionnelle qu'elles regrettent d'avoir perdue.

– les préoccupations morales. L'acte d'achat d'un vêtement souvent confectionné par une main d'œuvre sous-payée s'accompagne d'un sentiment de culpabilité chez 20 % des personnes interrogées. Faire soi-même contribue à se déculpabiliser.

– le souci d'économie. En période de crise, savoir faire un bord de pantalon ou réparer un vêtement déchiré font faire des économies.

70 % des femmes interrogées se disent intéressées par la couture ou la broderie. Cette proportion est plus élevée chez celles qui ont déjà un savoir-faire mais elle est aussi très importante sur le segment des 30 à 50 ans.

Fait notable, 5% des hommes regroupés sur le segment des jeunes vivant seuls affirment qu'ils aimeraient savoir faire de petits travaux de retouche.

Il semble donc que les conditions soient réunies pour que notre machine à coudre multifonctions trouve un marché important.

Descriptif du produit

Machine à coudre multifonctions : « La Créative »

La machine, qui possède un écran graphique, utilise les dernières innovations de l'électronique :

• affichage des étapes à suivre pour réaliser des travaux simples de couture,

• affichage du travail réalisé en taille réelle ou agrandi,

• grande capacité de mémoire,

• reproduction de n'importe quel motif dessiné sur ordinateur.

Campagne de communication

• Arguments publicitaires : autonomie, facilité, créativité, économie.

• Support publicitaire : pages de la presse féminine – spots télévisés – participation à des émissions radio ou de télévision qui présentent des innovations.

LES RÉGIONS INVESTISSENT

Les PME constituent l'essentiel du tissu économique du pays. Des milliers se créent chaque année et les pouvoirs publics (communes, départements, régions) aident et accompagnent certaines d'entre elles. Mais les choix qui sont faits sont-ils toujours judicieux ?

TOULOUSE

De l'art dans le métro

Les voyageurs qui descendent dans les entrailles du nouveau métro toulousain (la ligne B qui va du nord au sud) à la station des Carmes vont découvrir une voûte constellée de plaques de verre noircies à la suie ou blanchies à la cire, couvertes d'inscriptions. Cette vision céleste est l'œuvre de Jean-Paul Marcheschi, l'un des vingt artistes contemporains appelés à embellir la deuxième ligne du métro automatique de l'agglomération, qui sera inaugurée samedi 30 juin. Chaque artiste s'est vu attribuer une station.

Toulouse avait déjà fait appel à des artistes pour prendre possession de la ligne A du métro, inaugurée en 1993. C'était un acte pionnier. D'autres villes, comme Strasbourg ou Paris avec leurs tramways, ont depuis suivi cet exemple en installant des œuvres d'art, créées pour l'occasion, aux différentes étapes de leurs nouvelles lignes de transports urbains. Financée en vertu du principe du « 1 % décoration » institué dès 1936 par Jean Zay pour les grandes réalisations publiques, l'opération avait été renouvelée lors du prolongement de la ligne A du métro toulousain. La ville dispose donc d'une certaine expérience dans cette tentative originale d'insertion de l'art dans la vie quotidienne.

Mais force est de constater que les œuvres ne sont pas toujours perçues par les milliers de passagers qui empruntent chaque jour le métro. Seulement 2 % de la population y seraient sensibles, selon une rapide étude menée en interne par Tisséo. Ce « danger de l'indifférence » est bien pointé par Renaud Camus, qui note que « le projet d'installer de l'art dans le métro peut être inscrit dans le grand mouvement qui, depuis un demi-siècle, vise à démocratiser, voire à généraliser la culture ».

Le Monde, 30/06/2007.

VILLAGES POUR SENIORS

Les États-Unis possèdent déjà de nombreuses *sun cities*. La France, à son tour, devrait bientôt se couvrir de complexes réservés aux personnes âgées. L'idée est de créer des lotissements parfaitement adaptés aux retraités. Sans baignoire ni escalier, donc, mais avec blanchisserie, supérette, cabinet médical et différents services (dépose de médicaments, bibliobus...). Plusieurs de ces villages sont en construction en Corrèze, en Saône-et-Loire, dans le Pas-de-Calais... Et les sociétés spécialisées (Hamo, Domitys, Ramos...) se multiplient.

Capital, mai 2008.

ÇA ROULE POUR LE VAE

On est loin des 120 000 unités écoulées l'an dernier aux Pays-Bas mais le VAE (vélo à assistance électrique) s'est vendu en France à 10 000 exemplaires et semble avoir de beaux jours devant lui. Il possède en effet quelques atouts. Aux yeux de l'administration, il est assimilé à une bicyclette puisque l'assistance ne fonctionne que lorsqu'on pédale et s'interrompt automatiquement dès que la vitesse atteint 25 km/h. En conséquence, aucun casque n'est nécessaire. Pas d'assurance. Le parking contre un arbre et un mur est gratuit et on peut rouler sur les pistes cyclables. Seul inconvénient : la batterie au plomb qui pèse autant qu'un pack de six maxi-bouteilles d'eau et qui met quatre à huit heures à se recharger. L'autonomie en revanche peut être de cent kilomètres.

D'après *Capital*, juillet 2008.

[**SUR LE VIF**]

Valérie s'est acheté un nouveau téléphone portable et donne ses impressions.

Interactions

Donnez votre avis sur les trois projets (travail en petit groupe)

1. La classe se partage les trois articles. Pour chaque projet notez :
– en quoi consiste le projet ;
– à quel besoin il correspond ;
– les points positifs du projet ;
– ses points faibles.

Investiriez-vous de l'argent dans ce projet ? Pourquoi ?

2. Présentez votre réflexion à la classe. Discutez.

Le document sur le vif

Vous avez été témoin de la conversation entre Valérie et Béatrice. Vous rencontrez un(e) ami(e) qui vous dit : « J'ai bien envie d'acheter un téléphone digital. Tu connais quelqu'un qui en a un ? Qu'est-ce qu'il en pense ? »

Tour de table

Dans quel type d'entreprise ou dans quel type de bien aimeriez-vous pouvoir investir ?

Investir

• **Investir** (placer son argent, mettre son argent) dans l'immobilier, dans les actions, les obligations
Acheter des actions, des terrains, etc.
S'investir dans un projet (consacrer du temps, de l'énergie à ce projet)
Faire un bon / un mauvais investissement

• Rentabiliser un placement, un investissement
– un placement rentable
Ses parts de société lui rapportent 10 % par an.
C'est un excellent rapport.

Nommer les actions et les qualités

Dans les années 1960, le **développement** touristique est une des **priorités** du gouvernement français.

Le fait que les touristes français et européens sont attirés par les plages espagnoles conduit à **l'aménagement** du littoral méditerranéen.

Le **choix** du site de la Grande-Motte, à l'est de Montpellier, se fait malgré quelques **oppositions** locales. C'est l'architecte Jean Balladur qui est chargé de la **conception** de la nouvelle station balnéaire.

La **construction** d'immeubles inspirés des pyramides mexicaines, **l'intégration** de la ville dans l'environnement naturel en font une grande réussite.

1 Reformulez le texte ci-dessus en remplaçant les mots en gras par des verbes ou des adjectifs.

Exemple : Dans les années 1960, le tourisme se développe. Ce développement est...

2 Reformulez ces phrases pour en faire des titres de presse comme dans l'exemple :

a. en transformant les verbes

Temps de crise

Exemple : Les prix augmentent → Augmentation des prix

Le chômage se développe

Les exportations diminuent

L'offre d'emploi se réduit

La pauvreté s'accroît

b. en transformant les adjectifs

La population est inquiète

L'avenir est incertain

Les relations entre salariés et patrons sont tendues

L'opposition est révoltée

Le gouvernement est impuissant

c. en utilisant les noms suivants :

la faillite – l'insécurité – l'instabilité

la pénurie – le retour

Certains produits sont impossibles à trouver

Les entreprises déposent leur bilan

Le gouvernement n'est pas sûr de durer

Les gens reviennent à des loisirs pas chers

Il y a de plus en plus de vols et d'agressions

3 Combinez les deux phrases en utilisant « le fait de (que) – du fait de (que) »

Salarié de sa femme

a. Sa femme est sa directrice. Ça l'ennuie. → Le fait que sa femme soit...

b. Elle est plus diplômée que lui. Il n'aime pas ça.

c. Elle ne rentre jamais avant 20 h. Ça l'irrite.

d. Il doit s'occuper des enfants et de la maison. Ça le fatigue.

e. Elle gagne plus que lui. Ça lui convient.

Nommer les actions et les qualités

Il y a diverses façons de nommer les actions et les qualités.

1. La transformation du verbe en nom

Les prix ont augmenté. Cela a ralenti l'économie.

→ **L'augmentation** des prix a entraîné le ralentissement de l'économie.

2. L'utilisation d'un nom de sens proche

Les entreprises sont en difficulté car il n'y a plus de crédit.

→ **L'absence de crédit** est source de difficultés dans les entreprises.

3. L'infinitif

Il ne faut pas réduire les crédits. C'est mauvais pour l'entreprise.

→ **Réduire** le crédit est mauvais pour l'entreprise.

4. Les expressions « le fait de (que) – du fait de (que) » sont souvent employées à l'oral.

Le fait que le directeur soit parti n'a pas amélioré le fonctionnement du service (le service a mal fonctionné **du fait du** départ du directeur).

N.B. : « Le fait que » est suivi de l'indicatif ou du subjonctif selon le degré de réalité.

5. La transformation de l'adjectif en nom ou en expression nominale

Elle est un peu rigide, ce n'est pas un atout pour elle.

→ **Son côté rigide** n'est pas un atout pour elle.

4 Combinez les deux phrases en faisant les transformations nécessaires.

Une région qui s'est reconvertie

a. Il y a eu la concurrence étrangère. Les usines ont fermé.

b. L'État a aidé les nouvelles entreprises. Elles se sont développées.

c. Il n'y a pas eu assez de personnel qualifié. On a formé ce personnel.

d. Des entreprises innovantes se sont créées. Le pays a exporté davantage.

e. Ces entreprises se sont installées à l'étranger. C'est une preuve de la bonne santé de l'économie.

Mettre en valeur

La maison de couture Chanel a été créée en 1921 par Gabrielle Chanel. **Le surnom Coco Chanel** avait été donné à la jeune femme à cause d'une chanson qu'elle avait chantée dans les cabarets. Ce qui **a fait connaître** Coco Chanel, ce sont les chapeaux qu'elle se confectionnait. En 1926, c'est **la petite robe noire**, adoptée par les artistes et la bourgeoisie, qui a véritablement lancé la maison de couture.

1 Dans les phrases ci-dessus, observez les constructions qui permettent de mettre en valeur les expressions en gras.

2 Réécrivez ces phrases en commençant par les mots soulignés.

L'élection du président de la République en France

a. En 1962, les Français ont approuvé <u>l'élection du président de la République au suffrage universel</u>.

b. C'est le général de Gaulle qui avait fait <u>cette proposition.</u>

c. À partir de 1962, les Français élisent <u>le président</u> pour 7 ans.

d. Mais cette loi a un inconvénient. On n'élit pas <u>le président et les députés</u> en même temps. Il y a, alors, des périodes où le président et les députés ne sont pas du même parti politique.

e. En 2006, on réduit <u>le mandat présidentiel</u> à 5 ans.

3 Réécrivez ces phrases à la forme passive.

a. Très jeune, l'informatique <u>m</u>'a passionné.

b. Les jeux vidéo <u>me</u> fascinaient.

c. L'informatique ne <u>m</u>'aurait pas attiré si mon oncle n'avait pas été programmeur.

d. Aujourd'hui, les entreprises asiatiques concurrencent fortement <u>les nôtres</u>.

e. J'espère qu'elles ne rachèteront pas <u>mon entreprise</u>.

Mettre en valeur

1. La transformation passive permet de commencer la phrase par le bénéficiaire ou le patient de l'action.
Des inconnus ont cambriolé la banque.
→ *La banque a été cambriolée par des inconnus.*

2. La construction « *C'est (ce sont)* ... + *qui / que* » (pronom relatif ou conjonction) permet de mettre en valeur un groupe nominal.
<u>*Les ingénieurs*</u> *ont investi beaucoup d'<u>énergie</u> dans <u>le prototype</u>.*
→ *Ce sont les ingénieurs qui ont investi beaucoup d'énergie.*
→ *C'est beaucoup d'énergie que les ingénieurs ont investie dans le prototype.*
→ *C'est dans le prototype que les ingénieurs ont investi beaucoup d'énergie.*

3. La construction « *Ce* + pronom relatif + verbe » met en valeur le verbe et le complément. Dans ce cas, le sujet est souvent placé après le verbe.
Marie s'occupe du moteur du futur.
→ *Ce dont s'occupe Marie, c'est du moteur du futur.*

4. Il est possible de ne pas nommer l'agent de l'action en utilisant certaines formes
M. Dupuis a dit qu'il y avait des dysfonctionnements et il a demandé un audit.
a. un pronom indéfini : *On a dit que... Certains ont dit que...*
b. la forme impersonnelle : *Il a été dit que des dysfonctionnements avaient été constatés.*
c. la forme passive (quand le verbe a un complément direct) : *Un audit a été demandé.*

4 Mettez le verbe en valeur en utilisant « *ce qui / que / dont / à quoi* ».

Stress au travail

a. J'ai besoin de quelques jours de vacances → Ce dont j'ai besoin...

b. Les menaces de licenciements me font réfléchir.

c. L'attitude de mon collègue m'énerve.

d. Je voudrais avoir moins de pression.

e. Je rêve de plages sous les tropiques.

f. Je pense à un séjour au Club Méditerranée.

 Travaillez vos automatismes

1 Construction « *ce* + pronom relatif + verbe »
On vous interroge sur les activités d'une amie. **Confirmez comme dans l'exemple.**
• Ton amie s'occupe des promotions ?
– Oui, c'est ce dont elle s'occupe.

2 La construction passive. Votre collègue était absente. Mettez-la au courant.
• Vous avez programmé une réunion ?
– Oui, une réunion a été programmée.

8 Une affaire qui marche

Réunion de travail

Vous apprendrez à vous tenir informé(e) dans les domaines de l'économie et de l'entreprise, à prendre des notes en lisant un texte d'information, à participer à une réunion et à en faire le compte rendu.

Tenez-vous informé

Au sommaire du magazine Capital

■ **L'implacable mécanique Swatch.** Le numéro 1 de la montre multiplie les modèles de 48 à 600 000 euros. Et fabrique tous les composants dont les concurrents eux-mêmes ont besoin.

■ **Le nouvel éclat du placement or.** Dopés par l'explosion de la demande des nouveaux pays industriels, les cours du métal jaune ont plus que doublé en cinq ans. Et cela devrait continuer.

■ **Les petits secrets de Xavier Niel.** L'inventeur de la Free box, devenu numéro 2 français de l'Internet haut débit, a suivi un itinéraire très insolite. Détails.

■ **Travailler à l'étranger.** Les multinationales qui recrutent des Français : Nokia, Google, Accor…

■ **L'événement Électricité.** La libéralisation des prix aura des effets pervers.

■ **Les maladresses de M. Bricolage.** Difficile, décidément, de résister au hard discount. Pour avoir sous-estimé le phénomène, la chaîne de magasins perd des parts de marché et dévisse en bourse.

■ **Les meilleurs placements pour résister à la crise boursière.** Les marchés chancellent, la croissance faiblit … La mauvaise conjoncture exige de réorienter votre épargne.

■ **L'art de motiver ses troupes… sans les augmenter.** Vous n'avez pas les moyens de doper les salaires de vos bons éléments ? Quelques gestes permettront de les faire patienter.

■ **Gaspillages publics : tout reste à faire.** À voir la quantité d'organismes inutiles, de sureffectifs et de dépenses somptuaires au sein de l'administration, on se dit que réduire un peu notre déficit ne devrait pas être trop difficile.

■ **Pourquoi Nespresso met du Clooney dans son café.** Bousculée par ses concurrents, la filiale de Nestlé s'est offert une star planétaire pour sa dernière campagne de pub.

Extraits des sommaires de *Capital* de 2007 et 2008.

1 Lisez les extraits des sommaires du magazine *Capital*.

a. Choisissez ci-dessous un titre pour chaque information.
a. Belle carrière
b. Bons placements
c. Ne prenez pas de risque
d. Succès d'entreprise
e. Envie d'ailleurs ?
f. Attention aux conséquences !
g. Management
h. Joli coup de pub !
i. L'État sous surveillance
j. Entreprise en difficulté

b. Quels sont les articles qui pourraient intéresser :
(1) quelqu'un qui veut faire fructifier son argent
(2) un(e) jeune cadre plein(e) d'ambition
(3) un passionné de politique
(4) un chef d'entreprise soucieux de la rentabilité de son entreprise
(5) un jeune intéressé par la vie des célébrités

2 Remettez dans l'ordre les moments de la vie de l'entreprise de Luc qui fabrique des stylos.
a. L'entreprise conquiert des parts de marché.
b. Luc dépose un brevet d'invention d'un nouveau stylo.
c. L'entreprise dépose son bilan.
d. Luc crée son entreprise de fabrication de stylo.
e. L'entreprise de Luc est rachetée par un groupe.
f. Luc obtient des prêts bancaires.
g. Luc engage du personnel.
h. Le marché du stylo s'effondre.
i. L'entreprise de Luc est cotée en bourse.
j. Luc lance des opérations publicitaires.

3 Complétez avec un verbe de la liste :
emprunter – épargner – investir – perdre – placer – prêter
Placement à risque
Pendant dix ans, Léa a _____ 10 % de son salaire.
Elle a _____ ses économies sur un compte épargne.
Un jour, elle a décidé _____ dans les mines d'or.
Le cours de l'or a monté puis a chuté. Léa a _____ une partie de ses économies.
Pour acheter sa maison, elle a dû _____ de l'argent.
Sa banque lui a _____ 100 000 euros.

3 Voici des mots que l'on entend souvent quand on parle d'argent.

S'agit-il d'une recette (d'argent qu'on perçoit, qu'on touche) ou de dépense (d'argent qu'on verse) ? Qui perçoit ou verse ? Pourquoi ?

Exemple : allocations familiales : somme qu'on touche parce qu'on a des enfants.

a. allocations familiales – **b.** bourse – **c.** cotisation retraite – **d.** cachet – **e.** facture de téléphone – **f.** honoraires – **g.** indemnité de licenciement (de logement, de chômage) – **h.** impôt sur le revenu – **i.** prime de fin d'année – **j.** redevance télévision – **k.** salaire – **l.** subvention – **m.** taxe d'habitation – **n.** traite – **o.** traitement.

L'argent et la finance

• **La banque :** une banque de dépôt, d'affaires – une banque centrale / la Banque de France, la Banque européenne – la Banque mondiale – le Fonds monétaire international – le Trésor public – la monnaie – la monnaie unique (l'euro)

• **La bourse :** un portefeuille en bourse, un produit financier (une action, une obligation, un placement sur l'or, les matières premières, les devises) – investir – placer son argent
Le cours de l'or monte/baisse – la hausse/la baisse du pétrole
Un marché financier – un spéculateur – spéculer sur la hausse du dollar

• **La situation financière :** la croissance – la croissance s'accélère/se ralentit – la récession – l'inflation – avoir un taux d'inflation de 3 %

Prenez des notes

1 Lisez le début de l'article et observez les notes prises par le lecteur.

2 Continuez la lecture et prenez note des informations importantes.

LEROY MERLIN : UNE POLITIQUE DE PARTAGE

Signature de référence pour le bricolage et l'équipement de la maison, Leroy Merlin entend battre en brèche l'image peu reluisante qui colle à la distribution en matière de gestion des ressources humaines. Sa deuxième place au classement des Best Workplaces de plus de 1 000 salariés devrait donc la ravir.

L'entreprise française de 17 900 salariés appuie en effet son développement sur une politique de partage. Des résultats d'abord, puisqu'au salaire de base des collaborateurs (1 735 euros bruts en 2006) s'ajoute l'intéressement lié aux résultats du magasin qui représente environ 20 % de la rémunération annuelle, ainsi que la participation aux bénéfices de l'entreprise (autour de 12 %).

Mais aussi partage des responsabilités puisque Leroy Merlin insiste sur l'autonomie de ses collaborateurs. « Chaque magasin opère ses propres référencements et a sa propre politique de prix en fonction de sa zone de chalandise », explique Stéphane Calmès, directeur des ressources humaines du groupe.

Pour ce faire, l'entreprise mise beaucoup sur la formation, à laquelle elle consacre 6,5 % de sa masse salariale. « Car nous sommes convaincus que ce sont autant les collaborateurs que les produits qui incitent les clients à revenir et que pour qu'ils exercent au mieux leur métier, nous avons tout intérêt à bien les former », assure Stéphane Calmès.

→ *Leroy Merlin, entreprise de distribution (bricolage et équipement maison), 17 900 salariés.*
→ *Mauvaise image de la distribution pour la gestion du personnel*
→ *Leroy Merlin – 2ᵉ place au Best Workplaces – Pourquoi ?*

→ *Politique de partage : 1) des résultats ...*

Un engagement fort qui vaut cette année à Leroy Merlin un prix spécial pour la formation. L'enseigne a par exemple développé ses propres stages produits dans l'Institut de développement Leroy Merlin. « S'appuyant sur plus de 120 modules de formation à distance et des stages de mise en œuvre, ces formations permettent à nos collaborateurs de tester et donc de pouvoir mieux conseiller les clients sur les gammes de produits », insiste le DRH.

Des tuteurs ont également la charge de veiller à la montée en compétence des quelque 2 000 nouveaux collaborateurs recrutés chaque année. « Des référents, qui sont les meilleurs employés de l'entreprise dans leur domaine, sont incités à apporter leur expertise à leurs collègues », poursuit Stéphane Calmès. Leroy Merlin associe également ses collaborateurs à la définition du projet d'entreprise dans le cadre de son projet « Accélération vision ».

L'Express, Réussir n° 2999, 20/03/2008.

8 Une affaire qui marche

Participez à une réunion

1 🌐 **Observez les photos et écoutez une séance de travail au service des monuments historiques de la mairie de Paris. Les personnes suivantes y participent (par ordre de prise de parole) :**
– Kevin Lefol, conseiller au ministère de la Culture,
– Lydia Kadouri, présidente de l'association « Pour la reconstruction du palais des Tuileries »,
– Jean-Pierre Renaud, conseiller municipal chargé du Patrimoine,
– Élise Lorca, architecte des Monuments historiques.

Aide à l'écoute

• **le Palais des Tuileries.** Construit au XVIᵉ siècle, le palais des Tuileries a été plus tard relié au palais du Louvre. Ce fut une résidence des rois de France, de Napoléon Iᵉʳ et de Napoléon III. Il a été détruit par la Commune de Paris en 1871.

• **la Commune de Paris** est une insurrection du peuple de Paris qui s'opposait au gouvernement républicain mis en place à la fin de la guerre de 1870 contre l'Allemagne. Au cours des combats, plusieurs édifices parisiens ont été détruits.

• **Viollet-le-Duc :** architecte qui a dirigé la grande campagne de restauration des monuments historiques qui s'est déroulée en France à partir de 1830.

• **Monuments cités par les participants :** le château de Berlin – l'église Notre-Dame-de-Dresde –l'opéra de la Fenice à Venise.

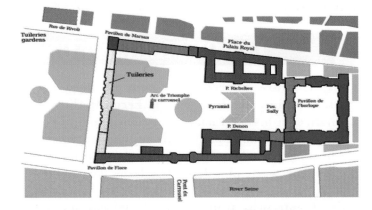

Vue d'ensemble du Louvre et des Tuileries avant l'incendie de 1871.

2 Approuvez ou corrigez les affirmations suivantes :
a. le sujet de la réunion est un projet de reconstruction d'un palais démoli en 1871.
b. une participante a bien réfléchi à ce projet.
c. tous les participants sont d'accord.
d. le projet pourra être financé.
e. le palais reconstruit sera exactement comme l'ancien.
f. les pièces de ce palais complèteraient les salles du musée du Louvre.
g. les participants citent des exemples de reconstructions de monuments en France et à l'étranger.
h. à la fin de la réunion, le projet est approuvé.

3 Faites la liste
a. des arguments en faveur du projet
b. des problèmes posés par le projet

4 Relevez les expressions qui permettent :
– de prendre, de donner ou de garder la parole
– de retenir l'attention des auditeurs

5 Chaque étudiant donne son opinion sur le projet. Notez les idées ou les opinions nouvelles.

Faites un compte rendu

1 Lisez ci-contre le compte rendu d'une réunion d'entreprise.

Définissez :
– le but de la réunion
– son déroulement
– les arguments échangés
– la décision finale

2 Observez les constructions qui permettent de ne pas nommer les personnes.

3 Rédigez au choix :
– le compte rendu de la réunion sur le projet de reconstruction des Tuileries (p. 80) ;
– le compte rendu de lecture de l'article de la page 79.

COMPTE RENDU DE LA RÉUNION DU 20 SEPTEMBRE 2013

Présents : ……

La réunion portait sur l'intérêt de faire appel à une société de coaching pour les cadres de notre entreprise.

Un représentant de la CPE (Conseil aux particuliers et aux entreprises) a présenté les avantages et les limites de cette forme d'accompagnement. Il a notamment précisé que le coaching n'est ni une formation ni une psychothérapie mais un ensemble de conseils visant à développer les performances d'un individu ou d'une équipe dans un objectif précis.

Les principales réticences ont souligné les risques de perte de temps et d'inefficacité de la méthode. Certains participants ont émis des réserves sur la capacité des coachs à comprendre le fonctionnement et la culture de notre entreprise. Il leur a été répondu que le personnel de la CPE avait une double formation de cadre d'entreprise et de psychologue.

Aucun rejet définitif n'a été formulé. Au contraire, l'ensemble des personnes présentes a montré une grande curiosité pour le coaching.

Finalement, il a été décidé d'engager un coach pour accompagner le projet Isidore qui doit démarrer le mois prochain et se poursuivre sur dix-huit mois. Si l'évaluation du coaching est positive, l'entreprise aura recours à cette pratique selon ses besoins.

Échangez vos idées et vos expériences

1 Lisez l'encadré « Quelques particularités des entreprises françaises ». Faites éventuellement des comparaisons avec les entreprises de votre pays.

2 Écoutez plusieurs fois le document radio. Faites une reconstitution collective de la fable des deux marchands de journaux.

Quelques particularités des entreprises françaises

• **La « réunionite ».** Composé du mot « réunion » et du suffixe « -ite », fréquent dans le vocabulaire de la maladie, il désigne la tendance à organiser trop de réunions sans objectif précis. « C'est un phénomène répandu en France où la réunion est souvent le lieu où l'on aime montrer sa culture, se faire plaisir en brillant intellectuellement », estime Sophie Manégrier, consultante en coaching interculturel. Depuis quelques années, les entreprises cherchent à optimiser ces moments nécessaires à leur fonctionnement (envoi d'un ordre du jour précis, limitation du temps, etc.).

• **La pause déjeuner.** On verra rarement des employés manger un sandwich assis à leur bureau tout en continuant à travailler. La pause déjeuner d'au moins 45 minutes, c'est sacré.

• **Le comité d'entreprise.** Composé de délégués élus du personnel sous la présidence du chef d'entreprise, ce comité gère toutes les questions relatives à l'organisation du travail et à la formation professionnelle. Il organise aussi des activités sociales et culturelles (création de crèches, de colonies de vacances, activités sportives, sorties spectacles à prix réduits, etc.). Ce comité est obligatoire pour toute entreprise de plus de 150 salariés. L'entreprise y consacre au moins 0,2 % de l'ensemble des salaires bruts du personnel.

• **Les relations entreprises-universités.** Ces relations souffrent d'une image que les partenaires s'emploient à améliorer. Pour les entreprises, l'université ne cherche pas vraiment à répondre aux besoins des entreprises. Pour les étudiants, l'employeur est quelqu'un dont le premier souci est la rentabilité.

[L'INTERVIEW]

L'animatrice d'une émission spécialisée dans l'économie a choisi d'introduire son émission par une fable extraite du livre de l'économiste Éric Abrahamson, *Un peu de désordre égale beaucoup de profits*, éditions Flammarion.

Plaisir de dire

> J'aime la lettre M parce qu'on la prononce « aime ».
> Je n'aime pas la lettre N parce qu'on la prononce « haine ».
>
> Philippe Geluck, *Le Chat*.

À chaque consonne sourde [p], [t], [f], etc. correspond une consonne sonore [b], [d], [v], etc., qui se forme en détendant les muscles et en faisant vibrer l'air.

1 🌐 Distinguez [p] et [b], puis [t] et [d].

Exercices de dictions pratiqués par les comédiens
• Papa peint dans le bois. Papa boit dans les pins.
Pauvre paquet postal perdu pas parti pour Papeete.
Le beau barbu Barnabé perdit son bras par un débris d'obus.
Le poulet boulotte une bonne banane.
• Didon dîna dit-on d'un dodu dindon.
Ton thé t'a-t-il ôté ta toux ?
Si ton tonton tond ton mouton, ton mouton sera tondu.
Tas de riz, tas de rats
Tas de riz tentant. Tas de rats tentés
Tas de riz tentant tentent tas de rats tentés.

Dessin de Victor Hugo.

2 🌐 Distinguez [s] et [z].

> *Océano nox*
> Ô combien de marins, combien de capitaines
> Qui sont partis joyeux pour des courses lointaines
> Dans ce morne horizon se sont évanouis
> Combien ont disparu, dure et triste fortune
> Dans une mer sans fond, par une nuit sans lune
> Sous l'aveugle océan à jamais enfouis [...]
>
> Victor Hugo, Les Rayons et les Ombres, 1840.

> *L'Albatros*
> Souvent, pour s'amuser, les hommes d'équipage
> Prennent des albatros, vastes oiseaux des mers,
> Qui suivent, indolents compagnons de voyage,
> Le navire glissant sur les gouffres amers.
>
> À peine les ont-ils déposés sur les planches,
> Que ces rois de l'azur, maladroits et honteux,
> Laissent piteusement leurs grandes ailes blanches
> Comme des avirons traîner à côté d'eux [...]
>
> Charles Baudelaire, *Les Fleurs du mal*, 1859.

3 🌐 Distinguez [f] et [v].

Menu
Avocat flambé à la vodka
Viande fumée de Vire
Veau façon Vatel
Fromage fermier du Vercors
Viennoiseries de Figeac
Vins vieux de France

Parmi les vers les plus célèbres de la poésie française, beaucoup jouent sur les sonorités [s], [z], [f].

> Et rose elle a vécu ce que vivent les roses,
> L'espace d'un matin.
>
> François de Malherbe, *Stances à Du Périer*, 1601.

> Un frais parfum sortait des touffes d'asphodèles
> Les souffles de la nuit flottaient sur Galgala
>
> Victor Hugo, *La Légende des siècles*, 1859.

> Je fais souvent ce rêve étrange et pénétrant
> D'une femme inconnue, et que j'aime et qui m'aime
> Et qui n'est chaque fois, ni tout à fait la même
> Ni tout à fait une autre, et m'aime et me comprend.
>
> Paul Verlaine, *Poèmes saturniens*, 1866.

> Voici des fruits, des fleurs, des feuilles et des branches
> Et puis voici mon cœur qui ne bat que pour vous.
>
> Paul Verlaine, *Romances sans paroles*, 1874.

> Ô soleil ! Toi sans qui les choses
> Ne seraient que ce qu'elles sont !
>
> Edmond Rostand, *Chanteclerc*, 1910.

> Le vent se lève, il faut tenter de vivre.
>
> Paul Valéry, *Charmes*, 1922.

Évaluez-vous

1 Vous savez vous adapter à une activité professionnelle dans un pays francophone.

Répondez « oui » ou « non » et comptez vos « oui ».

a. Vous sauriez repérer et comprendre une offre d'emploi vous concernant. ....
b. Vous pourriez rédiger votre CV. ....
c. Vous pourriez rédiger une lettre de motivation. ....
d. Lors d'un entretien avec un recruteur, vous pourriez répondre à des questions sur vos études et votre formation, votre parcours professionnel, vos compétences, vos réalisations. ....
e. Vous pourriez poser des questions à propos de vos conditions de travail (horaires, salaire, etc.). ....
f. Vous avez une idée des conditions de travail qu'offre une entreprise ou une administration en France. Vous sauriez vous informer à ce sujet. ....
g. Si vous travailliez dans une entreprise, vous sauriez comment vous comporter avec la hiérarchie. ....
h. Vous seriez à l'aise avec vos collègues. ....
i. Vous savez présenter une entreprise : sa création, ses fonctions et son organisation. ....
j. Vous seriez capable de faire une brève intervention dans une réunion. ....

.../10

2 Sur votre lieu de travail, vous savez faire face à des situations embarrassantes et inattendues.

Que diriez-vous, que feriez-vous dans les situations suivantes ? (à faire sous forme de tour de table ou de dialogue avec votre voisin(e))

a. Vous avez un entretien d'embauche. Dans votre CV, il y a une période dont vous n'avez pas envie de parler. (Par exemple, vous avez fait un héritage et vous l'avez dépensé en vous amusant et en voyageant.)
b. Vous avez pris du retard dans votre travail à cause d'un collaborateur qui doit vous préparer des dossiers et qui est très lent. Votre chef de service vous demande des explications.
c. Ce soir, vous devez accueillir des clients japonais et les emmener au restaurant. On vous téléphone. Votre fille de trois ans est malade. Votre conjoint est en voyage. Vous ne connaissez personne qui puisse la garder.
d. Vous partagez un bureau avec un(e) collègue que vous ne supportez plus. (Il (elle) vous demande votre avis à tout propos, parle fort au téléphone, etc.)
e. Vous travaillez dans une PME exportatrice. Le directeur commercial se propose d'exporter un produit dans votre pays (voiture, produit électroménager, etc.). Vous êtes persuadé(e) que ça ne marchera pas. Vous expliquez pourquoi.

.../10

3 🎧 Vous comprenez un projet professionnel et la présentation d'une entreprise.

Un journaliste interroge une libraire. Écoutez et répondez.

a. Les sujets suivants sont-ils abordés ?

☐ les études de la libraire
☐ le métier de la libraire
☐ les goûts de la libraire
☐ ses contacts avec le public
☐ les BD vendues dans le magasin
☐ les autres livres vendus dans le magasin
☐ la concurrence
☐ les auteurs de BD

b. Quels sont les atouts et les handicaps de la libraire et de sa petite entreprise ?

Atouts (avantages)	Handicaps (inconvénients)

c. Répondez.
(1) Quel était le rêve de la libraire ? S'est-il réalisé ?
(2) Y a-t-il longtemps que la librairie s'est créée ?
(3) Qu'est-ce qui fait l'originalité de cette librairie ?

.../20

4 — Vous comprenez des informations sur un parcours professionnel.

a. Reconstituez le CV d'Éric Vallat d'après les informations données par l'article ci-dessous.

Éric Vallat. Âge : .... Études : ....

b. D'après le contexte, pouvez-vous dire de quoi il s'agit ?

Stupeurs et tremblements : ....

HEC : ....

un CSNE : ....

Le Corner du Bon Marché : ....

c. Vous avez parlé de cet article à une amie. Elle vous demande : « Comment Éric Vallat a-t-il trouvé le Japon et les Japonais ? » Répondez.

« Avant d'aller au Japon, il pensait .... Mais après .... »

d. Un(e) de vos ami(e)s, DRH dans une entreprise de produits de luxe, cherche un directeur. Vous lui parlez d'Éric Vallat et vous énumérez ses qualités.

Luxe : forcément français, forcément Dior

Éric Vallat, 36 ans, est PDG de Dior au Japon.

Quand il débarque au Japon en octobre 2004, il le confesse, il avait des idées préconçues sur le pays. *« Je voulais partir à l'étranger, mais partout sauf au Japon ! »* avoue-t-il aujourd'hui. Ses appréhensions concernaient surtout le manque d'espaces verts et la pression du monde. *« J'avais un peu l'image d'Amélie Nothomb dans son livre* Stupeur et tremblements, *un monde enfermé dans ses règlements. »* Puis il découvre un pays *« plein d'énergie, une culture fascinante »* et réussit le *« plongeon dans un univers différent, où les repères ne sont pas les mêmes que les nôtres »*.

Travailler à l'étranger, Éric en a l'habitude. Avec son diplôme d'HEC en poche en 1993, il part deux ans à Lisbonne pour faire un CSNE dans la banque. *« J'ai toujours voulu partir à l'étranger, découvrir une autre culture, un autre monde. Je suis fasciné par le fait de vivre ailleurs. »*

Puis retour à Paris. Il rejoint le groupe LVMH en tant qu'adjoint du directeur du magasin de l'avenue Montaigne où il manage une équipe de vente. Pendant trois ans, il occupe différents postes et il ouvre notamment le Corner du Bon Marché, devient directeur du magasin de l'avenue Montaigne où il gère une équipe de 60 personnes.

Faire rêver

Ensuite, il est nommé DG France de Vuitton puis DG Europe Atlantique (Scandinavie, Royaume-Uni, Espagne, Portugal, Maroc). Depuis trois ans maintenant, il dirige Dior au Japon. Effectif : 500 personnes et 39 magasins. S'il a abandonné l'idée de lire le japonais, il parle un peu la langue. *« Les Japonais sont fascinés par notre marque,* explique-t-il, *elle les fait rêver et elle est assimilée aux stars. Au Japon, Dior et Galliano sont des vraies personnalités. »*

À terme, il compte revenir en France, pour ses trois filles, même s'il se sent bien au Japon. *« Les Japonais n'ont pas le même rapport au temps que les Français. Pour eux, le silence n'est pas un problème. Lors des réunions, il peut se passer une minute sans que personne ne parle. Alors qu'en France on dirait qu'un ange passe »*, observe Éric. Il aime également *« cette étonnante fiabilité »* qui fait que les trains ne sont jamais en retard. *« À l'inverse, les Japonais sont déstabilisés quand se présente un imprévu »*, note-t-il.

L'Express, Réussir, **21/06/2007**.

.../20

5 — Vous savez décrire un produit , présenter ses avantages et ses inconvénients.

Vous avez acheté la veste Spitz Q (ou un autre produit de votre choix). Dans un message à un(e) ami(e), vous vantez les mérites de ce produit.

La veste Spitz Q de la marque Häglofs bénéficie du savoir-faire du fabricant suédois et des innovations technologiques de Gore-Tex. Récompensée par le prix du meilleur produit textile par le salon Ispo2007, cette veste est dans la nouvelle matière Gore Pro Shell qui a permis à Häglofs de sortir une veste d'une légèreté et d'une souplesse incroyable, tout en gardant une protection et une solidité exceptionnelles. La Spitz Q est conçue pour les activités d'extérieur plus ou moins intenses, la randonnée en haute montagne, en passant par toutes sortes de sports d'hiver.

Le Point, 22/02/2007

.../10

Vous savez écrire des lettres ou des messages dans des situations courantes de la vie professionnelle.

Écrivez la phrase principale de la lettre ou du message que vous envoyez à votre entreprise dans les circonstances suivantes :
a. un de vos proches vient de décéder
b. vous démissionnez parce que vous avez trouvé un travail plus intéressant
c. vous estimez que vous avez droit à une augmentation
d. votre entreprise a une filiale dans un pays étranger. Vous aimeriez aller y travailler.

.../10

 Vous utilisez correctement le français.

a. Situation dans le temps et durée. Voici les réponses de Marie au cours d'un entretien d'embauche en janvier 2009. Quelles questions ont entraîné les précisions soulignées ?
(1) J'ai travaillé dans la société Ducros <u>à partir de l'année 2000</u>.
(2) Je suis restée <u>quatre ans</u> dans cette société.
(3) Quand j'ai retrouvé du travail, <u>ça faisait un an</u> que j'étais au chômage.
(4) Je suis rentrée chez Rigal <u>le 2 janvier 2005</u>.
(5) <u>Il y a quatre ans</u> que j'y travaille.

b. Expression de l'antériorité, de la postériorité et de la simultanéité. Reliez les deux phrases en utilisant l'expression entre parenthèses.
Curriculum vitae
(1) Hocine a fait des études de lettres. Puis il a fait du théâtre. (*Après, …*).
(2) Il jouait au cabaret. Il suivait des études de cinéma. (*tout en …*)
(3) Il a joué au cabaret « Le Troubadour ». Puis, le cabaret a fermé définitivement. (*Avant que …*)
(4) Il a passé un casting. Claude Chabrol cherchait un jeune homme pour un petit rôle. (*Au moment où …*)
(5) Il a souvent eu de petits rôles. Puis, il a obtenu un rôle important. (*Avant de …*)

c. Les paroles rapportées. Voici ce qu'a dit la directrice au cours d'une réunion. Rapportez ses paroles à une collègue qui était absente.
« Elle a dit que l'année passée … »
(1) L'année passée notre chiffre d'affaire a augmenté de 10 %.

(2) La conjoncture n'était pourtant pas favorable.
(3) Je suis satisfaite de votre travail.
(4) Vous allez recevoir une prime à la fin de l'année.
(5) Le salon des arts de la table aura lieu du 6 au 10 mars.

d. Exprimer la concession. Combinez les deux phrases en utilisant différentes expressions de concession (*bien que*, etc.).
Bilan annuel
(1) Il y a eu une grève. On a réussi à exécuter les commandes.
(2) Il y a une crise économique. Nos produits se sont bien vendus.
(3) Nos concurrents ont sorti de bons produits. Nous avons été meilleurs.
(4) Nous avons dû faire des investissements. Nous avons fait des bénéfices.
(5) Les salaires ont augmenté. Une prime de fin d'année sera versée.

e. Mettre en valeur. Reformulez les phrases suivantes en commençant par les mots soulignés. Utilisez la forme « *C'est* … + *qui/que* » ou la construction passive.
Grand projet à Neuilly
(1) Notre plus grand projet est <u>à Neuilly</u>.
(2) Le bruit et la pollution de l'avenue Charles-de-Gaulle <u>préoccupent</u> les habitants.
(3) 160 000 véhicules empruntent chaque jour cette <u>avenue</u>.
(4) On enterrera l'<u>avenue</u> et un jardin et des places la recouvriront.
(5) On estime <u>ce projet</u> à 1 million d'euros.

.../20

Évaluez vos compétences

	Test	Total des points
• Votre compréhension de l'oral	3	... / 20
• Votre expression orale	1 + 2	... / 20
• Votre compréhension de l'écrit	4	... / 20
• Votre expression écrite	5 + 6	... / 20
• La correction de votre français	7	... / 20
Total		**.../100**

Projet : tous scénaristes

Lieu de pouvoirs, de passions et d'aventures, l'entreprise occupe une telle place dans la société qu'il n'est pas étonnant qu'elle inspire des cinéastes. Certains d'entre eux s'appuient sur leur propre expérience du monde du travail pour mettre en scène les rapports de hiérarchie, les difficultés des chefs d'entreprise ou leur cynisme, ou les relations entre collègues.

Découvrez quelques scènes de ces films et imaginez-en d'autres à partir de votre expérience du monde du travail et de celui des études.

Hésitations

Jérémie Renier et Cylia Malki.

Violence des échanges en milieu tempéré, de Jean-Marc Moutout (2002)

Philippe, qui a 25 ans et sort d'une grande école, vient d'intégrer un important cabinet parisien de consultants en entreprise. Sa première mission est de préparer le rachat encore confidentiel d'une usine par un grand groupe.
Au même moment, il rencontre Éva, une jeune mère célibataire qui a une autre vision du monde du travail. C'est le soir. Philippe rentre tard.

Philippe : Excuse-moi. Il est tard.
Éva : Non, ça va... Tu n'as pas l'air bien...
Philippe : C'est à cause de mon chef... Il me met chaque fois devant le fait accompli. Je suis sûr qu'il le savait depuis le début.
Éva : De quoi tu parles ?
Philippe : Il veut que je trie les mecs qui vont être virés. C'est pas dit comme ça mais ça revient au même [...]. La structure de la production, quoi l'usine, va être complètement modifiée. J'ai vérifié ses calculs. Il y a un quart des effectifs qui vont être virés. Ça veut dire 80 personnes qui vont être dehors.
Éva : C'est dégueulasse.
Philippe : Ça va. La morale, je la connais.
Éva : Et c'est quoi cette histoire que tu vas trier des gens ?
Philippe : Il veut que je fasse des bilans de compétence, le profil de tout le monde, qualification, comportement, flexibilité, comme ça ils pourront virer tranquillement ceux qu'ils veulent.
Éva : Et tu vas le faire ?
Philippe : Qu'est-ce que tu veux que je fasse ? Que je me casse ?
Éva : Ben oui.

Philippe : Ben oui, facile.
Éva : Je ne sais pas si c'est facile mais tu me demandes mon avis, je te le donne.
Philippe : Si je me casse, un autre le fera et moi, j'aurai foutu ma carrière en l'air.
Éva : Qu'est-ce que tu crois, qu'avec tous tes diplômes tu vas te retrouver à la rue ?
Philippe : J'en sais rien mais une démission après trois mois chez Mac Gregor, je te jure, c'est pas très classe.
Éva : Et virer 80 personnes, ça fait classe.
Philippe : Pas plus que tu crois, malheureusement.
Éva : Si c'est ce que tu crois, tu vires ces gens et tu ne fais plus chier avec ça.

❶ Lisez le dialogue. Trouvez les mots familiers qui signifient :
les hommes, les employés – être renvoyé de l'entreprise – dégoûtant, immoral – partir – détruire sa carrière – importuner, ennuyer.

❷ Quel est l'objet de la discussion ?
Quelle est l'opinion d'Éva et celle de Philippe ?
Que feriez-vous à la place de Philippe ?

❸ Recherchez des situations professionnelles qui peuvent poser un problème moral.

Face aux difficultés

Ma petite entreprise, de Pierre Jolivet (1999)

Yvan Lanzi a une petite entreprise de menuiserie qui tourne bien et qui emploie une dizaine de personnes. Mais un incendie détruit les locaux, les machines et le stock de bois. Yvan Lanzi s'aperçoit alors que son assureur était un escroc et les vraies difficultés commencent.

La secrétaire : Monsieur Lanzi. Il y a le monsieur de l'Urssaf[1].

Ivan Lanzi : Monsieur ?

L'employé de l'Urssaf : Pierre Quéclin, Urssaf. Je me suis permis de passer. Je vous ai fait deux avis qui sont restés sans réponse.

Ivan Lanzi : C'est possible mais vous avez remarqué, j'ai eu quelques problèmes.

L'employé de l'Urssaf : J'ai vu. Qu'est-ce que vous comptez faire ?

Ivan Lanzi : Je ne sais pas.

L'employé de l'Urssaf : Monsieur Lanzi, vous devez à l'Urssaf 287 876 francs[2].

Ivan Lanzi : Écoutez, j'ai tout perdu dans cet incendie. Mon bois, mes machines, tout a brûlé ! Je peux pas livrer les clients. Les clients ne paient pas. L'argent ne rentre pas. Qu'est-ce que vous voulez que je fasse ?

L'employé de l'Urssaf : Vous êtes assuré, monsieur Lanzi. Vous êtes assuré ou non ?

Ivan Lanzi : Oui, bien sûr.

L'employé de l'Urssaf : On pourrait faire une saisie sur le remboursement de votre sinistre, directement auprès de votre compagnie d'assurance.

Ivan Lanzi : Sinon ?

L'employé de l'Urssaf : Sinon, c'est la saisie, la vraie. À moins de me donner quelque chose tout de suite.

Ivan Lanzi : Mais je viens de vous dire, je n'ai rien !

L'employé de l'Urssaf : Écoutez, un petit quelque chose pour arrêter la procédure, quelque chose, même de symbolique.

1. Organisme qui s'occupe de calculer et de collecter les cotisations sociales dues par les entreprises. – 2. Soit 43 880 euros.

1 Caractérisez le comportement de l'employé de l'Urssaf et celui d'Yvan Lanzi.

2 Imaginez une suite à l'histoire.

3 Recherchez des situations d'entreprise en difficulté. Rédigez un bref dialogue à propos d'une de ces situations : gros client qui ne paie pas ; grève du personnel au moment où arrive une grosse commande ; etc.

Quand le chef est un tyran

99 francs, de Jan Kounen (2007)

Marc Marronnier est le directeur d'une grande agence de publicité. Un matin, il croise sa comptable...

La comptable : Salut.

Marc Marronnier : Salut, ça va ?

La comptable : Ouais, attends. Je viens de passer un week-end avec mon mec. Quatre jours à Cabourg. Je suis hyper contente.

Marc Marronnier : Ah, ouais ?

La comptable : Ah oui. Un coin plein de charme, hyper romantique. On s'est retrouvé. On a trop kiffé. C'était super. Oh, j'ai une pêche !

Marc Marronnier : Alors, tu es virée. Tu prends tes affaires tout de suite et tu dégages... (*Elle, abasourdie, se demande si c'est une plaisanterie.*) Je déconne pas. Dégage... (*Elle s'éloigne et commence à ranger ses affaires.*) Bon, tu restes et ton langage démodé « On a kiffé. C'était génial. On s'est éclaté ! », tu évites quand je suis plongé dans un dossier. Ça me dégoûte. Et ce week-end, tu le passes ici. Je veux un bilan lundi.

La comptable : Oui, monsieur Marronnier.

Marc Marronnier : Ça va. C'est cool. Tu peux m'appeler Marc.

1 Trouvez les mots familiers qui signifient : s'amuser – je suis en pleine forme – tu pars d'ici – je ne plaisante pas.

2 Racontez : la comptable rapporte cette scène à un collègue.

3 Recherchez des situations dans lesquelles un dirigeant ou un employé a un comportement déraisonnable ou délirant.

quatre-vingt-sept • 87

Projet
Il n'y a pas que le travail

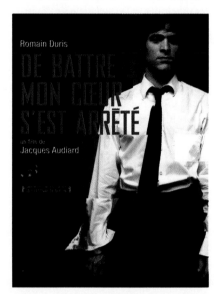

De battre mon cœur s'est arrêté, de Jacques Audiard (2004)

*Tom et ses associés sont des agents immobiliers sans scrupules et sans morale. Ils n'hésitent pas à introduire des rats dans un immeuble squatté par de pauvres gens pour les obliger à déménager et récupérer ainsi des locaux qu'ils achèteront à bas prix.
La mère de Tom, une pianiste de talent, est décédée. Un jour, Tom rencontre un ami de sa mère qui lui suggère de reprendre ses études de piano. Tom se remet alors à l'instrument et y prend un réel plaisir.
Mais au travail, petit à petit, il change.*

L'associé : Bon, tu peux me dire ce qui se passe, là, parce que...

Tom : Il se passe rien.

L'associé : Quoi, il se passe rien. Tu ne veux pas me dire ?

Tom : Te dire quoi ?

L'associé : C'est parce que tu fais du piano que tu es à côté de tes pompes. C'est ça ? Arrête, arrête tout de suite !

Tom : Mais je ne suis pas à côté de mes pompes, mec, justement je m'éclate, je me sens super bien. T'as rien compris. C'est un truc qui est important pour moi. J'essaie de le faire sérieusement. C'est génial.

L'associé : Tu vas gagner de l'argent avec les pianos ?

Tom : Mais pas les pianos, du piano. C'est pas du commerce, je te parle d'un truc artistique, tu me parles de tunes.

L'associé : Et nous, ça va nous rapporter quoi ? Tu vas faire

genre « J'arrive plus relax au rendez-vous », c'est ça ? « Salut les mecs ! J'ai fait du piano. » Ben moi, je vais me mettre au banjo, tiens.

Tom : En fait, ça te dépasse.

L'associé : Mais non, ça ne me dépasse pas du tout. Tu fais ce que tu veux le soir. Tu te distrais comme tu veux. Moi, je fais des maquettes, des trucs en balsa[1] avec les enfants. Ça ne m'empêche pas d'être à l'heure aux rencarts. Mais c'est même pas pour les rencarts que je dis ça. C'est parce que je te sens pas. Tu n'es pas sur le coup. C'est tout. Débrouille-toi pour être dans le coup. Après tu fais ce que tu veux. Tu collectionnes les trucs de football, tu fais du piano. On s'en fout...

1. Bois léger utilisé pour construire des maquettes.

---

❶ Tout en lisant le dialogue, trouvez les mots familiers et les expressions imaginées qui signifient :
ne pas être dans son état normal – un homme (un garçon) – de l'argent – un rendez-vous – tu ne t'intéresses pas au travail – ça n'a aucune importance pour nous.

❷ Qu'est-ce qui oppose Tom à son associé ?

❸ Imaginez la suite de l'histoire.

Unité 3

Se distraire et se cultiver

Pour **vivre vos loisirs** dans un pays francophone, vous allez apprendre à...

...**comprendre des journaux** et des ouvrages traitant de l'actualité, **choisir** vos lectures et vos spectacles, **en parler,**

En juillet, au festival d'Avignon.

...**participer** à des jeux,

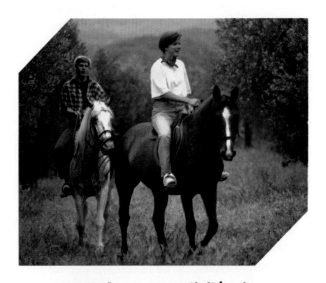

... **organiser** vos activités de loisirs, parler de vos **centres d'intérêt** et de vos passions

LES MÉDIAS NOUS DISENT-ILS LA VÉRITÉ ?

DOSSIER

La téléréalité nous montre-t-elle la réalité ?

Le « Loft », « Nice people », « Star Academy » obéissent aux mêmes règles et aux mêmes mécanismes. Chacune de ces émissions a sa « bible », autrement dit un recueil de lois très précises qui doivent être respectées à la lettre. Ce que vous voyez n'est, bien sûr, pas la réalité. Mais ce n'est pas non plus de la fiction. C'est une réalité arrangée, mise en scène afin de vous tenir en haleine jour après jour. Ainsi tous les lieux sont filmés, y compris la salle dite « CSA » qui permet aux élèves de s'isoler quand ils le souhaitent. Les images de la salle « CSA » ne sont jamais diffusées à l'antenne. [...]

Du point de vue technique, une vingtaine de scriptes se relaient vingt-quatre sur vingt-quatre en régie. Ils surveillent toutes les caméras, notent le moindre événement avec la rigueur d'un métronome : une engueulade entre deux candidats, ou plus simplement les ronflements d'un autre. Ces scripts sont ensuite transmis à des auteurs dont la mission est de créer des histoires à partir de ces bribes de « réel », en recourant aux mêmes méthodes que dans les sitcoms : imaginer une histoire principale, assortie de deux histoires secondaires. Par exemple, un des garçons est tenu à l'écart par ses camarades parce qu'il a été désagréable avec l'une des filles : c'est l'histoire principale. Une des filles se foule la cheville et un garçon peine à apprendre une chanson : ce sont les deux histoires secondaires. Lorsque les auteurs tiennent une bonne histoire, ils ne la lâchent pas. Bien sûr, les candidats ignorent que leurs moindres faits et gestes s'inscrivent à leur insu dans ces scénarios reconstitués.

Jean-Marc Morandini, *Le Bal des faux-culs*,
© L'Archipel, 2004.

Peut-on se fier aux sondages ?

Le journaliste Daniel Schneidermann répond aux questions de sa fille.

Orienter les questions des sondages ? Rien de plus facile. C'est un art. Je me souviens d'un jour, pendant la grève des lycéens. Deux sondages, un dans *Le Figaro*, un dans *L'Huma*. Tous les deux avaient été mentionnés dans la revue de presse du matin. Et on avait l'impression que le sondage de *L'Huma* approuvait la grève contrairement à celui du *Figaro*. En y regardant de plus près, c'était une question de formulation. Le sondeur de *L'Huma* avait demandé : « Avez-vous de la sympathie pour le mouvement lycéen ? » Réponse massive : oui. Le sondage du *Figaro* demandait au contraire : « Approuvez-vous les revendications des lycéens ? » Réponse massive : non. Et hop ! Le tour est joué. [...]

Ils font cela parce qu'ils savent que c'est ce que leurs lecteurs souhaitent lire. Et si tout d'un coup un journal changeait de camp, les lecteurs seraient perdus. Tu veux que je te dise la vérité ? La plupart des lecteurs ne cherchent pas à s'informer, mais à lire quelque chose qui les conforte dans leurs opinions. C'est terrible, non ! Enfin, la plupart. Pas tous.

Daniel et Clémentine Schneidermann,
C'est vrai que la télé truque les images ?, Albin Michel, 2008.

La télévision est-elle un produit comme les autres ?

Interrogé sur sa vision des changements dans l'entreprise, le directeur de la chaîne de télévision TF1, Patrick Le Lay, propose une conception « réaliste » des métiers de la télévision privée.

Toute chaîne privée vit de ses recettes publicitaires. Tout doit donc concourir à ce qu'au moment où apparaît l'annonce publicitaire, il y ait le plus de téléspectateurs possible. Il faut aussi que ces derniers soient disponibles, c'est-à-dire dans un état d'esprit favorable à l'accueil du message. « Ce que nous vendons à Coca-Cola, c'est du temps de cerveau humain disponible », affirme Patrick Le Lay dans une formule devenue célèbre et dont certains ont été scandalisés.

Toutefois, précise en substance le directeur de TF1, cet objectif n'est pas incompatible avec la créativité ni avec la qualité : « Rien n'est plus difficile que d'obtenir cette disponibilité. C'est là que se trouve le changement permanent. Il faut chercher en permanence les programmes qui marchent, suivre les modes, surfer sur les tendances, dans un contexte où l'information s'accélère, se multiplie et se banalise. » Dans un paysage audiovisuel fortement concurrentiel, il faut être le meilleur : apporter la meilleure information, proposer les meilleurs divertissements aussi bien que les meilleures émissions de réflexion.

Les émissions de téléréalité se multiplient. Les gens n'hésitent pas à venir y confier leurs problèmes personnels. Mais disent-ils toujours la vérité ?

[LE DOCUMENT SONORE]

Les titres du journal du 8 août 2008.

Lecture et présentation des documents

1• La classe se partage les trois documents. Lisez-les en suivant les conseils de l'aide à la lecture et en vérifiant votre compréhension du sens.

2• Chaque groupe présente le texte qu'il a travaillé à la classe. Au cours de cette présentation :
a. indiquez l'origine du texte, qui l'a écrit ;
b. dites ce que vous avez appris ;
c. dites comment le document répond à la question posée par son titre ;
d. lisez le document à haute voix. Répondez aux questions de la classe (sens d'un mot, etc.).

3• Discutez. Organisez un rapide tour de table. Chaque étudiant répond à la question posée dans le titre.

Aide à la lecture

• Texte 1

Sens des mots difficiles : l. 1 à 10 : *avec précision – maintenir le suspense* – l. 11 à 20 : *travailler à tour de rôle – dans un studio de télévision : lieu où se trouve la technique et le réalisateur – appareil qui marque la mesure en musique – une dispute* – l. 21 à la fin : *petit morceau – sans que les participants le sachent.*

Dans votre présentation, racontez comment se déroule une émission de téléréalité. Trouvez des exemples dans une émission récente.

• Texte 2

Sens des mots difficiles : *indiqué – largement majoritaire – « Et hop ! Le tour est joué » : comme avec un magicien, personne ne s'est aperçu de la manipulation.*

Dans votre présentation, racontez le déroulement du sondage. Expliquez et développez le dernier paragraphe. Trouvez des exemples.

• Texte 3

Sens des mots difficiles : l. 1 à 11 : *avoir pour but – libre* – l. 12 à la fin : *se dit lorsqu'on cite le fond (la matière, l'essentiel) d'un discours – être contraire à – devenir courante, banale.*

Dans votre présentation, commencez par la phrase « choc » de la déclaration de Patrick Le Lay. Donnez-en ensuite une explication logique.

🎧 Écoute des titres du journal

1• Faites une première écoute. Notez le nombre de sujets et le mot principal de ces sujets.

Aide à l'écoute

– *L'Ossétie* : région de la Géorgie qui avait des revendications d'indépendance.
– *Le Cher* : département de la région Centre.

2• Rédigez un titre de presse pour chaque sujet.

9 Où est la vérité ?

Exprimer la possibilité ou la probabilité

Le mystère du yacht fantôme
Un bateau a été retrouvé intact, dérivant au large de l'Australie sans personne à bord.
Six personnes avaient embarqué sur ce bateau...

– Il semble qu'il n'y a pas eu de tempête.
– Il est impossible qu'ils soient tombés à l'eau tous en même temps.
– Il y a des chances pour qu'ils aient été enlevés par des pirates.
– C'est un poulpe géant qui les aura fait tomber.
– Ça pourrait être aussi un suicide collectif.

1 Comparez les deux textes ci-dessus. Lequel donne des informations :

• sûres   • supposées

Formulez chaque information supposée comme si elle était sûre. Observez les formes qui introduisent ces informations. Remplacez par d'autres formes du tableau ci-contre ou du tableau de la p. 93.

Il n'y a pas eu de tempête. Il semble bien (on dirait) ...

2 Faites des suppositions avec les expressions entre parenthèses.

Voilà plus d'une semaine que vous n'avez plus vu votre voisin, un homme âgé. Avec d'autres voisins, vous faites des suppositions.

a. Il est parti en vacances. (*être peu probable*)
b. Ses enfants sont venus le chercher. (*avoir des chances*)
c. Des cambrioleurs l'ont attaqué. (*risquer*)
d. Il est malade. (*être possible*)
e. Il a déménagé sans rien dire. (*il aura ...*)
f. Il ne veut plus nous voir. (*avoir l'impression*)

3 Formulez les suppositions qu'ils font dans les situations suivantes. Utilisez toutes les formes du tableau.

a. C'est l'été. Il est deux heures du matin. Vous êtes dans la campagne avec des amis. Tout à coup une grande lueur illumine le ciel et le paysage. Qu'est-ce que ça peut être ? (orage au loin – météorite – soucoupe volante (ovni) – camion d'essence qui explose – hallucination – etc.)
b. Vous avez passé le dimanche dans un parc d'attractions. Le soir, vous êtes malade (maux de tête, nausée, etc.). D'où cela peut-il venir ? (les tours sur les montagnes russes – la pizza de midi – la glace de 17 h – l'averse du début de l'après-midi – etc.)

Expression de la possibilité

1. Les différentes expressions de la possibilité et de ses nuances (probabilité, éventualité) commandent des modes et des temps verbaux différents.

• **Avec l'indicatif**
Il (me) semble que
J'ai l'impression que   } *l'information est vraie.*
Il est probable que

• **Avec l'infinitif**
Ça pourrait être
Ça risque d'être   } *une fausse information.*

• **Avec le subjonctif**
Il est possible / impossible que
Il semblerait que
Il est peu probable que   } *le journaliste se soit trompé.*
Il y a des chances (il n'y a aucune chance) pour que

• **Le futur ou le futur antérieur** permettent d'exprimer une éventualité.
Ce sera une erreur. Le journaliste aura été mal renseigné.

• **Le conditionnel** permet d'exprimer un fait qui n'a pas été vérifié. On le trouve souvent dans les articles de presse.
L'accident aurait fait 58 victimes.

2. Verbes exprimant une affirmation non vérifiée
• *Je soupçonne ce journaliste d'avoir exagéré.*
• *Je me doute qu'il a voulu frapper les lecteurs.*
[distinguer « se douter de » (soupçonner) et « douter » (ne pas être sûr de quelque chose)]
• *Je me demande s'il est bien sérieux.*
• *Je devine (je pressens, je présume, je pronostique) qu'il devra publier un rectificatif.*

Faire un raisonnement par hypothèse / déduction

Les signes qu'on trouve sur les rochers de la vallée des Merveilles dans les Alpes sont vraiment étranges. S'il s'agissait d'une écriture, les scientifiques auraient réussi à la déchiffrer. Admettons que ce soit des signes religieux. Pourquoi alors n'en trouve-t-on pas un peu partout ? Dans l'hypothèse où nous serions sur un lieu de sépulture, on aurait trouvé des ossements. Et si des extraterrestres étaient venus ici, ils n'auraient pas fait ces traces. C'est absurde !

1 Dans les phrases du bas de la page 92, repérez l'hypothèse et ce qu'on en déduit (ce qu'on en conclut). Reformulez les phrases en changeant leur construction.

En admettant qu'il s'agisse...

Raisonner par hypothèses

1. Hypothèse avec *si*

L'hypothèse est une éventualité	L'hypothèse est un fait imaginé
Si + présent → présent ou futur *Si la voyante dit la vérité, il se marie dans l'année et il va faire un grand voyage.*	**Si** + imparfait → conditionnel présent *Si les voyants disaient la vérité, tout le monde serait riche.*
Si + passé composé → présent, futur ou passé composé *Si la voyante a dit la vérité, je ne m'en suis pas aperçu.*	**Si** + plus-que-parfait → conditionnel présent ou passé *Si la voyante avait dit la vérité, je serais riche et je n'aurais pas été licencié de mon travail.*

• **Si jamais** *(par hasard, par bonheur, par malheur) il revenait, dis-lui que je suis sorti.*

• **Double hypothèse :** la deuxième est introduite par *que* + subjonctif.
*Si tu réussissais au bac **et que** tu aies une mention « Très bien », tu pourrais préparer une grande école.*

2. Autres formes de raisonnement

*En supposant... En admettant...
En imaginant...
Supposons... Admettons...
Imaginons...
À supposer...* } *que cette maison me plaise (subjonctif), serais-tu d'accord pour l'acheter ?*

Dans le cas où (Au cas où... Dans l'hypothèse où...) cette maison nous plairait (conditionnel), nous l'achèterions tout de suite.

2 Reformulez les phrases suivantes sous forme d'hypothèse / déduction. Commencez la phrase par l'expression entre parenthèses.

Il y a trois jours, vous avez organisé une grande fête chez vous. Il y avait beaucoup de monde. Aujourd'hui, vous vous apercevez qu'un collier de perles qui se trouvait dans un tiroir a disparu. Avec votre ami, vous faites des hypothèses.

a. Le collier n'a pas été rangé dans un autre tiroir. J'ai cherché partout. Je ne l'ai pas trouvé. *(Si ...)*
→ Si le collier avait été rangé ...

b. Aucun voleur n'est entré dans la maison pendant la fête. Personne n'a signalé la présence d'un inconnu. *(Si ...)*
→ Si un voleur ...

c. Ton amie Laura ne l'a pas pris pour te faire une farce. Elle ne m'a rien dit. *(Supposons que ...)*

d. Une de tes amies a peut-être emporté ce collier. Elle ne pourra jamais le porter devant toi. *(Imaginons que ...)*

e. Tu ne le retrouveras peut-être pas. Tu porteras plainte à la police ? *(Au cas où ...)*

f. Quelqu'un le rapportera peut-être. Je lui ferai un beau cadeau. *(Si jamais ...)*

3 Rédigez les informations suivantes en faisant des raisonnements par hypothèses.

Les faits. Des paysans et des bergers des montagnes du Caucase affirment avoir aperçu à plusieurs reprises des créatures mi-hommes, mi-singes qu'ils appellent « Almasti ». Cette information est-elle vraie ? Des journalistes et des scientifiques ont enquêté sur le sujet.

Observations positives : On a vu des empreintes de pied. – Les témoins sont de langues et de cultures différentes.

Observations négatives : Personne n'a réussi à prendre ces créatures en photo. – Aucune n'a été capturée. – On n'a retrouvé aucune trace de campements ni d'ossements. – Il n'y a pas de témoignages antérieurs à 40 ans.

« Supposons que ces créatures existent... »

 Travaillez vos automatismes

1 Faites des hypothèses. Confirmez comme dans l'exemple.

Vos invités sont très en retard
• Ils n'ont pas oublié la date. C'est impossible.
– Il est impossible qu'ils aient oublié la date.

2 Raisonnez par hypothèse.
Formulez des regrets comme dans l'exemple.

Avec des si, on referait le monde
• Pierre a démissionné. Il s'est retrouvé au chômage.
– S'il n'avait pas démissionné, il ne se serait pas retrouvé au chômage.

Compte rendu d'enquête

Vous enquêterez sur une affaire juridique célèbre (criminelle, commerciale ou historique).

Vous rechercherez des faits, des témoignages et vous vous ferez votre opinion sur la culpabilité de la personne condamnée ou acquittée.

Vous rédigerez un compte rendu de votre enquête sous la forme d'un article de presse ou d'un article dans votre blog.

Choisissez votre affaire

Affaires célèbres

• Jean Calas

Au XVIIIe siècle, ce commerçant protestant de Toulouse fut accusé sans preuve d'avoir assassiné son fils pour l'empêcher de se convertir au catholicisme. Le fils s'était, en fait, suicidé parce qu'il n'avait pas obtenu du clergé catholique l'autorisation d'exercer le métier de juriste. Jean Calas est condamné au supplice de la roue et exécuté. Voltaire réussit à prouver l'erreur judiciaire.

Le procès de Marie-Antoinette.

• Marie-Antoinette

Reine de France, sœur de l'empereur d'Autriche. Pendant la Révolution, elle fut arrêtée alors qu'elle tentait de s'enfuir à l'étranger avec le roi et ses enfants. On l'accusa ensuite d'avoir dilapidé la fortune de l'État par des dépenses personnelles, d'avoir influencé le roi pour qu'il prenne partie contre les réformes et d'avoir trahi son pays en aidant les puissances étrangères. Le verdict fut la guillotine.

• L'affaire Dreyfus

En 1884, le capitaine Alfred Dreyfus fut faussement accusé d'espionnage et condamné au bagne à perpétuité. L'affaire se déroula sur fond d'antisémitisme et de lutte politique. Elle coupa la France en deux : les Dreyfusards, dont le romancier Émile Zola, et les antidreyfusards. Après cinq années de bagne, il fut gracié puis réintégré dans l'armée.

• Landru

Pendant la guerre de 1914-1918, Henri Désiré Landru, tout en menant une vie familiale normale, séduisait des femmes riches, les volait, les assassinait et brûlait leur corps dans la cuisinière de sa maison de campagne. Il fut accusé de onze meurtres et guillotiné.

• Marie Besnard

En 1949, elle fut soupçonnée d'avoir empoisonné successivement douze membres de sa famille dont son mari pour empocher leur héritage. Aucune preuve suffisante n'ayant pu être retenue contre elle, elle fut acquittée.

• Gaston Dominici

Accusé par son fils d'avoir tué une famille de campeurs anglais en 1952, le fermier et berger de Lurs (Hautes-Alpes) est condamné à mort. Sa peine sera commuée en prison à perpétuité. Puis il sera gracié en raison de son âge. Sa culpabilité n'a jamais été prouvée.

Le comédien Michel Serrault dans *L'Affaire Dominici*.

• L'affaire de la chaîne de Ponzi

En 1920, à Boston, l'homme d'affaires Charles Ponzi devint millionnaire en six mois en promettant des profits intéressants à ses clients. L'argent apporté par les nouveaux clients permettait de verser des intérêts importants aux premiers investisseurs. Ces intérêts, par un effet de réaction en chaîne, attiraient de nouveaux clients. Des affaires du même genre ont lieu périodiquement dans le monde.

LE DOCUMENT SONORE

Florence vient d'écouter une émission de radio sur un ancien fait divers.

1 Lisez le document « Affaires célèbres ». Pour chaque affaire, complétez le tableau.

Date	
Accusé	
Motif de l'accusation	
Peine	
Culpabilité prouvée ou erreur judiciaire	

2 À quelle catégorie appartient chaque affaire ? Trouvez d'autres exemples.

– affaire politique
– détournement de fonds
– vol ou cambriolage
– meurtre ou assassinat
– escroquerie
– discrimination religieuse
– autre

3 Choisissez votre affaire.

Vous pouvez choisir une des affaires (p. 94) sur lesquelles vous trouverez de la documentation sur Internet ou bien une affaire célèbre dans votre pays ou ailleurs. À défaut, vous pouvez aussi choisir l'affaire Jeanne d'Arc, p. 96.

Exposez les faits

1 Écoutez le document sonore. Approuvez ou corrigez les affirmations suivantes :

a. Les deux interlocuteurs parlent d'un monument de Paris.

b. Ils parlent d'une histoire qui s'est passée il y a deux jours.

c. Ce monument était en très mauvais état.

d. Le ministère des Postes avait décidé de le vendre.

e. Victor Lustig a été chargé de la vente.

f. Il a contacté des hommes d'affaires pour leur proposer le marché.

g. Il a sélectionné le meilleur homme d'affaires.

h. Pour traiter l'affaire, Victor Lustig a demandé un dessous-de-table.

i. Une fois qu'il a eu touché l'argent, Lustig a disparu.

2 Faites la chronologie des faits de ce récit.

• 19_____ à _____. À cette époque _____

• _____

3 Résumez ce récit en deux ou trois phrases pour compléter la liste des affaires célèbres.

4 Lisez le tableau de vocabulaire. Remettez dans l'ordre le récit de l'arrestation des cambrioleurs.

a. Le directeur d'un musée a porté plainte pour cambriolage.

b. Le commissaire de police a établi une liste de suspects.

c. On a vérifié leur alibi.

d. Le suspect a été interrogé et il a avoué.

e. La police a démarré une enquête.

f. Le suspect a été conduit devant le juge d'instruction.

g. Les enquêteurs ont relevé des empreintes et recueilli des indices.

h. Un des suspects a été mis en garde à vue.

i. Pendant ce temps, d'autres enquêteurs recueillaient les témoignages des voisins.

j. L'homme a été mis en prison et il sera jugé dans un mois.

De l'enquête au procès

• Un délit – commettre un cambriolage, un assassinat, un crime – l'auteur / la victime du délit – porter plainte au commissariat de police

• Enquêter – mener une enquête – faire des recherches, des investigations

Rechercher des indices, des empreintes, des preuves – fouiller – perquisitionner au domicile du suspect (une perquisition) – faire des analyses ADN

Recueillir des témoignages – un témoin – témoigner

faire appel à des informateurs (des indicateurs, des mouchards) – le délinquant a dénoncé (trahi, vendu) son complice

Organiser une filature – suivre le suspect dans une voiture banalisée

• La police judiciaire – un enquêteur – la police scientifique – le gendarme (police en milieu rural) – un commissaire – un inspecteur – un flic (fam.)

• Découvrir (démasquer) le coupable – mettre la main sur les complices – soupçonner un suspect

• Arrêter un coupable – passer les menottes – mettre un suspect en garde à vue au commissariat – faire une reconstitution du crime – Le suspect avoue / se rétracte

• Juger – un jugement – le tribunal – les magistrats – cet homme est inculpé d'homicide volontaire

Accuser – l'accusation – l'avocat général prononce un réquisitoire

Défendre – la défense – les avocats de l'accusé prononcent une plaidoirie (plaider)

Le jury (les jurés) prononce le verdict – L'accusé est condamné à cinq ans de prison (ferme / avec sursis)

5 Faites la chronologie de l'affaire que vous avez choisie.

Proposez des interprétations

1 Lisez ci-contre les faits concernant l'histoire de Jeanne d'Arc. Prenez des notes sur :
a. le contexte historique
b. la chronologie de l'aventure de Jeanne d'Arc

2 Recherchez les mots qui ont la signification suivante :
Paragraphe 1 : avoir pour conséquence – impossible à corriger – priver quelqu'un de sa fonction (ici, celle de roi)
Paragraphe 2 : encourager – donner officiellement un titre à quelqu'un (ici, celui de roi) – dynamisée
Paragraphe 3 : abandonner l'armée – pouvoirs magiques
Paragraphe 4 : qui adore les idoles – qui fait appel à – le diable – vivante

3 En petit groupe, faites une liste de ce qui, dans cette histoire, peut paraître irrationnel, étrange ou anormal pour une personne vivant au XXIe siècle.
Exemple : Jeanne entend des voix ...

4 Dans la partie « Les interprétations », recherchez les explications aux mystères que vous venez de relever.

Le mystère de Jeanne d'Arc

Les faits

En 1392, le royaume de France est frappé par la folie de son roi Charles VI. Ce drame aboutit à une guerre civile entre Armagnacs et Bourguignons[1], ces derniers alliés aux Anglais. En 1420, Charles VI commet l'irréparable faute de destituer son fils Charles (le futur Charles VII) et de désigner le roi d'Angleterre comme son successeur. À sa mort, en 1422, la France, déchirée, se partage entre deux rois.

Sept ans plus tard, dans le village lorrain de Domrémy, la fille d'un laboureur aisé, Jeanne, entend des voix l'exhortant à aller secourir Charles VII et obtient du capitaine de Vaucouleurs une escorte de quelques hommes. De miracle en miracle, elle parviendra à convaincre le roi de se faire sacrer à Reims[2] et de lui confier le commandement d'une armée, laquelle, galvanisée, remportera une série de victoires tout à fait inattendues. Tout naturellement, Jeanne apparaît comme l'envoyée de Dieu.

Du côté anglais, les soldats désertent, terrorisés et persuadés qu'ils ont été battus par une envoyée du diable « ayant usé de faux enchantements et sorcellerie », ce qui, par ailleurs, s'inscrit bien dans la mentalité de l'époque.

Lorsque, en 1430, Jeanne, blessée, est capturée et vendue aux Anglais, ces derniers reprennent l'accusation lancée par les soldats, ce qui leur permet d'ouvrir un procès religieux et non politique. Ils s'assurent du soutien de leurs alliés français, en particulier de l'Université de Paris[3], qui déclare Jeanne « idolâtre, invocatrice de démons », et confient la conduite du procès à un tribunal ecclésiastique, qui est dirigé par l'évêque de Beauvais, Pierre Cauchon. Jeanne est condamnée à être brûlée vive à Rouen le 30 mai 1431.

Voyage au cœur du mystérieux, © Sélection du Reader's Digest, Paris 1996.

1. Les uns étaient liés au comte d'Armagnac, les autres au duc de Bourgogne. – 2. Les rois de France étaient traditionnellement sacrés dans la ville de Reims. – 3. À cette époque, l'Université avait un pouvoir d'expertise sur les questions religieuses.

Mettez au point votre compte rendu

1 Recherchez les interprétations possibles de l'affaire que vous avez choisie.

2 Réalisez un compte rendu comportant l'exposé des faits, les interprétations, des photos, etc.

3 Présentez votre recherche à la classe.

Les interprétations

Une hypothèse d'historien

Si l'on en croit une thèse tout juste publiée (*L'Affaire Jeanne d'Arc*, de Roger Sanzig et Marcel Gay, éd. Florent Massot), notre pucelle[1] n'était pas une bergère, elle n'a pas fini sur le bûcher et elle a eu des enfants.

Que disent les auteurs ? Ils rappellent les incohérences de l'histoire officielle : comment la fille d'un laboureur aurait-elle appris à manier l'épée et à chevaucher des destriers impétueux ? D'où tenait-elle son langage châtié qui lui permit de tenir tête à ses juges ? Comment a-t-elle pu approcher Charles VII et le reconnaître alors que le futur roi se cachait parmi les courtisans ? Pourquoi lui a-t-on voilé le visage sur le bûcher ? Et comment, cinq ans après sa mort, ses frères ont-ils pu affirmer, selon la chronique d'un curé messin[2], l'avoir retrouvée et reconnue ? Dans leur ouvrage, les enquêteurs dissipent ses mystères en affirmant que Jeanne était en réalité... la fille adultérine d'Isabeau de Bavière, épouse du roi fou Charles VI. Élevée sous une fausse identité à Domrémy, la jeune femme monta cette mystification pour galvaniser les Français et sauver le royaume de Charles VII, son demi-frère. Enfin, à la suite de négociations secrètes entre le roi et les Anglais, c'est une autre femme qu'on brûla à Rouen. La vraie Jeanne d'Arc poursuivit sa vie, se maria et eut des enfants sous le nom de Jeanne-Claude des Armoises.

Ça m'intéresse, novembre 2007.

1. Jeune fille – 2. Habitant de Metz.

La mentalité de l'époque

L'homme du Moyen Âge était profondément religieux. Il croyait sincèrement à l'intervention de Dieu dans les affaires des hommes. Pour lui, Jeanne était une prophétesse comme il y en eut beaucoup à cette époque. Elle se présenta en annonçant des événements (la victoire d'Orléans, etc.). Dès lors que le premier événement se fut réalisé, il n'y eut plus de doute : elle était l'envoyée de Dieu. Le fait qu'une simple paysanne parvienne à parler au roi ne tient pas du miracle. À chaque étape on vérifia soigneusement que tout ce qu'elle disait était vrai et qu'elle était bien une prophétesse.

Les voix et la médecine

Existe-t-il une explication non religieuse aux voix entendues par Jeanne ? La jeune fille les a-t-elle inventées ? Parlait-elle symboliquement des voix de sa conscience ? S'agissait-il d'hallucinations dues à un traumatisme dans l'enfance (Jeanne enfant avait vu son village brûler) ?

L'image de Jeanne dans l'histoire

À partir de la fin du Moyen Âge, le personnage de Jeanne perd son image religieuse. Dans sa pièce *Henry VI*, Shakespeare en fait la maîtresse de Charles VII qui n'hésite pas à utiliser les enchantements et la sorcellerie. Tout au long du XVIIIe siècle, on refusera de croire au miracle « Jeanne ». Jeanne entre, de nouveau, dans l'histoire après la capitulation de 1870[1] qui entraîne la perte de sa Lorraine natale. Elle deviendra, dès lors, le symbole de la résistance à l'envahisseur. Championne du nationalisme, elle entrera au panthéon scolaire de l'école laïque, tout en redevenant pour les tenants de l'Église la sainte que l'on commençait à oublier. Elle sera canonisée en 1920, au lendemain du retour de la Lorraine à la France.

Voyage au cœur du mystérieux, op. cit.

1. La France, qui a perdu la guerre contre l'Allemagne, doit abandonner les territoires de l'Alsace et de la Lorraine.

Expertise scientifique

Le paléopathologiste Philippe Charlier, assisté par 16 chercheurs, a prouvé, en avril dernier, que les ossements de Jeanne d'Arc, pieusement conservés à Chinon dans un bocal sous l'intitulé « Restes trouvés sous le bûcher de Jeanne d'Arc », authentifiés en 1909 par une commission papale, étaient en réalité ceux d'une momie égyptienne et d'un chat.

Le vase datait du XVIIIe et appartenait à un apothicaire. Retrouvé dans une officine rue du Temple, à Paris, en 1867, il atterrit dans une pharmacie de Chinon avant d'arriver à l'évêché de Tours en 1909. Le mystificateur était sans doute pharmacien, ou peut-être apprenti.

Le Figaro Magazine, 21/07/2007.

10 Faites vos jeux !

L'homme est né pour jouer. À l'exemple des dieux qui, selon certains philosophes, ont créé le monde sur un coup de dés, il ne cesse de mettre sa vie en jeu. Depuis sa naissance où il découvre le monde en jouant jusqu'au moment où il est hors jeu, il tentera sa chance en jouant gros jeu ou en cachant son jeu.

Et vous, à quel jeu jouez-vous ? Quel type de joueur êtes-vous ? Pour le savoir, faites ce jeu. Entourez les réponses qui vous conviennent.

Quand vous allez au café ou au casino, vous jouez :
- ♦ à la roulette
- ● aux dominos
- ● au baby-foot
- ▲ aux fléchettes
- ▲ aux machines à sous
- ♣ au billard

Chez vous, en famille ou chez des amis, vous aimez jouer :
- ♦ aux dés
- ▲ au Monopoly
- ● au Scrabble
- ♠ au Trivial Pursuit
- ♣ aux échecs ou aux dames
- ♥ à des jeux de rôles

Aimez-vous les jeux vidéos ? Quels sont ceux qui ont votre préférence ?
- ♥ les jeux de simulation (type *Sim's*)
    - ♦ d'action (type *World of Warcraft*)
    - ▲ de gestion (type *Civilization*)
    - ♣ de stratégie (type *Age of Empire*)
    - ♠ de combat (type *Street Fighter*)
- ● les jeux en réseau

Si on vous propose un jeu de plein air, vous choisissez :
- ♥ un rallye d'orientation
- ♠ un parcours dans les arbres
- ● une partie de boules
- ♠ un match de tennis

Quand vous étiez enfant, vous arrivait-il de jouer :
- ● au jeu de l'oie
- ♥ aux Playmobil ou à la poupée
- ♣ au puzzle
- ♠ au loup (au gendarme et au voleur)
- ♥ à vous déguiser

Quand vous êtes seul, vous arrive-t-il :
- ▲ de jouer au Loto ou au tiercé
- ♦ de décider quelque chose à pile ou face
- ♥ de faire des mots croisés
- ♦ des réussites
- ♣ des sudokus
- ♠ des casse-tête

Si on vous propose une partie de cartes, vous préférez :
- ♣ le bridge
- ▲ le jeu des sept familles
- ♦ le poker
- ▲ la bataille

Quel type de plaisanterie faites-vous le plus souvent :
- ♥ raconter des blagues
- ♠ raconter des choses absurdes, délirantes
- ● faire des reparties
- ♦ faire des jeux de mots et des calembours
- ♣ faire des contrepèteries

VOTRE PROFIL DE JOUEUR

Comptez les symboles que vous avez obtenus.

Maximum de ♥ : LE POÈTE. Le jeu vous permet de vous évader, de vivre une autre vie dans l'imaginaire. Rimbaud disait « Je est un autre ». Pour vous, c'est « Jeu est un autre ».

Maximum de ♦ : LE TÉMÉRAIRE. Vous savez que la vie est une loterie mais vous comptez sur le hasard et vous savez prendre des risques.

Maximum de ▲ : LE CAPITALISTE. Vous jouez pour gagner. Pour vous, le but du jeu c'est d'augmenter votre capital, qu'il s'agisse d'argent, de jetons ou de connaissances.

Maximum de ● : LE SOCIAL. Pour vous, jouer c'est avant tout être avec les autres, échanger, plaisanter. Qu'importe que vous soyez gagnant ou perdant, vous jouez le jeu !

Maximum de ♠ : LE GAGNEUR. Vous jouez pour vous dépasser, pour vous prouver que vous êtes meilleur que les autres. Pour cela, il faut mettre l'adversaire hors jeu, à tout prix.

Maximum de ♣ : LE CERVEAU. Vous jouez pour le plaisir de faire fonctionner votre intelligence logique. Vous aimez anticiper pour rester maître du jeu et de votre destin.

SONDAGE
LES FRANÇAIS ET LES JEUX

• **Question : Jouez-vous à des jeux de hasard et d'argent ?**
(Loto, PMU, jeu de tirage ou de grattage, machines à sous, etc.)

Tous les jours	1
2 à 3 fois par semaine	4
Environ 1 fois par semaine	10
Sous-total fréquemment	15
2 à 3 fois par mois	5
Environ 1 fois par mois	11
Moins souvent	22
Sous-total occasionnellement ou rarement	38
Jamais	47

Question : (À ceux qui jouent à des jeux de hasard et d'argent : 53 % de l'échantillon) Pour quelles raisons jouez-vous ? [1]

Parce que j'espère gagner le gros lot	55
Pour le plaisir de jouer	33
Pour financer des projets qui ne sont pas dans mes moyens	13
Parce que cela met un peu de piment dans ma vie	10
Par habitude	9
Pour arrondir mes fins de mois	4
Sans réponse	2

[1] Le total des % est supérieur à 100, les personnes interrogées ayant pu donner deux réponses.

Sondage TNS-Sofres du 24 février 2005.

[L'INTERVIEW]

Les jeux vidéo sont-ils dangereux ?

Claude Allard, pédopsychiatre, auteur de *L'Enfant au siècle des images* (Albin Michel), donne son avis dans l'émission de radio « Le téléphone sonne ».

Faites le test

1• **Lisez chaque question avec l'aide du professeur. Identifiez chaque jeu. Entourez les symboles qui correspondent à vos préférences. Comptez les symboles que vous avez obtenus et lisez votre profil de joueur.**

2• **Présentez et commentez votre profil de joueur (tour de table).**

3• **Complétez le test avec d'autres jeux, en particulier ceux qui sont pratiqués dans votre pays.**
Autres jeux de cartes : ...
Autres jeux de hasard : ...
Etc.

4• **Relevez et classez le vocabulaire relatif au jeu. Complétez avec d'autres mots qui vous paraissent utiles.**

a. Les expressions avec les mots « jeu » et « jouer » : *mettre en jeu*, ...

b. Ce qu'on fait quand on joue : *miser*, ...

c. L'idée de hasard

Commentez le sondage

1• **Décrivez oralement les résultats du sondage en utilisant des expressions de quantité.**
« Presque la moitié des Français ne jouent jamais... »

2• **Répondez aux questions du sondage. Commentez-les. Comparez avec l'intérêt pour les jeux dans votre pays.**

L'interview

Claude Allard donne-t-il des informations sur les sujets suivants ? Si c'est le cas, notez ces informations.

a. Conséquences de la pratique des jeux vidéo

b. Doit-on interdire les jeux vidéo aux enfants ?

c. Types de jeux vidéo à conseiller ou à déconseiller

d. Conseils aux parents dont les enfants jouent aux jeux vidéo.

Faites vos jeux !

Généraliser – Donner des exemples – Commenter des statistiques

À propos des hommes et des femmes

> **La** femme est l'avenir de l'homme.
> (le poète Louis Aragon)

> L'homme de Tautavel a vécu il y a 3 millions d'années.
> En France, **les** femmes ont eu le droit de vote en 1945.
> **La** femme du président de **la** République n'a pas de fonction officielle.
> (dans un livre d'histoire)

> **Un** homme averti en vaut deux.

> **Sept** femmes sur dix font du jardinage.
> **66 %** des Français ont un jardin fleuri ou arboré.
> (dans la presse)

> L'homme est **un** être qui s'habitue à tout.
> (Dostoïevsky)

> **Toute** femme enceinte a droit à un congé de maternité.
> (dans le Code du travail)

❶ Observez les mots en gras. Classez-les selon qu'ils :
• généralisent le nom qui suit
• placent ce nom dans une catégorie
• signalent une personne ou une chose unique
• indiquent une quantité.

❷ Complétez avec des articles.

Opération risquée

Il était minuit quand je suis arrivé dans _____ quartier du port.

_____ silence glacial régnait sur les petites maisons basses. Ici, _____ étranger était immédiatement repéré. _____ chien a traversé la rue. Je me suis dit : « _____ chien est le meilleur ami de l'homme. » Il s'est dirigé vers _____ bâtisse plus grande que les autres. C'était _____ maison où j'avais rendez-vous.

❸ Commentez les statistiques suivantes en utilisant les pronoms indéfinis.

« Tous les élèves ont joué à des jeux vidéo. »

Enquête faite auprès de trois classes de lycéens. Avez-vous déjà joué aux jeux suivants ?			
les jeux vidéo	100%	le poker	30%
les petits chevaux	100%	le billard	5%
la bataille	95%	les mots croisés	5%
le jeu de l'oie	80%	la roulette	0%
le baby-foot	50%	le bridge	0%

Du général au particulier

1. On peut généraliser une affirmation :

a. par un article ou l'absence d'article

Les enfants sont joueurs – Un enfant apprend en jouant – L'enfant aime jouer
Jeux de mains, jeux de vilain. (proverbe)

b. par un adjectif ou un pronom indéfini

• **Tout** enfant (**N'importe quel** enfant) joue.
(« Tout » est ici invariable)
• **Tous** les enfants... **Tout le monde**... **Chaque** enfant (Chacun)... **N'importe qui**... aime le jeu.
• **Quiconque** devient accro aux jeux peut avoir des problèmes.
• **Aucun... Personne...** etc. (voir les formes négatives dans le tableau suivant)

c. par des expressions et des verbes

Généralement (En général, D'une manière générale), les gens aiment jouer.
On peut généraliser (systématiser, extrapoler) le cas de cet enfant.

2. On peut passer d'une information générale à un cas particulier :

a. par l'article défini ou un nom propre

Tout enfant est attiré par les autres enfants mais Paul (le fils de Marie) est plutôt solitaire.

b. par des verbes ou des expressions

Paul se caractérise (se distingue) par son goût de la solitude. C'est sa particularité (sa spécificité).
Paul est un cas particulier.

c. en donnant un exemple

Tous les enfants sont joueurs. C'est le cas de Clarisse (par exemple Clarisse). Je prends (je donne) l'exemple de...

Nier une affirmation

Proverbes
• Personne n'est au-dessus des lois.
• Ne fais jamais à autrui ce que tu ne voudrais pas qu'on te fasse à toi-même.
• Nul n'est censé ignorer la loi.

• Beaucoup de gens parlent pour ne rien dire.
• Rien ne sert de courir, il faut partir à point.
• Celui qui n'a ni Dieu ni maître est enfin libre.
• Il ne faut pas être avare ni être trop généreux.

1 Dans les proverbes précédents, observez et classez toutes les formes négatives :
• pronoms indéfinis négatifs • négation qui porte sur un nom • négation qui porte sur un verbe

2 Lisez le tableau. Répondez négativement.
Pas sportif du tout
• Tu aimes jouer au football ou au rugby ?
– Non, _____
• Le basket et le volley, ça te plaît ?
– Non, _____
• Tu regardes le patinage artistique ou le tennis à la télévision ?
– Non, _____
• Est-ce qu'il y a un sport qui t'intéresse ?
– Non, _____
• Diana t'a proposé d'aller à Pékin pour les jeux Olympiques. Pourquoi tu as refusé ?
– Pour ne pas _____

Constructions négatives
(**Voir aussi p. 135.**)

1. Forme négative des pronoms indéfinis
a. En position de complément du verbe
Je ne parle à personne (à aucun d'entre eux) –
Je n'ai pas parlé à un seul d'entre eux – Je n'ai rien fait.
b. En position de sujet du verbe
Aucun ne (Pas un ne… Personne ne…) parle. – Rien n'a été fait.

2. La négation porte sur l'infinitif
Il fait un régime pour ne pas grossir. – Ne pas prendre de poids est son objectif. – Il a grossi pour n'avoir pas fait de régime.

3. La négation porte sur plusieurs mots
Elle **n'**aime **pas** jouer au bridge **ni** aux tarots.
Elle **n'**aime **ni** le bridge **ni** les tarots.
Ni le bridge **ni** les tarots **ne** l'intéressent.

Maîtriser les constructions avec deux pronoms compléments

Slogans entendus pendant la manifestation

Plus on **leur en** donne
Plus ils **nous en** demandent
Non aux rythmes infernaux !

Libérez Cazorla !
Rendez-**le-nous**.

Notre énergie, on **la leur** donne
Notre temps libre, ils **nous le** prennent !

Des postes, il **nous en** faut !
L'augmentation des salaires, il **nous la** faut !
Les primes, il **nous les** faut !

1 Que représentent les mots en gras ? Observez leur place.

2 Répondez en utilisant deux pronoms.
Fumeur
• Tu as conseillé à Stéphanie d'arrêter de fumer ?
– Oui, _____
• Elle t'a promis de le faire ?
– Oui, _____
• Elle t'a offert des cigarettes ?
– Non, _____
• Tu lui as proposé des patchs ?
– Oui, _____
• Ses copines lui disent qu'elles détestent la fumée ?
– Oui, _____
• Elle t'a dit qu'elle voulait voir un acupuncteur ?
– Non, _____

Construction avec deux pronoms
Ces constructions sont souvent difficiles à comprendre car les francophones « avalent » certains pronoms : « Je l'lui ai dit » pour « Je le lui ai dit ».
Elles sont aussi difficiles à produire. Il faut donc les automatiser, en commençant par les plus courantes.
Je le lui ai demandé… Il me l'a dit… Il m'en a donné…

1. Trois constructions possibles
a. *me, te, nous, vous + le (l'), la (l'), les*
Ce livre, je te le donne. – Tu me l'as déjà prêté.
b. *le, la, les + lui, leur*
Mes livres, je les lui prête. *Le Père Goriot*, je le lui ai prêté.
c. *m', t', lui, nous, vous, leur + en*
Des CD, il m'en offre. Il lui en a offert.

2. À l'impératif
a. Donne-le-lui / Ne le lui donne pas
b. Prête-les-lui / Ne les lui prête pas
c. Offre-lui-en / Ne lui en offre pas

🎧 Travaillez vos automatismes

1 Construction avec deux pronoms
Vérification avant le départ de l'hôtel. Confirmez.
• Tu as demandé la note au réceptionniste ?
– Je la lui ai demandée.

2 Construction avec deux pronoms à l'impératif
Le père doit être plus généreux avec ses enfants
• Tu dois expliquer les leçons à tes enfants.
– Explique-les-leur.

À vous de jouer

Vous êtes chez des amis francophones et la sortie du dimanche est annulée à cause de la pluie... Quelqu'un propose : « On joue aux cartes ? » Un autre : « Qui fait un Scrabble avec moi ? »

Vous allez donc vous préparer à ces situations.

Pour faire les activités suivantes, prévoyez un jeu de cartes et trois dés.

Apprenez le nom des cartes et jouez

Lire l'avenir dans les cartes

Comment procéder

Utiliser un jeu de 32 cartes (as, roi, dame, valet, dix, neuf, huit, sept, dans les quatre couleurs). Le cartomancien mélange les cartes. Le consultant coupe de la main gauche.

Deux cas se présentent :

• si le consultant veut des réponses à des questions précises.
Pour chaque question, le cartomancien tire 17 cartes dans le jeu, les étale sur la table (face cachée) et en fait retourner 7 par le consultant.

• si le consultant veut connaître son avenir en général.
Mélanger. Faire couper. Faire 7 petits paquets de 3 cartes et les disposer en ligne. Découvrir progressivement, de gauche à droite, les 3 cartes de chaque paquet. Chaque paquet a une signification précise :
– 1er paquet : il concerne le consultant
– 2e : ses amis et ses relations
– 3e : sa maison et sa famille
– 4e : les événements futurs qui le concernent
– 5e : celle ou celui qui aime
– 6e : celle ou celui qui trahit
– 7e : c'est le paquet de la certitude

La signification des couleurs

Cœur ➜ le monde des sentiments : amour, passion, états affectifs – tendance positive.

Carreau ➜ les événements concrets : affaires, argent, biens matériels, voyage, promotion professionnelle, domination sur les autres – tendance positive.

Trèfle ➜ vie spirituelle, équilibre, absence de fait important – tendance positive.

Pique ➜ obstacles et problèmes : séparation, maladie, disparition, malchance dans les affaires – tendance négative.

L'interprétation des cartes

La force des cartes diminue selon la valeur hiérarchique.

L'as, c'est la carte qui a le plus de poids. L'as de cœur est la meilleure carte du jeu. Elle est signe de chance et de bonheur. L'as de pique présage un grand événement douloureux.

---

1 Dans le document ci-dessus et page 103 recherchez les informations qui permettent de répondre aux questions suivantes :

a. Un ami qui a 20 ans veut connaître son avenir professionnel. Il tire les sept cartes suivantes :
7 de trèfle – valet de carreau – as de carreau – 9 de cœur – roi de pique – 10 de carreau – 8 de carreau.

b. Quel jeu aimeriez-vous tirer pour :
(1) celui ou celle que vous aimez en secret
(2) un copain chômeur
(3) une copine qui va se marier
(4) une amie qui vient de créer une entreprise
(5) votre pire ennemi

2 Jouez avec votre voisin(e).
a. Vous posez une question. Votre voisin(e) vous tire les cartes pour y répondre.
b. Vous tirez les cartes à votre voisin(e) pour lui dire son avenir en général.

Le roi présage un homme d'âge mûr qui apportera l'amour ou l'amitié (cœur), une aide (carreau) ou dont il faut se méfier (pique).

La dame annonce une femme qui aime (cœur), une amie sur qui on peut compter (carreau et trèfle), une femme qui peut nuire (pique).

Le valet : un jeune homme qui aime ou qui peut être un ami (cœur), un messager (carreau), une mauvaise nouvelle (pique). Pour les hommes, le valet de trèfle est le rival en amour.

Le 10 : grande joie sentimentale (cœur), voyage (carreau), changement de situation (trèfle), maladie ou isolement (pique).

Le 9 : visite d'un ami (cœur), ennui et contretemps (carreau), nouvelle ou cadeau (trèfle). Le 9 de pique est une carte de mauvais présage surtout s'il sort avec l'as, le valet ou la dame de pique.

Le 8 : voyage imminent (cœur), somme d'argent (carreau), changement spirituel (trèfle), petit chagrin ou maladie (pique).

Le 7 : mécontentement ou insatisfaction (cœur), union d'intérêt (carreau), petit voyage ou petite promotion (trèfle), chagrin d'amour (pique).

À ces quelques notions, il faut ajouter un peu de psychologie, beaucoup d'imagination et une bonne dose d'humour.

Les jeux

• **Jouer**

jouer au poker, à la bataille, aux dés – faire une partie de poker – un partenaire – un adversaire – miser sur le 8 (à la roulette) – C'est le 8 qui est sorti

gagner – ramasser la mise / perdre – être éliminé – tricher – être un bon / mauvais perdant

• **Les cartes**

un jeu de cartes – battre (mélanger) les cartes – couper – distribuer (donner – une donne) – avoir un bon / mauvais jeu

ouvrir – passer (son tour) – couper – se défausser – avoir un atout, une carte maîtresse, un joker – être maître à carreau

faire une annonce – ramasser la levée – marquer des points

• **Les échecs et les dames**

un échiquier – un pion – la reine – le roi – le cavalier – le fou – la tour – faire un coup – échec et mat

un jeu de dame – un pion (les noirs et les blancs) – souffler un pion – aller en dame

Jouez aux dés

1 🌐 **Écoutez. Patrick explique à Élodie la règle du jeu de dés, le 421 (prononcez quatre, vingt et un). Complétez la notice ci-dessous.**

Jeu du 421
• Matériel ...
• Principe du jeu ...
• Début de la partie ...
• Valeur des combinaisons gagnantes ....

Combinaisons gagnantes	Points (jetons) donnés
421	...
...	...

2 Faites une partie de 421 à quatre.

3 Dans le texte ci-dessous, trouvez les expressions figurées qui utilisent le vocabulaire des jeux. Donnez leur sens.

Un calculateur
Dans l'entreprise, Xavier cache bien son jeu.
En réunion, quand il a une décision difficile à prendre, il se défausse.
Mais, petit à petit, il avance ses pions pour avoir le poste de directeur adjoint du centre de Bangkok. Il n'est pas le seul à vouloir ce poste. Sophie, par exemple, a un gros atout. Elle sort de l'ENA. Pour gagner la partie, Xavier a tout misé sur le projet « Phosphore ». Il a fait travailler ses collaborateurs et c'est lui qui a présenté les résultats au président. Il a ramassé la mise et a marqué des points.

Faites vos jeux !

Jouez avec les mots

Les mots croisés, les mots fléchés, les devinettes, les charades et les jeux de mots sont souvent fondés sur le fait qu'en français certains mots se prononcent de la même manière, peuvent avoir plusieurs sens et des emplois figurés. Par exemple, on pourra utiliser l'expression « une crise de foie » (indigestion) pour parler du doute religieux

« crise de foi ». Quand, dans des mots croisés, on veut faire trouver le mot « plombier », on pourra proposer une définition simple : « Installe les lavabos » ou une définition plus subtile « A de bons tuyaux », qui signifie « avoir de bons renseignements » et fera plutôt penser à un journaliste.

Mots croisés

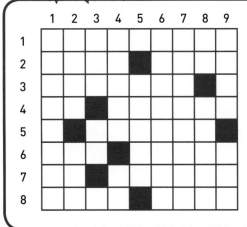

Horizontalement
1. L'homme le plus important du pays
2. Habite – Vêtement souvent féminin
3. Étrange
4. Disque – Petit morceau d'or
5. Profession
6. Revenu minimum – Rejeta
7. Note de musique – Entourer
8. Certaine – Est utile

Verticalement
1. Ils permettent de faire des rangements
2. Quand c'est un ballon de football – Sans énergie
3. Moi – Note de musique
4. Pour couper l'herbe – Démonstratif
5. Unité de mesure
6. Marchands de draps
7. Transforme le vent en énergie
8. Nota bene – Classer
9. Sous le chapeau – Il est souvent plastique

Charades

a. Mon premier est un métal précieux.

Mon deuxième est le contraire de beau.

Mon troisième dure douze mois.

Mon tout est une ville de France.

b. On trouve mon premier dans les bons plats.

Mon deuxième est dans le fruit.

Mon troisième est dans la prune.

Mon quatrième ne dit pas la vérité.

Mon tout dirige le pays.

Réponses : a. Orléans (or – laid – an) – **b.** gouvernement (goût – ver – ne – ment).

Devinettes

En voici quelques-unes par ordre de difficulté.

a. Quel est le fruit que les poissons n'aiment pas ?

b. Quelle est la ville la plus vieille ?

c. Et la plus féroce ?

d. Il est blanc quand on le lance en l'air et jaune quand il retombe.

e. Elles sont pleines le jour et vides la nuit.

f. Que s'est-il passé en 1111 ?

g. Quel est le pluriel de « voleur » ?

h. Qu'est-ce qui se voit deux fois dans un moment, une fois dans un mois et jamais dans un an ?

i. Un homme arrive seul devant un pont et lit l'écriteau suivant : « Attention, ce pont ne supporte pas le poids de deux personnes. » Il traverse et le pont s'écroule. Pourquoi ?

j. Quelle est la différence entre la lettre A et le clocher d'une église ?

Réponses : a. la pêche (la pêche) – **b.** Milan (mille ans) – **c.** Lyon (lion) – **d.** l'œuf – **e.** les chaussures – **f.** l'invasion des Huns (des 1) – **g.** des valises (parce qu'on dit « un voleur dévalise ») – **h.** la lettre M – **i.** parce qu'un homme averti en vaut deux – **j.** La lettre A, c'est la voyelle. Le clocher, c'est là qu'on sonne (la consonne).

Rébus

Sauriez-vous trouver les proverbes qui se cachent sous ces rébus ?

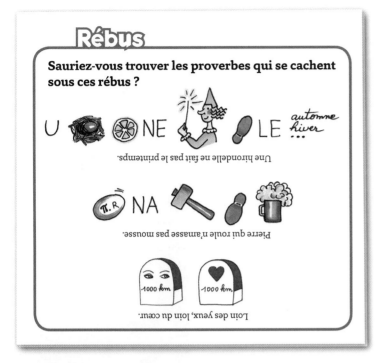

Une hirondelle ne fait pas le printemps.

Pierre qui roule n'amasse pas mousse.

Loin des yeux, loin du cœur.

Préparez un tour de magie

Voici un numéro de télépathie exécuté par Georges Charpak, prix Nobel de physique, et Henri Broch, professeur à l'université de Nice-Sophia-Antipolis.

Devenez télépathe

[Au cours d'une soirée, vous affirmez que vous avez des dons de télépathie et que vous allez pouvoir communiquer mentalement à un collègue, également télépathe, le nom d'une carte tirée au hasard.]

On vous apporte un jeu de cartes. Vous ne le touchez pas, vous demandez à quelqu'un de l'assistance de mélanger les cartes, de les battre et les rebattre, puis les personnes présentes décident elles-mêmes laquelle d'entre elles va choisir une carte au hasard dans le paquet. Une carte est ainsi tirée au sort : le 7 de trèfle, par exemple.

Avant de vous mettre en condition et de vous concentrer fortement sur la carte, vous sortez votre agenda pour vérifier le numéro de téléphone que vous notez, avec le nom de votre collègue, sur une feuille de papier. Feuille de papier que vous donnez à la personne qui a été désignée par les autres pour aller téléphoner, hors de la pièce où vous vous trouvez, à votre collègue qui sera donc le récepteur de l'image (le 7 de trèfle) que vous, émetteur, allez tenter de transmettre mentalement à travers l'espace.

La carte est placée devant vous et, prenant votre tête à deux mains, vous vous concentrez alors, avec maintes inspirations et expirations fortes… Et tout cela sous le contrôle visuel direct des personnes présentes.

Une dizaine de minutes plus tard, le préposé au téléphone est de retour et ne cache pas son étonnement : aussi incroyable que cela puisse paraître, Monsieur N, le récepteur, a déclaré, après moult hésitations et des visions floues, percevoir le… 7 de trèfle. […]

Et la soirée se poursuit agréablement après cette expérience qui vient de prouver aux incrédules que la télépathie existe vraiment, que la communication à distance entre deux cerveaux est parfaitement possible.

Georges Charpak, Henri Broch,
Devenez sorcier, devenez savant, © Odile Jacob, 2002.

La solution réside dans l'agenda que vous consultez dès que vous avez vu la carte. Celui-ci contient le nom de toutes les cartes associé à un prénom, par exemple le sept de trèfle correspond à Alain, le roi de pique à André, etc. Ce n'est qu'après avoir eu connaissance de la carte que vous communiquez le faux prénom de votre collègue et son vrai numéro de téléphone. Celui-ci possède le même tableau de correspondance. Lorsqu'il entend le prénom Alain il sait immédiatement que la carte qu'il doit deviner est le 7 de trèfle.

UNE NOUVELLE DE BERNARD WERBER

Le règne des apparences

Alors qu'il patientait tranquillement sur la chaise inconfortable d'une salle d'attente de médecin, Gabriel Nemrod eut soudain l'impression que, face à lui, le tableau bougeait sur la paroi. Puis le mur tout entier vibra, se distordit jusqu'à finalement disparaître. Autour de lui, nul n'en parut affecté. Pourtant, à la place de la cloison, apparaissait désormais en caractères épais le mot : MUR, avec entre parenthèses : (ÉPAISSEUR 50 CENTIMÈTRES. IMPRESSION PLÂTRE VERS L'INTÉRIEUR ET BÉTON PEINT VERS L'EXTÉRIEUR. EXISTE POUR PROTÉGER DES INTEMPÉRIES).

Les lettres flottaient dans l'air.

Gabriel resta quelques secondes à fixer cette bizarre apparition et aperçut par transparence ce qu'avait masqué le mur : la rue et les passants. Il s'avança, passa une main au travers. Quand il recula, il y eut de nouveau comme du flou et le mur reprit sa place. Un mur normal, tout à fait normal.

Il haussa les épaules et se dit qu'il avait été victime d'une hallucination. Après tout, s'il était venu consulter, c'est qu'il était las des migraines qui l'assaillaient sans cesse. Il se secoua et se décida à sortir pour marcher un peu dans la rue.

Étrange quand même, cet objet remplacé par les lettres de son nom...

Gabriel Nemrod enseignait la philosophie dans un lycée et il se souvint avoir donné un cours sur le thème du signifiant et du signifié[1]. N'avait-il pas appris à ses élèves que les choses n'existaient pas tant qu'on ne les avait pas nommées ? Il se massa les tempes. Peut-être se laissait-il trop envahir par les questionnements de son métier. La veille, il avait relu la Bible : Dieu avait donné à Adam le pouvoir de nommer les animaux et les objets... Et avant, ils n'existaient pas ?

Gabriel finit par oublier l'incident. Les jours suivants, il ne se produisit rien de spécial.

Un mois plus tard, cependant, prenant la place d'un pigeon qu'il observait, il vit s'inscrire le mot : PIGEON, et entre parenthèses : (327 G, MÂLE, PLUMES DE COULEUR GRIS-NOIR, ROUCOULEMENT DO-MI BÉMOL, LÉGER BOITILLEMENT DE LA PATTE GAUCHE. EXISTE POUR ÉGAYER LES JARDINS).

Cette fois, le mot définissant l'animal flotta dans l'air pendant une vingtaine de secondes. Il approcha sa main pour le toucher et le mot : PIGEON s'envola aussitôt avec sa parenthèse au complet. Ce ne fut que haut dans le ciel qu'il redevint oiseau, suivi aussitôt de quelques femelles roucoulantes.

Le troisième incident eut lieu à la piscine municipale proche de chez lui. Alors qu'il nageait paisiblement, il vit apparaître en grosses lettres le mot : PISCINE, et entre parenthèses : (REMPLIE D'EAU CHLORÉE. EXISTE POUR L'AMUSEMENT DES ENFANTS ET LA MUSCULATION DES ADULTES).

C'en était trop. Convaincu de sombrer dans la démence, il se rendit tout droit chez son psychiatre. Et là, il reçut le choc de sa vie. Au sortir de la consultation qui s'était achevée sur la prescription d'anxiolytiques, il croisa un miroir en pied dans le couloir. En lieu et place de sa personne, il aperçut une étiquette sur laquelle était inscrit : HUMAIN (1,70 MÈTRE, 65 KG, ALLURE BANALE, AIR FATIGUÉ, LUNETTES, EXISTE POUR DÉTECTER LES ERREURS DU SYSTÈME).

---

1. Le signifiant est la forme écrite ou sonore d'un mot. Le signifié est son sens (ici, l'objet représenté par le mot).

Bernard Werber,
L'Arbre des possibles,
© Albin Michel,
2002.

PREMIÈRES LIGNES

C'est dès les toutes premières lignes qu'un livre vous accroche ou qu'il vous tombe des mains. Voici les premières lignes de quelques ouvrages publiés ces dernières années. Vous donnent-elles envie de connaître la suite ?

J'ai parfois l'impression, au début, qu'on me regarde de travers. Est-ce vraiment après moi qu'ils en ont ?
Lorsque j'ose évoquer ce changement devant Ange, à la table du dîner, il me répond, après une légère hésitation de pudeur ou d'embarras, qu'il a remarqué la même chose le concernant. Il me demande en me regardant fixement si, à mon avis, c'est à lui que ses élèves ont quelque chose à reprocher ou si, à travers lui, ils me désignent, sachant bien que je suis sa femme. Cette question me déroute.

Marie NDiaye, *Mon cœur à l'étroit,* **Gallimard, 2007.**

Dès son entrée dans Texaco, le Christ reçut une pierre dont l'agressivité ne fut pas surprenante. À cette époque, il faut le dire, nous étions tous nerveux : une route nommée Pénétrante Ouest avait relié notre Quartier au centre de l'En-ville. C'est pourquoi les gens-bien, du fond de leur voiture, avaient jour après jour découvert l'entassement de nos cases qu'ils disaient insalubres – et ce spectacle leur sembla contraire à l'ordre public.

Patrick Chamoiseau
Texaco

Patrick Chamoiseau, *Texaco,*
Gallimard, 1992.

Que ceci soit clair : je m'appelle bien Saïda Bénérafa. Jusqu'à quarante et quelques années, je n'avais jamais quitté New-Bell Douala n° 5. Je n'étais pas encore la jeune fille de cinquante ans qui passionne Belleville. Pourtant même à cette époque, je faisais déjà la Une du téléphone arabe.
Pourquoi ? Je suis née quelques années avant les indépendances. C'était en 40-45, mais les dates précises n'ont aucune importance. J'ai vu le jour dans un de ces quartiers phares, nombrils de l'univers, où l'imagination de l'homme, son sens de la débrouillardise dépassent la fiction [...].

Calixthe Beyala
Les honneurs perdus
Roman

Calixthe Beyala, *Les Honneurs perdus,* **Albin michel, 1996.**

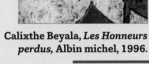

[L'INTERVIEW]

Le dernier livre que vous avez aimé
Émilie présente le roman *Saga* de Tonino Benacquista.

Lecture de la nouvelle « Le règne des apparences »

1• **Faites une première lecture du texte. Mettez en commun ce que vous avez compris.**
« C'est l'histoire d'un... »

2• **Pour chaque expérience de Gabriel Nemrod, complétez le tableau.**

	1
Où l'expérience a-t-elle lieu ?	
Que s'est-il passé ?	
Comment Gabriel explique-t-il ce phénomène ?	
Notez les détails de la vision	Le tableau bouge – le mur vibre...

3• **Observez les temps des verbes de ce récit au passé.**
• actions principales (retrouvez l'infinitif des verbes) : eut → avoir
• actions secondaires, états et commentaires
• actions qui se déroulent avant les actions principales ou secondaires

4• **Relevez le vocabulaire qui exprime les idées :**
de transformation – d'apparence – de vision

Débuts de romans

Lisez les débuts des trois romans. Donnez votre avis. Imaginez la suite.

L'interview

Écoutez. Approuvez ou corrigez les affirmations suivantes.
a. Émilie se souvient très bien du livre.
b. Le sujet du livre est l'histoire d'une chaîne de télévision.
c. Cette chaîne doit créer une émission pour son programme de la nuit.
d. Elle n'est pas obligée de le faire mais elle a beaucoup d'argent à dépenser.
e. La chaîne décide de créer une série.
f. Elle recrute d'excellents scénaristes et d'excellents comédiens.
g. La série a un énorme succès.
h. Les comédiens deviennent des stars.
i. Les scénaristes imaginent une suite pour faire durer la série.

Aide à l'écoute

• *Pourrie* : se dit d'un fruit qui se décompose après sa maturité. Ici, de mauvaise qualité.
• *Basique* : très simple.
• *CSA* : organisme qui fixe des règles aux chaînes de télévision et les contrôle.

Comprendre un récit au passé simple

Le *Serment du Jeu de Paume*, tableau de David.

Le serment du Jeu de paume (20 juin 1789) fut le premier épisode marquant de la Révolution française. Ce jour-là, les députés du peuple, auxquels s'étaient joints des députés de la noblesse et du clergé, décidèrent de donner une constitution à la France.

Quelques jours auparavant, le roi avait convoqué à Paris des représentants de toutes les classes sociales originaires de toute la France.

Mais la veille, surpris par la volonté de réforme des députés, le roi fit fermer la salle de réunion.

Les députés se réunirent alors dans une salle de jeu de paume (le tennis de l'époque). Un envoyé du roi leur ordonna de sortir. « Nous sommes ici par la volonté du peuple », répliqua le député Mirabeau « et nous n'en sortirons que par la force des baïonnettes. »

Quand le roi eut compris que le peuple de Paris pouvait être solidaire des députés, il autorisa la réunion.

1 **Dans les phrases ci-dessus, observez :**

a. les verbes. Trouvez leur infinitif. Distinguez :
• ceux qui expriment les actions principales : *fut* (*être*)
• ceux qui indiquent des actions qui se passent avant les actions principales

b. les mots qui précisent à quel moment les actions ont lieu.

c. les sujets grammaticaux des phrases. Où sont-ils placés ?

2 **Trouvez l'infinitif des verbes. Reformulez les phrases en mettant les verbes au passé composé.**
Extrait des mémoires d'un assistant du savant Louis Pasteur
Louis Pasteur naquit en 1822 dans le Jura. Il enseigna à l'université de Strasbourg. Il vint à Paris en 1857. C'est là que je pus le rencontrer.
Nous travaillâmes sur les microbes. Pasteur sut trouver le moyen de les détruire. Il mit au point un vaccin contre une maladie des moutons et eut le courage d'appliquer le vaccin à l'homme.
Je me souviens de ce petit Alsacien qui fut le premier à être vacciné contre la rage.
Beaucoup de gens ne crurent pas à cette découverte.

3 **Racontez oralement cette histoire. Utilisez l'expression entre parenthèses.**
La Révolution française. Du serment du Jeu de paume à la prise de la Bastille
a. Quand les députés eurent commencé leurs travaux constitutionnels, les aristocrates prirent peur. (*Alors…*)
b. Quand le roi eut consulté ses conseillers, il concentra des troupes autour de Paris. (*Après que…*)
c. Dès que le peuple apprit la nouvelle, il se révolta. (*Quand…*)
d. Quand une partie de l'armée eut rejoint le peuple, les insurgés prirent la Bastille. (*Puis…*)

Passé simple et passé antérieur

Il y a deux systèmes pour faire un récit au passé :
• le système courant, employé à l'oral comme à l'écrit, organisé autour du passé composé ;
• un système organisé autour du passé simple. Il ne s'emploie qu'à l'écrit dans des récits à caractère littéraire ou historique qu'on rencontre en littérature, dans la presse ou dans des ouvrages didactiques.
Les deux systèmes peuvent alterner dans un même texte.

1. Système des temps du récit au passé simple
• **Le passé simple.** Il exprime les actions principales achevées dans le passé.
Il arriva à 8 heures du soir.
• **L'imparfait.** Il exprime les états ou les actions en train de se dérouler pendant l'action principale.
Il arriva à 8 heures du soir. Il neigeait.
• **Le passé antérieur** exprime une action antérieure à une action au passé simple. Ces deux actions sont toujours dans une même phrase.
Quand il eut refermé la porte, il nous raconta son voyage.
• **Le plus-que-parfait** exprime une action ou un état antérieur à l'action principale.
Il arriva à 8 heures. La neige avait recouvert la route.

2. Conjugaison
a. Le passé simple
• verbes en *-er*
je parlai, tu parlas, il/elle parla
nous parlâmes, vous parlâtes, ils/elles parlèrent
La forme du passé simple est souvent proche du participe passé du verbe. On rencontre :
• des formes en [i] : finir → *il finit* – voir → *elle vit*
• des formes en [y] : vouloir → *je voulus* – pouvoir → *je pus* – avoir → *j'eus* – être → *je fus*
• des formes en [ɛ̃] : venir → *elle vint*

b. Le passé antérieur
avoir ou *être* au passé simple + participe passé
Quand il eut dîné… Quand elle fut sortie…

4 Lisez l'interview de Mathilde, gagnante du Loto. Imaginez : quarante ans plus tard, Mathilde raconte cette histoire à ses petits-enfants.

« Ce jour-là a été le plus beau jour de ma vie... »

« Vous savez, *aujourd'hui*, c'est le plus beau jour de ma vie. *Hier*, quand j'ai appris que j'avais gagné dix millions, je n'ai pas réalisé.

Rendez-vous compte. *Il y a dix jours*, j'ai perdu mon emploi. *La semaine dernière*, j'ai acheté ce billet sans y croire et *avant-hier*, j'ai même failli l'oublier dans la poche de mon jean que j'allais mettre dans la machine à laver...

Mais bon, tout ça, c'est du passé. *Ce soir*, on fait la fête. *Demain soir*, je pars pour Paris avec mon copain et *après-demain* nous prenons l'avion pour Venise. *Dans dix jours*, nous commençons un tour du monde. *Dans un an*, je reviens ici et j'utiliserai mon argent pour une bonne cause. Peut-être un centre pour handicapés... »

5 En utilisant les notes prises par Patrick, racontez cet événement marquant de sa vie. Commencez votre récit le 21 mai 1981.

« Je me souviens. C'était le 21 mai 1981. Ce jour-là, François Mitterrand a pris ses fonctions de président... »

Dans les années 1980, Patrick était un militant de gauche. Il a applaudi l'élection de François Mitterrand à la présidence de la République.

> – 1956 : dernier gouvernement de gauche
> – de janvier à mai 1981 : nous organisons des meetings et des réunions. Nous collons des affiches.
> – 10 mai 1981 : François Mitterrand est élu président de la République. Nous faisons la fête.
> – 20 mai 1981 : je pars pour Paris.
> – 21 mai 1981 : prise de fonction de François Mitterrand. J'assiste à la cérémonie au Panthéon. Grand moment d'émotion.
> – 22 mai 1981 : Mitterrand dissout l'Assemblée nationale. Je rentre à Grenoble. Il faut reprendre le combat pour faire élire un député de gauche.
> – 21 juin 1981 : une assemblée de gauche est élue.

6 Lisez l'encadré sur l'inversion du sujet. Pour chaque cas d'inversion du sujet, trouvez un autre exemple.

L'inversion du sujet

Le sujet du verbe peut se placer après le verbe :

1. dans les phrases interrogatives

- **Inversion du pronom sujet** (à l'écrit et à l'oral surveillé)
Sommes-nous à l'heure ? Pierre est-il arrivé ?
Le cambriolage a-t-il été commis pendant la nuit ?

- **Après un adverbe interrogatif** (*quand, où, comment, combien*, etc.), on supprime souvent la reprise du pronom.
« Quand arrive Pierre ? » est moins lourd que « Quand Pierre arrive-t-il ? » ou « Quand (est-ce que) Pierre arrive ? »

2. dans les phrases affirmatives

- **Après les verbes de parole, de mouvement ou d'état**
« Bonjour », dit la gardienne.
Dans la salle restaient trois personnes.
Le soir arriva un chevalier.

- **Après un pronom relatif**
Voici un tableau qu'a peint Monet.

- **Après certains adverbes** comme *alors, ainsi, aussi*, etc.
Ainsi parlait mon oncle.

La situation dans le temps

Distinguez :

- **la situation par rapport au moment présent**
Aujourd'hui, il fait beau. Hier, il a plu.

- **la situation par rapport à un moment du passé**
Ce jour-là (1er juillet), il a fait beau. La veille, il avait plu.

Par rapport au moment présent	Par rapport à un moment du passé
Aujourd'hui – cette semaine	Ce jour-là – cette semaine-là
Hier – avant-hier	La veille – l'avant-veille
Le mois dernier	Le mois précédent – le mois d'avant
Il y a 8 jours	8 jours avant (auparavant)
Demain – après-demain	Le lendemain – le surlendemain
Dans 8 jours	8 jours après (plus tard)
L'année prochaine	L'année suivante
Maintenant	À ce moment-là – À cet instant-là

 Travaillez vos automatismes

1 Emploi des expressions de temps. La fille passe le même examen que son père, trente ans après. Son père la rassure.
- Aujourd'hui, je stresse.
– Moi aussi, ce jour-là, je stressais.
- Hier, j'ai révisé jusqu'à minuit.
– Moi aussi, la veille, j'avais révisé jusqu'à minuit.

7 Construction avec deux pronoms compléments. Marie a donné des conseils à Paul mais vous l'aviez déjà fait. Rappelez-le à Marie.
- J'ai dit à Paul de travailler davantage.
– Je le lui avais dit.
- Il m'avait promis de le faire.
– Il me l'avait promis à moi aussi.

La médiathèque idéale

Vous devez constituer pour votre classe une médiathèque francophone.
Pour cette médiathèque, chacun de vous choisira un roman et un DVD de film que vous aimez particulièrement et que vous souhaitez faire partager.

Présentez un livre

À l'approche de l'an 2000, 6 000 lecteurs de la Fnac et du journal *Le Monde* ont voté pour élire les 50 meilleurs livres du XXᵉ siècle. Les cinq livres considérés comme les meilleurs furent *L'Étranger* de Camus, *À la recherche du temps perdu* de Proust, *Le Procès* de Kafka, *Le Petit Prince* de Saint-Exupéry et *La Condition humaine* de Malraux. Le roman de Françoise Sagan écrit en 1954, *Bonjour tristesse*, arriva en 41ᵉ position derrière *La Montagne magique* de Thomas Mann. Frédéric Beigbeder, critique littéraire et romancier, analyse ce roman.

N° 41 – *Bonjour tristesse* de Françoise Sagan (1954)

Bonjour tristesse est le premier roman de Françoise Sagan mais c'est surtout un des rares miracles de ce siècle. En 1954, une jeune fille à papa de 18 ans, à Cajarc dans le Lot, prend son stylo et écrit dans son petit cahier : « Sur ce sentiment inconnu dont l'ennui, la douceur m'obsèdent, j'hésite à apposer le nom, le beau nom de tristesse […] » Toute la musique, le charme et la mélancolie de Sagan sont déjà contenus dans le premier paragraphe de son premier livre. Durant le reste de sa vie, elle n'a fait que décliner la douceur de la tristesse, l'égoïsme de l'ennui, la crainte de la solitude. En fait, elle s'appelle Françoise Quoirez mais a pris comme pseudonyme le nom d'un personnage trouvé dans *Albertine disparue*[1], parce que, à 18 ans, elle est déjà effrayée par le temps perdu. Est-ce pourquoi elle est allée si vite ? Ce n'est pas non plus par hasard qu'elle a chipé le titre de son roman dans un poème d'Éluard[2] intitulé *La Vie immédiate*.

Et que raconte-t-elle ? L'histoire de Cécile, une gosse de riches malheureuse qui passe des vacances avec son veuf de père et sa maîtresse sur la Côte d'Azur. Tout se déroule à merveille, dans une ambiance frivole et aérienne, jusqu'au jour où le père décide d'épouser sa maîtresse, Anne, une femme assez sérieuse et équilibrée qui risque de casser cette vie nonchalante. Cécile manigance alors tout un complot à la Laclos[3] pour que ce projet échoue. Elle réussit son coup mais le vaudeville finit en tragédie, bien sûr allais-je dire : ainsi la fête ne cache plus le désespoir, la rigolade ne fera plus oublier que l'amour est impossible, le bonheur effrayant, le plaisir vain, et la légèreté grave… « Mon père était léger, d'une légèreté sans remède. » En 33 jours, la petite Quoirez a saisi son époque. Rarement dans le siècle aura-t-on eu la certitude aussi instantanée d'un état de grâce absolu : « Je connaissais peu de chose de l'amour : des rendez-vous, des baisers et des lassitudes. »

Même si Sagan a bâclé certains de ses romans suivants, elle est restée éternellement fidèle à Cécile, la narratrice de *Bonjour tristesse* : elle fut une folle futile et profonde, une Zelda Fitzgerald[4] française, qui gagna son manoir normand au casino de Deauville et faillit crever comme Nimier d'un accident d'Aston Martin, une enfant gâtée toujours capable de

nous battre, Édouard Baer[5] et moi, au concours de vodka-tonic du Mathis-Bar […]

Bonjour tristesse fut un scandale, puis un phénomène de société mais aujourd'hui que le tintamarre est oublié, qu'en reste-t-il ? Un petit roman parfait, débordant d'une émotion fragile, un livre comme on en lit très peu dans sa vie, un chef-d'œuvre mystérieux, impossible à analyser, qui vous fait vous sentir à la fois moins seul et plus seul[6]. […]

Frédéric Beigbeder, *Dernier Inventaire avant liquidation*,
© Édition Grasset et Fasquelle, 2001.

1. Roman de Marcel Proust, auteur d'une série de romans autobiographiques ayant pour titre *À la recherche du temps perdu*. – **2.** Un des plus grands poètes français du XXᵉ siècle. Son langage simple et harmonieux nourrit les êtres et les choses d'amour et de générosité. – **3.** Choderlos de Laclos (1741-1803) est l'auteur des *Liaisons dangereuses*, roman par lettres où une aristocrate (Mme de Merteuil) et son amant (le comte de Valmont) intriguent ensemble pour que ce dernier puisse séduire la jeune Mme de Tourvel.– **4.** Femme écrivain américaine, épouse de l'écrivain Scott Fitzgerald, symbole de l'esprit de liberté des années 1920. – **5.** Acteur, scénariste et journaliste français – **6.** Françoise Sagan est décédée en 2004.

1 Lisez le texte en vous aidant des définitions suivantes pour la compréhension des mots difficiles.

Paragraphe 1 : une fille de riches – qui est une idée fixe – répéter en variant les nuances – voler.

Paragraphe 2 : une enfant – pas sérieux – paresseuse – comploter (intriguer) – pièce de théâtre comique fondée sur des intrigues – amusement.

Paragraphe 3 : qui a été réalisé rapidement et sans soin – sans intérêt – mourir (ici dans un emploi familier et imagé) – bruit assourdissant.

2 Complétez la fiche d'informations suivante (travail en petits groupes) :

• **Informations sur Françoise Sagan**
– biographie
– personnalité

• **Informations sur le roman *Bonjour tristesse***
– l'histoire
– les personnages
– le cadre général et l'atmosphère
– l'origine du titre

• **Opinions sur le roman**
– opinion du public
– opinion de Frédéric Beigbeder

3 Lisez la présentation des scénarios de fiction les plus fréquents.
a. Trouvez des titres de films ou de livres correspondant à chaque scénario.
b. Pour chaque scénario, imaginez :
– un personnage
– une idée de scène

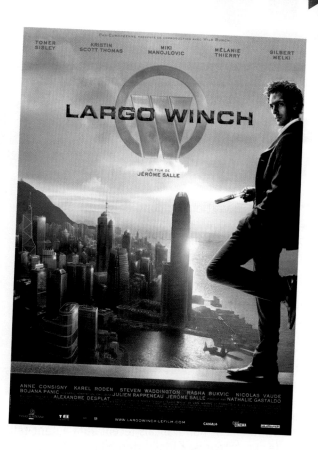

4 Rédigez la fiche du livre que vous avez choisi. Dans cette fiche :
– donnez quelques informations sur l'auteur ;
– racontez le début de l'histoire et indiquez le cadre général ;
– indiquez la popularité du livre et donnez votre opinion personnelle.

Les six scénarios de fiction les plus fréquents

Ils constituent la trame des romans comme des films. Chacun peut être traité de façon dramatique, tragique ou comique.

1. **Le héros amoureux.** On se rencontre, on s'aime. Mais un troisième personnage ou un problème inattendu viendra tout remettre en question.

2. **Le héros conquérant.** Il désire un poste, un objet, une femme, un homme, quelquefois un pays entier. Il peut aussi rechercher la vérité. Il fera tout pour cela.

3. **Le héros poursuivi.** Il a commis une faute grave, souvent un meurtre ou bien il possède quelque chose les autres n'ont pas. On le recherche. Il tentera d'échapper à ses poursuivants.

4. **Le héros face à une menace inconnue** ou mystérieuse venue d'une autre planète, d'une partie de la population ou du cerveau d'un fou. Il s'efforcera de comprendre l'inexplicable et de le détruire.

5. **Le héros décadent.** Déception amoureuse, chômage, pauvreté, alcoolisme, drogue vont précipiter la chute du héros. Il s'en relèvera peut-être.

6. **Le héros aventurier.** Il cherche un trésor, une potion magique, une formule scientifique. Il doit pour cela traverser des terres inconnues où se dressent des obstacles.

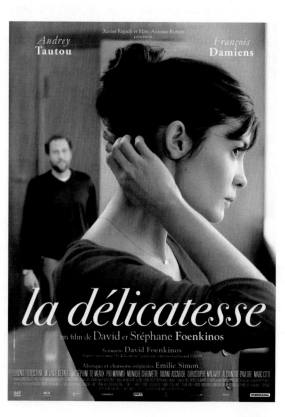

Présentez un film ou une pièce de théâtre

SORTIR

Après *Les Choristes*...

Christophe Barratier est donc de retour avec *Faubourg 36*, quatre ans après le triomphe des *Choristes* et ses faramineux 8,5 millions d'entrées. L'argument de ce deuxième film est fort simple : aux dernières heures de 1935, le patron criblé de dettes du Chansonia, un music-hall[1] des faubourgs parisiens, se tire une balle dans la tête. Ses employés, profitant de l'élan du Front populaire[2], décident d'occuper le théâtre pour y monter coûte que coûte un nouveau spectacle... Barratier, auréolé par son premier grand succès, a eu tous les moyens – soutenu au premier chef par son oncle, l'excellent acteur et producteur Jacques Perrin – pour mener à bien son entreprise. Pourtant, rarement film français récent aura autant fait passer le spectateur de l'admiration à la grimace...

Admiration, parce que, dès le premier long plan-séquence où Pigoil (Gérard Jugnot, toujours impeccable) pénètre dans le théâtre, on a la confirmation que Barratier est bien un virtuose de la caméra. Parce que les décors reconstitués et les costumes sont le fait de très grands pros. Parce que Kad Merad, à peine sorti de l'écrasant *Bienvenue chez les Chti's*, est épatant dans son rôle d'imitateur raté, ce Jacky Jacquet hénaurme[3] qui le consacre définitivement comme l'un de nos grands comédiens. Parce qu'il faut avoir beaucoup de talent pour dénicher cette nouvelle venue, Nora Arnezeder, qui illumine chaque scène par sa grâce et sa voix à la suavité captivante. Attention : Hollywood risque très vite de s'intéresser à son cas.

Grimace, parce que les faiblesses récurrentes du scénario empêchent le film de s'envoler. Parce que les méchants fascistes[4] d'opérette aux prises avec les gentils ouvriers des planches donnent vraiment envie de se gondoler.

Parce que Clovis Cornillac n'est pas encore tout à fait Jean Gabin[5] et qu'il aurait tout à gagner à travailler l'épure[6] et à gommer ce jeu outré qui alourdit chaque scène de cent vingt kilos. Parce que, enfin, lorsqu'on se recommande de *La Belle Équipe*, *Le jour se lève* ou *Pépé le Moko*[7], jamais le mélo ne doit prêter à sourire.

Reste que Barratier aime le cinoche. Ça se sent. Ça se voit. Ça s'entend. C'est déjà bien.

Albert Sebag, *Le Point*, 18/09/2008.

1. Salle de spectacle où se produisaient, dans la première moitié du XXe siècle, des chanteurs, des humoristes, des illusionnistes, etc.
2. Gouvernement issu d'une coalition de partis de gauche (1936-1938) qui suscita un grand élan d'espoir après la crise économique des années 1930 et fit voter des lois sociales importantes (semaine de 40 heures, congés payés, etc.).
3. Énorme. L'orthographe « hénaurme » est de Gustave Flaubert qui trouvait ainsi le mot plus expressif.
4. En opposition au Front populaire, des mouvements favorables au fascisme italien et au nazisme allemand s'étaient développés en France.
5. L'acteur français le plus populaire des années 1930 à 1970. À ses débuts, il incarne souvent l'ouvrier porteur des espoirs du Front populaire.
6. Dessin achevé par opposition à esquisse. Ici, signifie que le jeu de l'acteur est trop caricatural et insuffisamment nuancé.
7. Films célèbres de la période du Front populaire dans lesquels jouait Jean Gabin.

[L'INTERVIEW]

Béatrice donne son avis sur la pièce de théâtre *Le Diable rouge*.

Théâtre Montparnasse, 31, rue de la Gaîté (14e), M° Edgar-Quinet. (715 pl.) Salle climatisée. Restauration possible avant le spectacle de 21h. Loc. du lun au sam 11h-19h. WWW.theatremontparnasse.com 01 43 22 77 74 (28 j. à l'avance pour « Le Diable Rouge »). Pl. 50/46/32/18€, –26 ans (mar, mer, jeu selon disponibilité) 10€.
Du mar au ven à 20h30 (sauf les 7 et 8 janv.), sam à 21 h, suppl. sam 17 janv. A 17h30, mat. dim (à partir du 25 janv.) à 16h :
D'Antoine Rault, mise en scène de Christophe Lindon. Avec Claude Rich, Geneviève Casile, Bernard Malaka, Denis Berner, Adrien Melin, Alexandra Ansidei :

LE DIABLE ROUGE
Au sommet de son pouvoir mais à la fin de sa vie, le Cardinal Mazarin achève l'éducation du jeune roi Louis XIV, sous le regard de la reine-mère Anne d'Autriche et de Colbert qui attend son heure...

L'Officiel des spectacles, 7-13/01/2009.

1 Lisez l'article en vous aidant des définitions suivantes pour la compréhension des mots difficiles.

Paragraphe 1 : extraordinaire – qui doit beaucoup d'argent – à n'importe quel prix – expression du visage qui marque souvent le dégoût.

Paragraphe 2 : parfait, sans faute – découvrir.

Paragraphe 3 : fréquent – rire – exagéré.

2 Relevez tous les détails du film qui sont abordés par l'auteur de l'article.

Ce dont on parle	Remarques positives	Remarques négatives
Christophe Barratier (réalisateur)	Il a triomphé avec son film précédent : *Les Choristes*	......

3 Que pensez-vous du titre de l'article ? Trouvez un autre titre.

4 Relevez et classez les mots et expressions qui permettent de porter un jugement.

5 Lisez l'extrait de *L'Officiel des spectacles*. Faites la liste de toutes les informations données par ce document : nom du théâtre, adresse, etc.

6 🎧 Écoutez l'avis de Béatrice. Quelles informations donne-t-elle, quelle opinion formule-t-elle à propos :
– du texte
– des acteurs
– de la mise en scène

7 Rédigez la fiche du DVD (film ou pièce de théâtre) que vous avez choisi.

Parler de cinéma ou de théâtre

Les genres.

Au cinéma : une comédie dramatique, sociale, etc. – un drame – un film d'aventure, d'épouvante (d'horreur), fantastique, musical, de guerre, d'espionnage – un western – un dessin animé – une biographie

Au théâtre : une comédie – une tragédie – un drame – une comédie musicale

Le sujet : la fiction – l'histoire – l'argument – le scénario – l'intrigue – la trame

Les moments du film : un grand moment – un rebondissement – un gag – un coup de théâtre – un effet – le suspense – un moment fort – une histoire qui traîne en longueur

Les acteurs : un premier rôle (un rôle de premier plan) – un second rôle – un petit rôle – un figurant – une doublure – un cascadeur – l'interprétation – Daniel Auteuil tient le rôle de… (joue le rôle de…) – Dans ce rôle il est époustouflant, extraordinaire, excellent.

La mise en scène : le réalisateur – le metteur en scène – une mise en scène moderne, étonnante, provocante, audacieuse, classique, sans intérêt

Le décor – l'éclairage – les effets spéciaux

Le tournage du film – Le film a été tourné en extérieur / en studio – les décors – une reconstitution de la bataille

Le montage : un plan (un gros plan – un panoramique) – une séquence – le rythme du film

Le cinéma français aujourd'hui

Depuis 2008, les Français sont allés voir autant de films français que de films américains. Cet intérêt pour le cinéma français a plusieurs causes :

• le développement des multiplexes qui permettent de voir les nouveaux films dans des conditions excellentes sans comparaison avec celles qu'offre la télévision ;

• les aides de l'État. La France soutient l'idée « d'une exception culturelle ». Les produits culturels français, en particulier le cinéma, sont protégés de la concurrence internationale. Près de 280 films sont produits chaque année ;

• les retrouvailles entre les réalisateurs et le grand public. Souvent critiqué, soit à cause de son élitisme soit à cause de son côté franco-français, le cinéma français fait aujourd'hui rimer qualité et originalité avec popularité.

Trois sources d'inspiration irriguent le cinéma français : la critique psychologique ou sociale (*Les Petits Mouchoirs*, 2010 ; *Alceste à bicyclette*, 2013), l'histoire ou la littérature (*La Rafle*, 2010 ; *La Fille du puisatier*, 2011) et le contexte politique, économique et social (*La conquête du pouvoir*, 2011 ; *Polisse*, 2011).

Les plus grands succès de ces dernières années sont souvent atypiques : *Le fabuleux destin d'Amélie Poulain*, 2002 ; *Les Choristes*, 2004 ; *Bienvenue chez les Chti's*, 2008 ; *Des Hommes et des Dieux*, 2010 ; *Intouchables*, 2011 ; *The Artist*, 2011.

On remarquera que la plupart exaltent les valeurs d'optimisme, de fraternité et de solidarité.

C'est ma passion

À FAIRE... UNE FOIS DANS SA VIE

« Il y a tant de choses à vivre avant de mourir ». C'est le titre d'un livre de la grande voyageuse canadienne francophone Geneviève Mansion. Elle y dresse la liste de plus de 250 choses à faire, à voir, à penser pour ne pas regretter plus tard de n'avoir pas vécu pleinement sa vie. En voici quelques exemples auxquels chacun pourra ajouter ses propres suggestions.

✓ ÉCOUTER LE CHANT DES SIRÈNES

Pour apprécier le romantisme allemand dans toute sa splendeur, laissez-vous charmer par la Lorelei, cette sirène dont le chant mystérieux ensorcelait les marins d'eau douce qui en oubliaient les tourbillons et les récifs, et faisaient naufrage au pied de son rocher (tout cela parce que les parois de la falaise créent un écho. La magie tient souvent à pas grand-chose. Parfois à quelques verres de riesling). Le rocher de la Lorelei se situe près de la ville de St. Goarshausen, à environ 25 kilomètres de Rudesheim et 35 kilomètres de Coblence (Allemagne). Il s'élève à 132 mètres au-dessus du fleuve. Le meilleur moment pour une croisière est le mois d'octobre, lorsque le soleil roux dore le paysage.

✓ PRENDRE LE THÉ AU RITZ

Tout le monde est d'accord, le *five o'clock tea* est sacro-saint en Angleterre. Mais ce qui est vraiment très chic, c'est de le prendre dans la cour des Palmiers à l'hôtel Ritz où c'est une institution. Dans un décor de 1906 inspiré du château de Versailles, avec autant de cérémonial que la relève de la garde et un service plus stylé que dans les meilleurs romans anglais, des montagnes de douceurs disposées sur trois étages de plats en argent sont servies à des gentlemen en costume-cravate et des ladies pomponnées (les jeans et les baskets ne sont pas admis).

✓ DONNER SON NOM À UNE ÉTOILE

Comme Lady Di, Clint Eastwood, Mick Jagger ou Brad Pitt, vous pouvez, à défaut de décrocher la lune, donner votre nom (ou celui de qui vous voulez, même Weight Watchers l'a fait) à une étoile. C'est très sérieux et pas très coûteux. Il y a des milliards d'étoiles, rien que dans la Voie lactée, qui ne sont connues que par un numéro. Il y en aura donc pour tout le monde ! Elles sont officiellement identifiées et référencées par les astronomes. Vous choisissez votre « bonne étoile » (dans la constellation de votre signe zodiacal par exemple), vous payez un minimum de 79 € et vous recevez un certificat, en anglais ou en français, livré chez vous tout encadré, avec des informations et des cartes permettant de localiser et de repérer votre star personnelle dans l'espace, ainsi que les saisons les plus favorables pour l'observer.

Caresser les baleines

Au départ de Los Angeles ou de La Paz, louez une voiture et allez à Guerrero Negro. De là, rejoignez San Ignacio, à 60 kilomètres. C'est un joli village colonial dans une oasis. Prenez la piste à travers le désert, environ 70 kilomètres. Arrivé sur la plage, négociez avec un pêcheur ; plusieurs d'entre eux attendent les touristes. L'excursion dure une heure.
La barque avance vers le large, quand tout à coup, au loin, un premier jet : c'est un baleineau qui vient vous souhaiter la bienvenue. Il passe tellement près que vous pouvez le toucher, sous l'œil protecteur de sa mère qui veille quelques mètres plus loin. Parfois, elle vient « flairer » les visiteurs avant de laisser s'approcher son petit. Le spectacle vous coupera le souffle.

✓ PASSER UNE NUIT EN PRISON

La prison-musée de Trois-Rivières au Québec propose un court séjour en prison dans les conditions pratiquées entre 1960 et 1970. On peut expérimenter la vie carcérale dans ce lieu chargé d'histoire en passant la nuit dans une authentique cellule de prisonnier (pour groupes de 14 à 39 personnes) : l'accueil est assuré par le gardien de la prison. Il complète la fiche d'incarcération avec photo et empreintes digitales et remet au détenu volontaire son t-shirt de prisonnier. Un guide ex-détenu lui fait visiter la prison. Ensuite, le prisonnier passe la nuit en cellule en compagnie de codétenus, sous la supervision du gardien. Le lendemain, il doit faire le ménage du wing[1] avant d'avoir droit au petit déjeuner (gruau et rôties). À sa libération, le gardien lui remet sa fiche d'incarcération avec la mention « LIBÉRÉ ».

1. Salle avec des cellules grillagées.

MARCHER SUR LE FEU

Rien de tel pour éprouver des émotions fortes, rencontrer l'esprit du feu, dépasser sa peur. Le « pape » occidental de cette pratique est l'Américain Tony Robbins. Il entraîne des centaines de personnes à cultiver leur courage : non pas l'absence de peur, mais la volonté d'agir malgré les difficultés et les craintes [...]. Tous ceux qui ont osé le faire racontent que c'est une expérience marquante.

Respirer le parfum de « la rose absolue » dans la vallée des roses en Bulgarie.

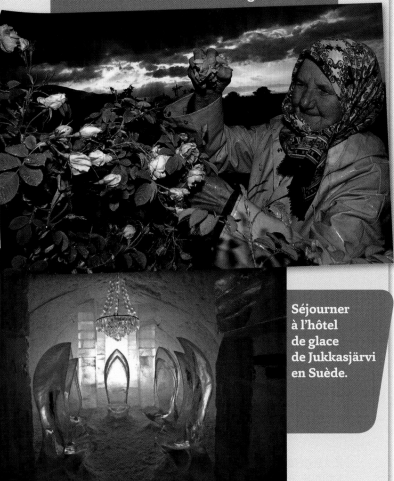

Séjourner à l'hôtel de glace de Jukkasjärvi en Suède.

Et aussi...

Danser le tango à Buenos Aires – piloter une Ferrari – vivre dans un monastère – survivre dans la jungle – se marier à Las Vegas – courir le marathon à New York – poser à côté d'une star – se baigner dans la mer Morte – naviguer en jonque dans la baie d'Along – passer une nuit dans le désert – faire la Route 66 en Harley Davidson ....

Geneviève Mansion, *Tant de choses à vivre avant de mourir,*
© Agence Serendipity, 2005.

[L'INTERVIEW] ⏮ ▶ ⏭ 🔇

Le journaliste Gaël Letanneux interroge Jean Béliveau, un Québécois qui fait le tour du monde à pied.

Les propositions du document

1• Lisez l'introduction du document. D'où est-il extrait ? Quel est son but ?

2• Partagez-vous (ou tirez au sort) les six propositions. Préparez :
– une description de l'activité proposée ;
– votre opinion argumentée sur cette proposition (aspects positifs et négatifs).

3• Présentez votre proposition à la classe. Discutez son intérêt.

🎧 L'interview

1• En écoutant le document, complétez les informations suivantes :
Nom : Jean Béliveau
Âge : ....
Date de départ : ....
Date d'arrivée prévue : ....
Nombre de km parcourus : ....
Nombre de km qui restent à parcourir : ....
Nombre de pays visités : ....

Aide à l'écoute
– *Un petit grain de folie* : un peu de folie (de fantaisie).
– *Un périple* : un grand voyage.

2• À quoi correspondent les chiffres suivants ?
29 – 70 000 – 1200

3• Qu'est-ce qui motive Jean Béliveau ?

Faites d'autres propositions

1• Tour de table. Commentez chaque proposition du paragraphe « Et aussi... ».

2• Recherche collective d'idées. Trouvez d'autres idées de choses que vous aimeriez faire dans votre vie.

3• Rédigez une proposition d'activité que vous auriez envie de faire une fois dans votre vie.

Caractériser avec une proposition participe

Une expérience unique : la découverte de l'île de Robinson Crusoé

Située à 600 km des côtes du Chili et faisant partie de l'archipel Juan Fernandez, **l'île** baptisée Robinson Crusoé est restée presque aussi sauvage qu'à l'époque de son illustre habitant. Elle est seulement habitée par 600 **pêcheurs** fournissant 70 % de la production chilienne de langoustes et se prénommant presque tous Robinson.

On y rencontre aussi des **étrangers** s'étant construit des cabanes et ayant vécu là plusieurs années, étudiant une flore unique au monde.

1 Dans les phrases ci-dessus, relevez les groupes qui caractérisent les mots en gras.

Remplacez ces groupes par une proposition relative.
L'île → située à 600 km ... (qui est située à 600 km ...)

Autour de quelle forme verbale ces groupes sont-ils organisés ?

Située (participe passé)

2 Regroupez les phrases suivantes en caractérisant le mot en gras par une proposition participe.

a. Dans un guide touristique

La vallée de Chevreuse se découvre à pied ou à vélo. Elle a été aménagée en parc naturel. Elle offre de magnifiques paysages.

b. Dans un CV

Je pense avoir les compétences pour le poste d'aide cuisinier. J'ai déjà travaillé dans la restauration.

c. Dans une lettre administrative

Monsieur le directeur ... **Je** ne pourrai pas me rendre à votre convocation. J'ai eu un accident et je suis actuellement en arrêt de travail...

3 Reformulez les phrases suivantes en supprimant la construction « *en* + participe présent » et en utilisant :

bien que – comme – en même temps – grâce à – si

a. Tout en faisant ses études de droit, Lise continue le piano.
b. Elle gagne un peu d'argent en faisant du baby-sitting.
c. Mais tout en n'ayant pas beaucoup d'argent, elle réussit à voyager.
d. En ne travaillant pas assez, elle risque de d'échouer à ses examens.
e. En révisant sérieusement les deux derniers mois, elle réussira.

4 Complétez avec des participes présents ou des adjectifs formés d'après les verbes entre parenthèses.

La semaine dernière, Pierre est allé à Mexico. La semaine (*précéder*), il était allé à Sydney. Ce sont des voyages très (*fatiguer*), (*équivaloir*) à des semaines de 35 heures. D'autant que l'avion a traversé des orages (*provoquer*) de grosses turbulences. Heureusement, le personnel (*naviguer*) était sympa. Ce n'est pas comme son voisin qui lui a tenu des propos

Les propositions participes

1. Deux propositions permettent de caractériser un nom

a. La proposition participe passé (le participe passé s'accorde avec le nom caractérisé)

Construits du VIIe *au XIII*[e] *siècle, les temples d'Angkor, au Cambodge, constituent un des plus beaux sites du monde.*

b. La proposition participe présent (le participe est invariable)

• Formes :
– au présent (à partir de la 1re personne du pluriel du présent) : faire → faisant
– au passé : *ayant* ou *étant* + participe passé

Les personnes voulant voir Angkor doivent y rester deux jours.

Les touristes ayant visité le site et y étant restés plusieurs jours sont revenus enchantés.

• Cette proposition est l'équivalent d'une proposition relative.

Les touristes qui ont visité le site...

2. Le gérondif (forme « *en* + participe présent » invariable) indique les circonstances d'une action.

En visitant Angkor, n'oubliez pas de voir Angkor Vat ! (Quand vous visiterez... Si vous visitez...)

3. Certains adjectifs formés d'après un verbe se prononcent comme le participe présent.

Ils s'accordent avec le nom et peuvent avoir une orthographe différente du participe présent.

En négligeant de prendre son appareil photo lors de la visite d'Angkor, Marie a été très négligente.

très (*provoquer*), (*négliger*) de le saluer à la fin du voyage. Pierre, lui, n'est pas un homme (*négliger*). En (*naviguer*) toujours sur la compagnie Air Globe, il a de temps en temps des voyages gratuits. Il n'a pas trouvé de compagnie (*équivaloir*).

Utiliser les propositions participes

> J'ai bien envie d'aller sur l'île de Robinson.
> D'une part parce que j'ai lu et relu le roman
> de Defoe. Ensuite parce que c'est au bout
> du monde. Et par-dessus le marché
> on y trouve plein de langoustes.
> Quant au prix du voyage, je me débrouillerai.

> D'un côté, c'est une belle expérience.
> D'un autre côté, c'est un peu cher pour moi.
> Non seulement il y a l'avion jusqu'à Santiago
> du Chili mais aussi l'avion-taxi jusqu'à l'archipel.
> Sans compter une heure de bateau jusqu'au village.
> Néanmoins, je suis tentée.

1 **Observez les expressions qui introduisent les idées et les arguments. Classez-les.**
- argument de début
- argument convergent
- idée secondaire
- argument opposé

2 **Rédigez ces notes sur la progression des magasins de bricolage Castorama ou Leroy-Merlin. Utilisez les expressions des rubriques 1 et 2 du tableau.**

« Il y a plusieurs raisons qui expliquent le succès des magasins de bricolage. D'une part... »
- faire faire des travaux coûte cher
- → la main-d'œuvre est hors de prix
- → les artisans prennent un bénéfice sur les matériaux
- → il faut ajouter la TVA
- les magasins de bricolage sont pratiques
- → on y trouve tout
- → les produits sont moins chers
- → on peut bénéficier de conseils gratuits
- → certains organisent même des formations

3 **Complétez chaque enchaînement en utilisant les expressions suivantes :**

a. Pourtant – Soit ... soit – En revanche – Encore que
Bizarre, bizarre
Lisa n'est pas une fille sportive.
_____, elle adore jardiner pendant le week-end.
_____, le week-end dernier, je l'ai vue au Stade de France pour la finale de la Coupe.
C'est curieux, _____ assister à un match de foot ne soit pas une activité sportive.
Alors, elle était au stade _____ parce qu'elle voulait voir un match important, _____ parce qu'elle accompagnait quelqu'un. Mais qui ?

L'enchaînement des idées

1. Idées ou arguments allant dans le même sens
- D'abord (tout d'abord)... Premièrement
- Ensuite... Par ailleurs... En outre ... Également... (simple énumération)
- De plus (en plus)... Qui plus est... Par-dessus le marché (fam.) (argument important)
- Accessoirement... Incidemment (argument secondaire)
- Quant à... En ce qui concerne... Pour ce qui est... (nouvel argument qu'on va développer)

2. Parallélisme entre deux idées
- D'une part... D'autre part – D'un côté... d'un autre côté...(peuvent introduire des arguments convergents ou opposés)
- Parallèlement... En même temps... Dans le même ordre d'idée (argument associé)
- Soit... soit... – Ou (bien)... ou (bien)...
Soit nous allons au Chili, soit en Argentine.
- Non seulement... mais aussi

3. Arguments opposés (voir p. 33 et 61)

b. Non seulement ... mais – Ou bien ... ou bien – Quant à – Par contre
Lucas déteste la musique classique.
_____, sa compagne Clémence l'adore.
_____ ils n'écoutent pas les mêmes stations de radio
_____ ils ont chacun leur coin musique à la maison.
_____ aller au concert ensemble, il n'en est pas question.
_____, je les ai vus à l'opéra.
Alors, _____ Lucas s'est brusquement converti à la musique classique, _____ c'était l'anniversaire de Clémence.

 Travaillez vos automatismes

1 **Emploi de la proposition participe présent. Répétez l'ordre comme dans l'exemple.**
Pendant le stage de comédie musicale
- Les stagiaires qui appartiennent au groupe A feront de la danse.
- – Les stagiaires appartenant au groupe A feront de la danse.

2 **Expressions « *Non seulement... mais aussi* » et « *Soit... soit...* ». Confirmez.**
Un homme très occupé.
- Il travaille en semaine et quelquefois le week-end.
- – Non seulement il travaille en semaine mais aussi le week-end.

Club de loisirs

Vous ferez un projet collectif de club de loisirs pour votre école, votre université, votre entreprise ou votre quartier.

Vous vous regrouperez selon vos compétences de façon à pouvoir proposer différents types de loisirs (sports, activités artistiques, loisirs créatifs, cuisine, etc.).

Chacun réalisera une présentation de l'activité qu'il a choisie (historique de l'activité, descriptif, intérêts et avantages) pour le site Internet de votre club.

Vous pourrez aussi imaginer ensemble la page accueil de ce site.

Créez votre club

1 Choisissez les activités que votre équipe va pratiquer.
Lisez la liste ci-contre. Recherchez collectivement des verbes correspondant aux activités que vous connaissez.
Exemple : atelier poterie → mouiller et pétrir l'argile, trouver un sujet, sculpter l'objet avec la terre, mettre au four, etc.
Chaque étudiant choisit l'activité qu'il animera dans le club (il peut s'agir d'une activité qui ne figure pas sur cette liste).

Aquarelle – Atelier d'écriture – Billard – Bricolage – Broderie – Caricature – Céramique – Chant et chorale – Composition florale – Couture – Cuisine – Danse africaine – Danse de salon – Danses urbaines – Dessin – Fléchettes – Jardinage – Jeux de cartes – Jogging – Musculation – Peinture à l'huile – Peinture sur soie – Photographie – Ping–pong – Pliage et collage – Poterie – Sculpture sur bois – Tricot – Vélo – Vidéo – Yoga

2 Donnez un nom à votre club. Observez les noms ci-contre. Étudiez comment ils ont été créés.
– mot composé
– mot-valise : deux mots ont été mélangés
– jeu de mots
– allusion culturelle

Les amis de Léonard 🖌

Fêt' Art

APPEL D'AIR

CLUB FORME

Fa si la chanter ♩

Faites l'historique de votre activité

1 Lisez le texte ci-contre. Permet-il de répondre aux questions suivantes ? Donnez l'information quand c'est possible.
a. De quelle famille de jeu fait partie la pelote basque ?
b. Quelle est l'origine de ce jeu ?
c. A-t-il évolué dans l'histoire ?
d. À quelle époque a-t-il été le plus populaire ?
e. Comment s'explique cette évolution ?

2 Si vous disposez de la documentation nécessaire, présentez brièvement l'origine et l'évolution historique de l'activité que vous avez choisie pour votre club de loisirs.

DU JEU DE PAUME À LA PELOTE BASQUE

Manier une balle est sûrement le jeu le plus ancien de l'humanité. Les Grecs lui donnèrent le nom de « sphéristique », les Romains celui de « pila », les Français celui de pelote et les Basques, celui de son dérivé « pilota ». La pelote basque tire ses racines d'un jeu très ancien : le jeu de paume, jeu qui consistait sommairement à envoyer une balle qui allait ainsi entre deux adversaires, entre deux équipes se faisant face ou contre un mur. D'abord joué en extérieur, le jeu de paume s'est ensuite pratiqué dans des salles.

Le roi Louis X le Hutin mourut en 1316, victime d'un refroidissement contracté après une partie. François Ier y fut très adroit mais c'est incontestablement sous le règne d'Henri IV que le jeu de paume atteignit son apogée.

À partir de Louis XIII, le jeu de paume fut progressivement délaissé. Lorsque la Révolution éclata, bien qu'un de ses premiers épisodes se déroulât dans une salle de jeu de paume (voir p.108), il avait pratiquement disparu sauf au Pays basque. Il y demeurera profondément populaire des deux côtés de la frontière. Sans doute parce qu'il convenait à la fougue, à la vivacité, à la détente légendaire des Basques.

D'après http//la-pelote-basque.pagesperso-orange.fr

Décrivez votre activité

1 Partagez-vous les trois documents ci-dessous. Préparez une présentation du document que vous avez choisi. Présentez ce document à la classe.

2 Rédigez une présentation de l'activité que vous allez animer dans votre club de loisirs.

STAGES WEEK-END

Capoeira Angola

La Capoeira Angola est un art afro-brésilien qui réunit le jeu corporel, la musique et le chant. Elle permet à ceux qui la pratiquent de redécouvrir leur corps et leurs sens physique et artistique. Activité de groupe, elle développe des valeurs sociales d'entraide et d'interactivité.

Le jeu est un combat dansé où les coups ne sont pas portés. Il s'agit d'un dialogue corporel entre deux personnes fait d'attaques et de défenses dans le respect de l'autre. Chacun des joueurs s'exprime à tour de rôle. Toutes les figures d'attaque et de défense sont travaillées lors des entraînements.

La Capoeira Angola utilise sa propre musique. Les instruments très spécifiques ont, eux aussi, une origine afro-brésilienne. Le chant est également important. C'est à travers lui qu'on communique.

D'après www.capoeira-paris.fr

Cuisine traditionnelle

Depuis 1997, l'atelier de cuisine gourmande vous propose des cours de cuisine pour tous les niveaux, du cuisinier débutant à l'amateur confirmé. De la taille des légumes à la préparation des foies gras en passant par le tablage[1] du chocolat, vous découvrirez tous les tours de main et secrets des grands chefs.

Ces cours de cuisine animés par un chef cuisinier se déroulent dans une ambiance conviviale et sont réservés à douze personnes maximum.

À l'issue des cours hebdomadaires, des stages « Chef traiteur amateur », pâtisserie et « Saveurs d'épices », vous repartirez avec vos préparations pour les savourer en famille ou les partager avec vos amis ! Pour les stages « Repas des gourmets », la dégustation se déroule sur place dans notre salle de restaurant.

www.coursdecuisine.net

1. Technique de préparation du chocolat.

Nizon et le Hangar't

Depuis 1992, dans ce bourg tranquille du Sud-Finistère, on peut voir des vaches bleues, un cheval mauve, des moissons qui passent par toutes les couleurs et une stupéfiante galerie de portraits. Fufu, dit « Le patron », en a tapissé les murs de son bistrot. René et Babette les exposent entre jarrets et entrecôtes dans leur boucherie-charcuterie.

Le Hangar't a vu le jour en février 1992, à Nizon, sous l'impulsion d'Yves Quentel. Journaliste, ancien assistant du photographe Michel Thersiquel à Pont-Aven[1] entre 1969 et 1972, Yves Quentel est un passionné d'arts plastiques. Il décide de se lancer dans cette aventure du Hangar't à l'occasion de la création du festival artistique « Le mai des Avens ». L'idée : traiter à la façon du peintre américain Andy Warhol[2] des clichés photographiques dénichés au fond des buffets de la campagne nizonnaise. L'engouement est quasi immédiat. Paysans, commerçants, retraités, lycéens embarquent allégrement dans l'aventure. Les voilà dans une usine désaffectée plongeant mains et pinceaux dans la gouache et l'acrylique pour repeindre sur du contreplaqué les clichés des temps anciens. « Une jubilation ludique, créative et collective. Un formidable levain de convivialité et de solidarité entre les générations », souligne le journaliste Paul Burel.

D'après *Ouest-France*.

1. Commune de Bretagne dont les paysages inspirèrent des peintres de la fin du XIXe siècle, notamment Gauguin.
2. Artiste américain (1930-1987), principal représentant du Pop'Art.

C'est ma passion

Présentez les avantages de votre activité

[L'INTERVIEW]

Éloge de la marche à pied

Philosophe, professeur et essayiste, Michel Serres a mené sur de nombreux sujets une réflexion enrichie par sa grande culture.

Il fait ici l'éloge de la marche à pied sur les GR, chemins de grande randonnée (sentiers balisés et notés sur les cartes) qui sillonnent la France et certains pays d'Europe.

1 🎧 Écoutez le document.

a. Cochez les avantages que Michel Serres associe à la marche à pied.

☐ réfléchir
☐ regarder
☐ prévenir les accidents osseux
☐ développer le souffle
☐ rendre service aux gens
☐ se retrouver soi-même
☐ faire des efforts
☐ être récompensé
☐ écouter
☐ rencontrer des gens
☐ apprécier les autres
☐ favoriser l'inattendu

b. Faites la liste des GR (chemins de grande randonnée) cités par Michel Serres. Situez-les sur la carte.

GR 20 : du nord au ....

c. Avec l'aide du reste de la classe, reconstituez la rencontre faite par Michel Serres. Retrouvez-en tous les détails.

2 Partagez-vous les quatre rubriques du tableau « Les qualités ». Pour chaque mot :

– indiquez l'adjectif correspondant : la force → fort(e)
– indiquez le contraire → faible (la faiblesse)
– trouvez une activité (sport, jeu, activité créative) qui nécessite cette qualité

la force → la danse acrobatique

Les qualités

• Les qualités physiques
la force – la rapidité – les réflexes – la souplesse – l'adresse – la précision – l'équilibre – la résistance – l'endurance – le souffle

• Les qualités intellectuelles
la concentration – l'attention – la patience – l'observation – l'intelligence stratégique – l'anticipation – la mémoire – la volonté – le goût de l'effort – la persévérance – le courage
l'assurance – la maîtrise de soi – le recul – le regard critique

• Les qualités sociales
l'esprit d'équipe – le respect des règles – l'altruisme – la solidarité – l'entraide
la courtoisie – la gentillesse – la convivialité

• Les qualités artistiques
la créativité – l'imagination
le sens du rythme, des couleurs
l'habileté manuelle – la dextérité – la précision – le développement sensoriel (goût, odorat, vue, toucher, ouïe) – la beauté – l'harmonie – la grâce

3 Quelles qualités faut-il avoir pour pratiquer les activités suivantes :

a. le football
b. la danse de salon
c. la cuisine
d. l'aquarelle
e. le tir à l'arc
f. le jogging

4 Dans quelles situations utiliserait-on les expressions suivantes ? Quelles qualités désignent-elles ?

a. Elle est habile de ses doigts.
b. Elle a su garder la tête froide.
c. Elle a un joli coup de crayon.
d. Il a mis le paquet.
e. Elle a de l'oreille.
g. Elle a le coup de main.
h. Il a réagi au quart de tour.
i. Rien ne l'arrête.
j. Elle a la main verte.

5 Trouvez des expressions comparatives.

Exemple : il est rapide comme l'éclair.

Les qualités ou les défauts	Ce à quoi on les compare
rapide – souple – fort – têtu – solide – beau – belle – laid – rusé	un âne – un bœuf (un taureau) – un dieu – l'éclair – le jour – une liane – un pou – un renard – un roc

6 Lisez les conseils aux organisateurs de loisirs créatifs.

Suivez ces conseils pour préciser l'organisation de votre activité.

Conseils à ceux qui organisent des loisirs créatifs

Les attentes des participants aux stages

La convivialité : vous devez penser à organiser des petits groupes de travail ayant à disposition des établis, des tables permettant l'échange. De plus, pensez à des temps de « respiration » (un programme trop dense risque de décevoir) et à des moments permettant la discussion.

L'individualité : le participant a besoin d'être en relation avec l'artisan, c'est-à-dire vous-même, d'être écouté, épaulé, ce qui signifie là encore la constitution de petits groupes et beaucoup de disponibilité de votre part.

Le dépaysement : le participant est sensible au cadre si le stage se déroule en milieu rural ou à l'architecture du bâtiment si c'est

en milieu urbain. Pensez à valoriser votre atelier, le participant sera forcément réceptif, et l'ambiance du stage sera meilleure.

La détente : cette attente se traduit par la recherche d'un rythme adapté, souple et également, sur des stages plus longs, par l'alternance des activités, des visites… Pensez à sans cesse attirer l'attention de chaque participant, à provoquer sa curiosité.

Le confort : l'organisation et les moyens matériels doivent être adaptés : si vous avez l'habitude de conditions difficiles (froid, chaleur, station debout, gestes durs), le participant, lui, n'y est pas habitué. La première journée, il peut trouver cela amusant, mais attention à la fatigue ! Soyez attentionné.

Dossier Altema.

7 **Lisez le message ci-dessous. Relevez les aspects positifs du stage effectué par Chloé.**

8 **Rédigez la fin de la présentation de votre activité. Précisez ses avantages.**
Vous pouvez enrichir cette présentation en imaginant des témoignages de participants.

Salut Corinne,

Merci de ton message. Ça fait plaisir de voir que les copines ne m'oublient pas. […]

Donc, quand le médecin m'a interdit de faire du sport pendant un an, j'ai eu un grand moment de déprime. J'avais prévu de faire le tour du mont Blanc. Je te laisse imaginer la déception.

Mais c'est là qu'on voit les battantes comme nous, j'ai réagi et comme j'avais une semaine de congé en mai, je me suis inscrite à un stage de… peinture !

Je sais, tu ne vas pas me croire, vu les notes que j'avais au lycée. Eh bien, c'était génial. Le stage était organisé par un peintre qui accueille des petits groupes de six participants dans sa grande maison de la campagne normande. De plus, j'ai eu de la chance. Il a fait beau et le groupe était hyper sympa…

Le peintre qui animait le stage n'avait rien d'un gourou et sa méthode est très efficace. Dès le premier jour, il te demande de reproduire en moins d'une heure un tableau de Monet ou de Cézanne avec seulement un pinceau et des gouaches. Et ça marche parce que ça te débloque. Tu t'aperçois que si tu as confiance en toi et que tu n'as pas peur du regard des autres, tu réussis très bien. J'ai été stupéfaite de voir comment on peut acquérir très vite de la précision et de la justesse dès lors qu'on est décontractée.

L'après-midi, on installait notre chevalet dans la nature et on mettait en pratique les techniques qu'on avait apprises le matin. C'était très convivial. À la fin de la semaine, on s'est fait une petite exposition de nos travaux rien que pour nous en débouchant quelques bonnes bouteilles de cidre. […]

Le paysage associatif

La plupart des activités de loisirs sont organisées par des associations « loi 1901 » (association à but non lucratif).
Depuis les années 1970, le mouvement associatif fait preuve d'une vitalité remarquable. Plus d'associations ont été créées durant les trente dernières années que depuis 1901 !
Aujourd'hui, on estime à 1 million le nombre d'associations en activité et, chaque année, 70 000 associations nouvelles se créent (contre 20 000 dans les années 1970).
La répartition des associations par secteur est la suivante :

• Le secteur culturel est parmi les plus dynamiques avec près de 1/4 de créations nouvelles d'associations notamment par des jeunes. Le sport, avec 15 % de créations nouvelles, est en seconde position.

• Le secteur de la santé et de l'action sociale occupe la 3e place. Il est à l'origine de plus de 8 % des créations mais la part des associations de ce secteur dans le monde associatif est en diminution.

• Enfin, l'éducation, la formation et le logement conservent des parts stables dans le classement avec 7 % et 8 % des créations annuelles.

20 millions de personnes âgées de 14 ans et plus sont membres d'une association dont 12 millions de bénévoles.
Un jeune sur quatre est membre d'une association sportive ou culturelle.

www.associations.gouv.fr

Plaisir de dire

Deux dames se rencontrent. Elles parlent en remplaçant chaque mot par un autre.
Madame : Chère, très chère peluche !
Depuis combien de trous, depuis combien de galets n'avais-je pas eu le mitron de vous sucrer !
Mme de Perleminouze : Hélas ! Chère ! J'étais moi-même très, très vitreuse ! Mes trois plus jeunes tourteaux ont eu la citronnade, l'un après l'autre. Pendant tout le début du corsaire, je n'ai fait que nicher les moulins, courir chez le ludion ou chez le tabouret [...]
Madame : Pauvre chère ! Et moi qui ne me grattais de rien...

Jean Tardieu, *Un mot pour un autre, La Comédie du langage*, Gallimard, 1966.

1 ⊚ Distinguez [ʃ] et [ʒ].
Personnalités
Georges Charpak (scientifique)
Jeanne Chehral (chanteuse)
Jacques Chancel (journaliste)
Jean-Michel Jarre (musicien)
Géraldine Chaplin (comédienne)
Charlotte Julien (chanteuse)
Michel Jonasz (chanteur)
Alain Souchon (chanteur)
Gérard Jugnot (comédien)
Jean-Charles de Castelbajac (styliste)

2 ⊚ Distinguez [k] et [g].
T'as dis quoi ?
C'est du cabillaud ou des gambas ?
C'est goûteux ou c'est coûteux ?
Tu habites à Cordes ou à Gordes ?
À Carnon-Plage ou dans le Gard ?
Tu enquêtes ou tu les guettes ?

3 ⊚ Distinguez [ɲ] et [n].
Produits France
Vignes de Bourgogne
Brugnons de Tournon
Agneaux de Nogaret
Champignons de Chinon
Châtaignes d'Avène
Oignons de Nohant

4 ⊚ Intonation des phrases interrogatives, négatives et exclamatives.

Hésitation
Je ne sais pas très bien où ça se passait... dans une église, une poubelle, un charnier ? Un autobus peut-être ? Il y avait là... mais qu'est-ce qu'il y avait donc là ? Des œufs, des tapis, des radis ? Des squelettes ? [...]

Négativité
Ce n'était ni la veille, ni le lendemain, mais le jour même. Ce n'était ni la gare du Nord, ni la gare PLM, mais la gare Saint-Lazare. Ce n'était ni un parent, ni un inconnu, mais un ami [...]

Exclamation
Tiens ! Midi ! temps de prendre l'autobus ! que de monde ! que de monde ! ce qu'on est serré ! marrant ! ce gars-là ! [...] ça y est le voilà qui râle ! contre un voisin ! qu'est-ce qui lui raconte ! l'autre ! lui aurait marché sur les pieds ! ils vont se fiche des gifles ! pour sûr ! mais non ! mais si ! vas-y ! vas-y ! mords-y l'œil ! fonce ! cogne ! mince alors ! mais non ! il se dégonfle ! le type ! au long cou ! au galon ! c'est sur une place vide qu'il fonce ! oui ! le gars ! eh bien ! vrai ! non ! je ne me trompe pas ! [...]

Raymond Queneau, *Exercices de style*, Gallimard, 1947.

5 ⊚ Prononcez le [j].

Leurs yeux toujours purs
Jours de lenteur, jours de pluie, jours de miroirs brisés et d'aiguilles perdues,
Jour de paupières closes à l'horizon des mers,
D'heures toutes semblables, jours de captivité,

Mon esprit qui brillait encore sur les feuilles
Et les fleurs, mon esprit est nu comme l'amour ...

Paul Eluard, *Capitale de la douleur*, Gallimard, 1926.

Évaluez-vous

 Vous savez organiser vos loisirs et les apprécier.

Répondez « oui » ou « non » et comptez les « oui ».

a. Vous comprenez l'essentiel d'un article de presse sur un sujet familier. _____

b. Vous pouvez rapporter les informations principales de cet article. _____

c. Vous savez exposer et argumenter le degré de certitude d'une information. _____

d. Vous pouvez jouer avec des francophones à des jeux de société (cartes, dames, échecs, etc.). _____

e. Vous vous sentez capable de comprendre les règles d'un nouveau jeu. _____

f. Vous savez choisir un spectacle (théâtre, film, etc.) dans un journal ou un magazine spécialisé.

g. Vous arrivez à suivre l'histoire dans un roman contemporain ou dans un film. _____

h. Vous pouvez résumer l'intrigue d'un film, d'un livre ou d'une pièce de théâtre. _____

i. Vous pouvez décrire une activité de loisir et présenter ses avantages et ses inconvénients. _____

j. Vous pouvez exprimer une opinion assez détaillée sur un film, un livre, une œuvre musicale ou une activité de loisir. _____

.../10

2 **Vous comprenez un article d'information sur un fait divers.**

L'avion retrouvé au large de Marseille est bien celui de Saint-Exupéry

Certains mythes ont la vie dure, mais Saint-Exupéry n'était pas le pilote chevronné que l'on imaginait. Dans le genre, il relevait plutôt de la catastrophe aéroportée, tantôt distrait, omettant de sortir son train d'atterrissage, tantôt de brancher son pilote automatique et perdant le cap dans l'immensité aérienne… S'étant crashé en Tunisie, Pique la Lune (son surnom chez les mécanos) fut même interdit de vol pendant quelque temps. Disparu le 31 juillet 1944 lors d'une mission de reconnaissance, on envisagea toutes les hypothèses : rencontre fatale avec un chasseur allemand, sabotage, collision, avarie, pulsion suicidaire… Mais l'avion fantôme reste introuvable jusqu'à ce jour de 1998 où le pêcheur Jean-Claude Bianco, du côté de l'île de Riou, au large de Marseille,

ramasse dans ses filets la gourmette de l'aviateur. Les moyens les plus modernes d'exploration des fonds sont alors mobilisés pour retrouver l'épave. On remonte les pièces d'un avion gisant à 85 mètres de profondeur, on leur redonne leur éclat. Cette mobilisation tous azimuts des techniques scientifiques les plus élaborées d'exploration des grands fonds trouve alors, soixante ans exactement après le crash, sa récompense : le Lockheed P-38 Lightning remonté du fond des eaux, siglé 2734L, est bien celui de l'auteur du *Petit Prince*. La cause de ce crash reste, elle, encore inconnue malgré la simulation informatique de l'accident – à partir des pièces déformées – qui montre un piqué, presque à la verticale dans l'eau…

Le Figaro Magazine, 21/07/2007.

1. En lisant cet article, relevez (ou surlignez avec des couleurs différentes) les informations relatives aux éléments du titre.

a. Antoine de Saint-Exupéry : ce n'était pas un pilote chevronné …

b. L'avion : …

c. Le lieu (au large de Marseille) : …

2. Soulignez les mots que vous auriez aimé rechercher dans un dictionnaire pour mieux comprendre cet article.

3. Pouvez-vous donner le sens des mots suivants :

le train d'atterrissage – une gourmette – l'épave – gisant – tous azimuts

4. Résumez l'information principale de cet article en 50 mots maximum pour en faire une nouvelle brève.

5. Faites la chronologie des faits en indiquant les circonstances.

date	faits	circonstances
31/07/1944		
....		

6. Quelles hypothèses a-t-on faites à propos de l'événement du 31 juillet 1944 ?

Connaît-on la vérité aujourd'hui ?

.../10

3 Vous comprenez des personnes qui parlent de loisirs.

Lors d'un micro-trottoir, Bertrand, Patrick et Émilie répondent à la question : « Que feriez-vous si vous aviez un an de vacances et suffisamment d'argent ? »
Notez en détail les souhaits formulés par chaque personne.

Bertrand	Patrick	Émilie
....	....	....

.../20

4 Vous savez réagir à une information ou à une proposition.

Dialoguez avec votre voisin(e) à propos des informations suivantes. Commencez votre conversation par la phrase indiquée. Notez ensemble votre participation au dialogue.

A – Mystérieux cambriolage à l'hôtel Star

Le célèbre bijoutier Sylvestre présentait hier sa nouvelle collection dans les salons de l'hôtel Star. Les invités : professionnels, personnalités de la jet-set et journalistes, avaient été rigoureusement sélectionnés et les portes fermées et surveillées pendant la durée de la présentation. Malgré ces précautions, plusieurs bijoux dont un magnifique rubis d'une valeur de 1 million d'euros ont disparu mystérieusement.
Les fouilles effectuées sur les personnes présentes ainsi que le visionnage des enregistrements des caméras de surveillance n'ont rien révélé.
« D'après toi, comment ça s'est passé ? »

B – Stage « Cuisine et dégustation »

Le « Jardin des Saveurs » propose pendant l'été des stages de cuisine avec le chef Pierre Rossignol.
• durée du stage : 5 jours
• nombre de participants : 8 maximum
• programme : « cuisine régionale évolutive »
– élaboration de 3 hors-d'œuvre, 2 plats de viande, 2 plats de poisson, 3 desserts à base de produits locaux
– initiation à l'œnologie : particularités des vins de la région
• Lieu : Saint-Vincent, Côte-d'Or
« Ça t'intéresserait ? »

.../10

5 Vous comprenez des informations à propos d'un film.

cinéma

Aide-toi, le ciel t'aidera

De François Dupeyron, avec Claude Rich, Félicité Wouassi…
Une banlieue ordinaire, l'été de la canicule. Sonia, une mère de famille black, est sur le point de marier l'une de ses filles. Le jour de la cérémonie, son désagréable époux passe de vie à trépas. Comment se débarrasser de l'encombrant cadavre ? Comment célébrer la noce ? Comment refaire sa vie ? Un voisin solitaire (Claude Rich, au sommet de son art) aidera peut-être l'héroïne. Tourné en banlieue, au sein de la communauté noire, le nouveau film de François Dupeyron (*La Chambre des officiers*) évite les clichés sociologiques et communautaires. Entre chronique et fable, le metteur en scène signe une fiction passionnante qui, sur une tonalité cocasse, évoque le refus de la fatalité et quelques aspects de la France d'aujourd'hui. À découvrir absolument !

La Guerre des miss

De Patrice Leconte, avec Benoît Poelvoorde, Olivia Bonamy…
Quelque part dans les Alpes. Depuis des lustres, deux villages rivaux, Charmoussey et Super-Charmoussey, s'affrontent lors du concours annuel de la plus jolie miss. Bien décidés à contrecarrer le mauvais sort, les habitants du premier nommé rapatrient un enfant du pays exilé à Paris pour coacher les « beautés » locales. Expert dans l'art de la comédie futée, Patrice Leconte s'amuse avec les archétypes provinciaux et signe une fantaisie qui réserve quelques situations cocasses. L'ensemble souffre néanmoins de nombreuses répétitions et autres gags convenus. Pas désagréable, soit, mais on est loin des meilleures comédies de Leconte (*Les Grands Ducs*, *L'Homme du train*).

Le Point, 27/11/2008 et 08/01/2009.

Dans chaque film, relevez :

– ce qui vous intéresse dans l'histoire du film
– ce qui ne vous intéresse pas
– les opinions positives du journaliste
– les opinions négatives

.../10

6 | **Vous savez exprimer par écrit des opinions sur un film ou un livre (à faire après le test 5).**

Vous avez projeté d'aller au cinéma avec un(e) ami(e). Il (elle) vous envoie le courriel suivant :
« J'ai sélectionné deux films pour samedi soir : *Aide-toi, le ciel t'aidera* et *La Guerre des miss*. Lequel tu préfères ? »

Répondez en justifiant votre préférence.

.../20

 7 | **Vous utilisez correctement le français.**

a. Exprimez la possibilité et le doute. Combinez les deux phrases.

Menaces gouvernementales

Le gouvernement va peut-être augmenter les impôts. C'est possible.

Les gens seront mécontents. C'est probable.

Il y aura peut-être des manifestations. Ça risque d'arriver.

Les syndicats ne bougeront pas. Il n'y a aucune chance.

Au contraire, ils suivront l'opinion générale. J'en suis sûre.

b. Formulez des hypothèses et leurs conséquences. Combinez les deux phrases en les reformulant et en commençant par le mot indiqué.

Propositions d'activités

Elle : Fais du sport ! Tu seras en forme ! (*Si tu...*)

Lui : Je vais peut-être me décider. Quel sport je peux faire ? (*Admettons que je...*)

Elle : Mets-toi au ski. Tu apprécieras. (*Si tu...*)

Lui : Je n'ai jamais fait de ski. Sinon je serais d'accord. (*Si j'...*)

Elle : On va faire de la randonnée ? Ça va te plaire ? (*Supposons qu'on...*)

c. Construction avec deux pronoms compléments. Répondez sans faire de répétition.

Luc : Est-ce que Mélanie t'a présenté ses copains ?

Jean : Oui, elle ....

Luc : Est-ce qu'elle t'a dit qu'ils étaient artistes ?

Jean : Oui, elle ....

Luc : Tu leur as dit que tu aimais la peinture ?

Jean : Non, je ....

Luc : Tu accompagneras Mélanie à leur galerie ?

Jean : Oui, je ....

Luc : Tu crois qu'ils t'offriront un tableau ?

Jean : Oui, j'espère qu'ils ....

d. Le passé simple et le passé antérieur. Reformulez ces phrases comme si vous les disiez oralement (verbes principaux au passé composé).

Vie de Molière

Molière naquit en 1622.

Après qu'il eut fait des études de droit, il décida de se consacrer au théâtre.

Mais il fut mis en prison pour dettes.

C'est quand il écrivit lui-même ses pièces que le succès vint.

À l'âge de 51 ans, il eut un malaise pendant une représentation du *Malade imaginaire* et il mourut peu après.

Au collège, quand nous eûmes étudié *Le Bourgeois gentilhomme*, je lus toutes les pièces de Molière.

e. Les propositions participes. Combinez les deux phrases en utilisant une proposition participe ou un gérondif.

Biographie d'un artiste

Ses parents sont morts dans un accident. Il s'est retrouvé orphelin à huit ans.

Il a été élevé par son grand-père violoniste. Il a appris la musique très jeune.

Il a fait ses études de piano. En même temps, il travaillait.

Un grand pianiste l'a remarqué. Il a participé à un concert.

Il est passé à la télévision. Il est devenu célèbre.

.../20

Évaluez vos compétences

	Test	Total des points
• Votre compréhension de l'oral	3	.../20
• Votre expression orale	1 + 4	.../20
• Votre compréhension de l'écrit	2 + 5	.../20
• Votre expression écrite	6	.../20
• La correction de votre français	7	.../20
	Total	**.../100**

Projet : tous humoristes

L'humour pratiqué dans un pays étranger n'est pas toujours inaccessible. Dans les pays francophones comme partout, on joue avec les mots, on se moque des habitudes et des conventions, on libère son imagination dans des délires sur les chemins de l'absurde.

Vous observerez ces formes d'humour et vous essaierez de vous en inspirer.

Jeux sur les mots

En 2005, la Poste a commandé à l'humoriste belge Philippe Geluck une série de timbres. Voici trois de ces timbres et les textes des autres timbres de la série.

Textes des autres timbres :

L'envers d'un timbre est un excellent attrape-mouche.

Vous avez un joli timbre. J'aime votre enveloppe.

Vous êtes formidable et je le dis en toute franchise postale.

Ces timbres ne manquent pas de cachet.

J'écris, donc tu lis. [1]

Écrire ou ne pas écrire ? – Lettre ou le néant ? [2]

Une seule lettre vous manque est tout est épeuplé. [3]

N'empêche que si j'envoie cette lettre, je perds 20 g d'un coup.

1. Allusion à une phrase célèbre de Descartes : « Je pense donc je suis ». – 2. Allusion à un vers de *Hamlet* de Shakespeare : « Être ou ne pas être ? Telle est la question » et à l'essai philosophique de Jean-Paul Sartre, *L'Être et le Néant*. – 3. Allusion à un vers de Lamartine : « Un seul être vous manque et tout est dépeuplé ».

1 Lisez les textes imaginés par Geluck pour les timbres postes. Trouvez et classez les jeux de mots :

– double sens du mot (donner les deux sens)

– ressemblance sonore

– autre

2 À la manière de Geluck, imaginez des jeux de mots pour les publicités d'une compagnie d'assurances, d'une banque, d'une compagnie aérienne, d'une université, d'un club de sports, etc. Pour cela :

– choisissez un mot appartenant au vocabulaire du thème (« assurer » pour une compagnie d'assurances, « voler » pour une compagnie aérienne) ;

– cherchez dans le dictionnaire les sens ou les emplois imagés de ces mots avec lesquels vous pourriez créer un jeu de mots.

Exemple pour une compagnie d'assurances : « Nous sommes les meilleurs, je vous assure ! ». *Pour une compagnie aérienne :* « On ne vole pas nos clients. Ce sont nos clients qui volent. »

Prenons du recul

Dans son *Inventaire curieux des choses de la France*, Alain Schiffres décrit avec humour des objets et des personnages typiques de la France (les espadrilles, le stylo Bic, le fonctionnaire, etc.).

Les bricoleurs

Aujourd'hui, deux Français sur trois bricolent. Étant le troisième, j'ai pu les observer.
1. Leur passion du désastre. Tout ce qui marche sans qu'ils y aient mis la main les ennuie.
2. Leur besoin d'espace. Ils sont à leur mieux dans une vraie maison.
3. Leur exaltation de la solitude. Ce sont des insulaires. Ils ont une mentalité de Robinson. Des Robinson qui auraient des outils. Ne pas oublier que la maison française est idéalement un îlot cerné par la marée des hommes et qu'il faut contenir par des digues, des fossés, des douves, des pièges et des thuyas.
4. La pièce qui leur manque n'est plus fabriquée.

Parmi les bricoleurs beaucoup de femmes. Les métiers se féminisent, mais aussi les loisirs, c'est-à-dire le travail à la maison. Il y a ceux qui bricolent par souci d'économie, et ceux qui se ruinent à bricoler. J'ai vu des gaillards avec des valises de 60 à 80 outils. Parfois 100. On n'aimerait pas les rencontrer au coin d'une moquette. Ils manient le cutter avec une efficacité redoutable. La vague de la moquette dans les années 1960-1970 a permis de faire un tri entre les éternels dilettantes et les semi-professionnels. Les niveaux BEP. Un peu déprimés par le retour au parquet, ceux-là se consolent en installant des panneaux solaires sur le toit. Cyrano[1] imagina six moyens d'aller dans la Lune ; le bricoleur moderne fait venir le soleil. [...]

Ayant pourvu au nécessaire, les bricoleurs s'en prennent au superflu. Ils arrangent, transforment, customisent. Ils font du vieux avec du neuf. Donnent aux choses banales des effets rouille. Des effets vert-de-gris. Des patines antiquaire. On se trompe à croire qu'ils ont tout leur sens, au prétexte qu'ils sont raisonnables. « Un bricoleur est rarement indemne de poésie », dit Colette. D'où l'expression « bricoleur dans l'âme ». Les mains dans le cambouis et la tête dans les étoiles, il construit des cabanes en rêve et coud la nuit des robes de fée. Le monde en l'état ne lui plaît pas. Un bricoleur français n'aurait pas toléré de porter ses provisions à bras, comme les Américains. Dans des sacs en papier énormes. Cette histoire de sac en papier des Américains m'a souvent turlupiné. Un bricoleur français aurait bricolé des poignées.

Parce que c'est un poète et qu'il ne trouve pas de plombier, le bricoleur n'est jamais en repos. Ayant résolu les problèmes courants, ils s'attaquent aux questions que personne ne se pose. Le hamster tournant dans sa roue ne pourrait-il alimenter en énergie l'appareil à ultrasons qui éloigne les souris ?

Alain Schiffres, *Inventaire curieux des choses de la France*, © Plon, 2008.

_____

1. Cyrano de Bergerac (1619-1655) : écrivain auteur d'un roman utopique, *L'Autre Monde ou les États et Empires de la Lune*.

1 Relevez les notations amusantes dans la description des bricoleurs.

2 Cette description pourrait-elle s'appliquer aux bricoleurs de votre pays ?

3 Présentez de manière humoristique un objet ou un personnage typique de votre pays.

Évasion dans l'humour

Par deux, imaginez une mise en scène pour ce dialogue (intonation des phrases, gestes et déplacements des personnages).

Les dialogues que l'auteur dramatique Roland Dubillard a écrits pour la radio et le cabaret dans les années 1960 ont été rassemblés sous le titre *Diablogues* et sont régulièrement joués au théâtre.

François Morel et Jacques Gamblin

Le compte-gouttes

UN : 1, 2, 3, 4, 5, 6, 7, 8, 9 et 10. Dix gouttes, il m'a dit le docteur. Dans un peu d'eau sucrée, avant les deux principaux repas.

DEUX : Vous êtes sûr que vous en avez mis dix ? Moi, j'en ai compté douze.

UN : Vous êtes sûr ?

DEUX : Je me suis peut-être trompé. J'en ai compté treize, mais la dernière on n'en parle pas, c'était une bulle. Enfin, ça n'a pas d'importance. L'important, c'est que vous, vous soyez sûr de votre compte.

UN : Sûr, sûr... Comment voulez-vous que je sois sûr. Faudrait que je recompte.

DEUX : Moi, à votre place, je recompterais, parce que sur le flacon c'est marqué : « Ne pas dépasser la dose prescrite ».

UN : Ben oui, mais comment voulez-vous que je les recompte, moi ! Les gouttes, maintenant, on ne les voit plus. Elles sont mélangées dans le verre.

DEUX : Oh ben alors, ça ne fait rien.

UN : Comment, ça ne fait rien.

DEUX : Ben oui, du moment qu'elles se sont mélangées, c'est plus des gouttes. C'est une flaque. Il peut pas y en avoir douze... Il ne peut pas y en avoir dix non plus d'ailleurs.

UN : Alors je me émande vraiment pourquoi je me serais donné la peine de les compter avec mon compte-gouttes !

DEUX : À moi aussi ! C'est des drôles de gouttes ! Je ne sais pas comment vous avez pu les compter, parce que dans le flacon je n'en vois pas non plus.

UN : Mais mon pauvre ami, c'est dans le compte-gouttes qu'elles étaient ! D'ailleurs, c'est bien simple, je vais les remettre dedans.

DEUX : Oh, elles voudront pas y retourner.

UN : Je voudrais bien voir ça ! Avec un compte-gouttes comme j'en ai un !

DEUX : C'est vrai qu'il est superbe.

UN : Je pense bien ! C'est un compte-gouttes de Besançon. Y a pas plus puissant comme compte-gouttes. Vous allez voir comment elles vont y remonter et plus vite que ça.

DEUX : Vous croyez qu'elles vont y remonter dans l'ordre ?

UN : Non, mais ça ne fait rien. Le docteur, il a dit dix gouttes, il n'a pas spécifié qu'il fallait que je les choisisse particulièrement.

DEUX : Ça ne fait rien, ça ne doit pas être bon pour la santé, des gouttes qui se sont mélangées comme ça.

UN : L'essentiel, c'est que ce soit des gouttes. Et puis, regardez bien, parce que je vous préviens que ça va plus vite dans ce sens-là que dans l'autre.

DEUX : Allez-y. Je suis curieux de voir ça.

UN : Youpe !

DEUX : Non, pas youpe, ffuite, ça a fait. Ffuite.

UN : Voilà ce que j'appelle un compte-gouttes. Un outil soigné comme ça, je vous jure qu'on peut faire du bon boulot avec.

DEUX : Oui, seulement elles sont remontées trop vite vos gouttes. Vous n'avez pas eu le temps de les compter.

UN : J'ai pas essayé. Un compte-gouttes, si vous saviez ce que c'est, ça ne fonctionne que dans un sens.

DEUX : Ah.

UN : Ça compte les gouttes qui sortent, pas les gouttes qui rentrent. Y a un sens quoi. C'est comme les tire-bouchons.

DEUX : Oh, ça hein...

UN : Quoi : Oh ça ?... Les tire-bouchons, ça tire les bouchons vers le haut et les compte-gouttes, ça pousse les gouttes vers le bas. [...]

Roland Dubillard, *Les Diablogues et autres inventions à deux voix*, © Éditions Gallimard, 1998.

Annexes

Aide-mémoire

Les noms

■ Le genre

• Sont souvent masculins les noms qui désignent :
– les arbres (*le sapin*)
– les métaux et les corps chimiques (*le fer, le calcium*)
– les jours, les saisons
– les directions (*l'est, le nord*)
– les chiffres, les lettres (un « a »)
– les notes de musiques (un « do »)
Sont souvent masculins les noms qui sont dérivés de verbes
(*le dîner, le boire* et *le manger*), d'adjectifs (*le vert, le vrai*).

• Sont souvent féminins les noms qui désignent des sciences
(*la physique*).
Le suffixe peut aussi donner une indication sur le genre du nom.

■ La formation des noms. Quelques suffixes

• À partir d'un verbe pour nommer une action ou un état :
-tion (noms féminins) : produire → *une production*
-sion (noms féminins) : permettre → *une permission*
-(e)ment (noms masculins) : établir → *un établissement*
-ture (noms féminins) : fermer → *une fermeture*
-age (noms masculins) : hériter → *un héritage*

• À partir d'un verbe pour nommer la personne ou la chose qui fait
l'action :
-eur/-euse : servir → *un serveur/une serveuse*
-teur/-trice : produire → *un producteur/une productrice*
-teur/-teuse : porter → *un porteur/une porteuse*
-ant/-ante : désherber → *un désherbant*

• À partir d'un adjectif pour nommer une qualité ou un état :
-(i)té (noms féminins) : beau → *la beauté*
-eur (noms féminins) : doux → *la douceur*
-ise (noms féminins) : gourmand → *la gourmandise*
-ie(-erie) (noms féminins) : jaloux → *la jalousie* –
étourdi → *l'étourderie*
-esse (noms féminins) : poli → *la politesse*
-ude (noms féminins) : inquiet → *l'inquiétude*

• À partir d'un nom pour nommer une profession ou un habitant :
-ien/-ienne : une pharmacie → *un pharmacien/une pharmacienne*
l'Inde → *un Indien* → *une Indienne*
-ier/ière : la cuisine → *un cuisinier/une cuisinière*
-ais/-aise : le Portugal → *un Portugais/une Portugaise*
-ain/aine : l'Afrique : *un Africain/une Africaine*

• À partir d'un nom de fruit pour nommer un arbre :
-ier (noms masculins) : une cerise → *un cerisier*

• À partir d'un nom ou d'un adjectif pour nommer un système de
pensée ou la personne qui adopte ce système :
-isme : social → *le socialisme*

Aide mémoire

Les articles indéfinis un, une, des	• pour identifier et classer dans une catégorie : *Pierre m'a fait **un** cadeau.* *Qu'est-ce que c'est ? **un** livre ? **une** montre ? **des** boucles d'oreilles ?* • pour passer de l'abstrait au concret : *J'aime beaucoup les films de science-fiction mais il y a **un** film que j'aime plus que les autres. C'est Le Seigneur des anneaux.* • pour généraliser : ***Un** enfant de huit ans doit savoir lire.*
Les articles définis : le, la, l', les (au, à la, à l', aux - du, de la, de l', des)	• pour présenter des personnes et des choses définies : *J'ai rencontré des gens que tu connais. Ce sont **les** amis de Marie.* • pour présenter des personnes et des choses uniques : ***La** reine d'Angleterre – **le** jardin du Luxembourg – **les** Champs-Élysées.* • pour passer du concret à l'abstrait : *J'ai vu quatre films cette semaine. **J'**adore **le** cinéma.* • pour généraliser : ***Les** amis de mes amis ne sont pas toujours mes amis.*
Les articles partitifs : du, de la	• pour présenter des personnes ou des choses indifférenciées ou non comptables : *J'ai acheté **du** pain. J'ai pris trois baguettes et un gros pain.* • pour identifier une matière ou une couleur : *Cette chemise est légère. C'est **du** coton. Je vous conseille la bleue.* *Avec votre pantalon gris, il faut **du** bleu.* • pour parler d'un phénomène climatique : *Il fait **du** vent. Il y a **de la** neige.* • pour présenter certaines notions : *J'ai **de la** chance. Il faut **du** courage.* • après le verbe « faire » : *Il fait **du** sport. Elle fait **de la** danse.* • pour présenter une partie d'un ensemble, d'une œuvre : *Voici **du** vin de ma cave.* *Les musiciens ont joué **du** Mozart.*
L'absence d'article	• dans une liste, une énumération : *À acheter pour le dîner d'anniversaire : rôti de bœuf, salade, gâteau, vin rouge…* • dans un titre, une enseigne : *Pierre Martin. Avocat – Préfecture du Calvados* • après la préposition « de » quand le nom est complément de nom et qu'il a une valeur générale : *une tasse de café (mais : J'ai bu une tasse de l'excellent café que fait Pierre.)* • devant les noms de personne et de villes : *Marguerite Duras – Bruges* • dans certaines constructions verbales : *J'ai besoin d'aide. – La pelouse est couverte de fleurs.*

Les pronoms personnels compléments

Voici le tableau des pronoms qui représentent des personnes ou des choses compléments d'un verbe.

		je	tu	il – elle	nous	vous	ils – elles
Le nom représenté est introduit sans préposition.	personnes	me	te	le – la l' (devant voyelle)	nous	vous	les
	choses			le – la – l'			les
Le nom représenté est introduit par la préposition « à » (au, à la, aux).	personnes	me	te	lui	nous	vous	leur
	choses			y			y
Le nom représenté est introduit par la préposition « de » ou un mot de quantité.	choses			en			en
	personnes	moi	toi	lui – elle – en	nous	vous	eux – elles – en
Le nom représenté est précédé d'une préposition autre que « à » et « de ».	personnes	moi	toi	lui – elle	nous	vous	eux – elles

Remarques

1. Le pronom se place avant le verbe sauf dans les cas suivants :

a. Le pronom représente un nom de personne précédé d'une préposition autre que « à » :
*J'ai besoin de Pierre. – J'ai besoin de **lui**.*
*Je pars avec Marie. – Je pars avec **elle**.*

b. Le verbe est à l'impératif affirmatif :
*Nos amis sont seuls ce week-end. Invitons-**les**.*
*Ne **les** laissons pas seuls.*

2. Cas des noms de personnes compléments indirects précédés de la préposition « à »
a. Si le verbe exprime une idée de communication et d'échange :
*Tu as écrit à Marie ? – Oui, je **lui** ai écrit.*
b. Dans les autres cas :
*Tu penses à Marie ? – Oui, je pense à **elle**.*

3. Quand le nom représenté est introduit par *un* (*une*) ou un mot de quantité
*Tu as un frère ? – Oui, j'**en** ai un.*
*Il a beaucoup de temps libre ? – Il **en** a beaucoup.*

4. Constructions

• Aux temps simples : *Pierre **m'**envoie des courriels. Il ne **me** téléphone plus.*

• Aux temps composés : *Je **lui** ai dit bonjour. Elle ne **m'**a pas répondu.*

• À l'impératif : *Parlez-**lui** ! Prenez-**en** ! Ne **lui** dites rien ! N'**en** buvez pas !*

• Avec deux pronoms, trois constructions :
– me/te/nous/vous + le/la/les
*Agnès n'a pas besoin de sa voiture ce soir. Elle **me la** prête.*
– le/la/les + lui/leur
*Pierre ne sait pas qu'on prépare une fête pour son anniversaire. Personne ne **le lui** a dit.*
– m'/t'/lui/nous/vous/leur + en
*Marie fait de la peinture. Elle **m'**offre souvent un de ses tableaux. Elle **m'en** a offert un à Noël.*

Les adjectifs et les pronoms possessifs

Ils indiquent une idée d'appartenance.

La chose possédée est...	masculin singulier	féminin singulier	masculin pluriel	féminin pluriel
à moi	**mon** livre **le mien**	**ma** voiture **la mienne**	**mes** enfants **les miens**	**mes** sœurs **les miennes**
à toi	**ton** stylo **le tien**	**ta** maison **la tienne**	**tes** amis **les tiens**	**tes** cousines **les tiennes**
à lui/à elle	**son** argent **le sien**	**sa** fille **la sienne**	**ses** copains **les siens**	**ses** affaires **les siennes**
à nous	**notre** appartement **le nôtre**	**notre** rue **la nôtre**	**nos** voisins **les nôtres**	**nos** voisines **les nôtres**
à vous	**votre** agenda **le vôtre**	**votre** clé **la vôtre**	**vos** papiers **les vôtres**	**vos** notes **les vôtres**
à eux/à elles	**leur** jardin **le leur**	**leur** pelouse **la leur**	**leurs** outils **les leurs**	**leurs** fleurs **les leurs**

Remarques

• La forme « *être + à + moi* (*toi, lui*, etc.) » établit une relation de possession entre une personne et un objet.
*Cette voiture **est à moi**. C'est la mienne.* (relation de possession)
*Voici **ma** sœur. – J'ai visité Rome et **ses** monuments.* (relation d'appartenance)
• Le complément du nom avec « de » peut aussi exprimer l'appartenance.
La voiture de Marie.

Les adjectifs et les pronoms démonstratifs

Pour distinguer une personne ou une chose parmi d'autres.

	adjectifs	pronoms
masculin singulier	**ce** livre **cet** hôtel (*cet* devant voyelle ou h)	**celui-ci/celui-là** [1]
féminin singulier	**cette** voiture	**celle-ci/celle-là**
masculin pluriel	**ces** vêtements	**ceux-ci/ceux-là**
féminin pluriel	**ces** photos	**celles-ci/celles-là**
indéfini		**ceci/cela/ça**

(1) « Celui-ci » ou « ceci », par opposition à « celui-là » ou « cela », indique une proximité spatiale ou mentale. Mais les deux formes du pronom sont aussi utilisées indistinctement.

Aide mémoire

Les adjectifs et les pronoms indéfinis ///

emplois	adjectifs	pronoms
Indéfinis employés pour des quantités non comptables (indifférenciées)	Il prend **un peu de** lait. J'ai **peu de** temps. Elle a **beaucoup d'**argent. Il a bu **tout** le lait, **toute** l'eau.	Il en prend **un peu**. J'en ai **beaucoup**. Elle en a **beaucoup**. Il l'a **tout(e)** bu(e).
Indéfinis employés pour des quantités comptables (différenciées)	• Il invite… **peu d'**ami(e)s **certain(e)s** ami(e)s **plusieurs** ami(e)s **la plupart de** ses ami(e)s **tous** ses amis, **toutes** ses amies • **Peu d'**ami(e)s, **certain(e)s** ami(e)s, **quelques** ami(e)s… sont venu(e)s. • Il n'a invité **aucun(e)** collègue. • **Aucun(e)** collègue n'est venu(e).	• Il en invite **peu, certain(e)s, quelques-un(e)s, plusieurs, beaucoup, la plupart**. • Il invite **certain(e)s** d'entre eux (elles), **quelques-un(e)s** d'entre eux (elles), **la plupart d'**entre eux (elles), **plusieurs d'**entre eux (elles) • **Peu d'**entre eux (elles), **certain(e)s** d'entre eux (elles), **quelques-un(e)s** d'entre eux (elles)… sont venu(e)s. • Il n'en a invité **aucun(e)**. • **Aucun(e)** n'est venu(e).
Indéfinis qui n'expriment pas la quantité	• Il a envoyé une invitation à **chaque** ami(e). • Il a pris **n'importe quel** traiteur (n'importe quelle, quels, quelles…). • Interdit à **toute** personne étrangère au service.	• Il a envoyé une invitation à **chacun d'**entre eux, à **chacune d'**entre elles. • Il a pris **n'importe lequel** (n'importe laquelle, lesquels, lesquelles). • **Quiconque** entrera sera puni. • Il faut respecter **autrui**. • **Nul** n'est censé ignorer la loi.

Les constructions relatives ///

Les propositions relatives servent à caractériser un nom. Elles sont introduites par un pronom relatif. Le choix du pronom relatif dépend de sa fonction dans la proposition relative.

Fonctions du pronom relatif	Pronoms relatifs	Exemples
Sujet	**qui**	*Daniel Auteuil est un acteur **qui** peut jouer tous les rôles.*
Complément d'objet direct	**que – qu'**	*En Corse, il y a un village **que** j'aime beaucoup.*
Complément indirect introduit par « à »	**à qui** (pour les personnes) **auquel – à laquelle** **auxquels – auxquelles** (plutôt pour les choses) **à quoi** (chose indéterminée)	*Caroline est une amie **à qui** je me confie.* *L'éducation est un sujet **auquel** je m'intéresse beaucoup.* *Je sais **à quoi** tu penses.*
Complément indirect introduit par « de »	**dont**	*Caroline est l'amie **dont** je t'ai parlé.* *Le Larousse est un dictionnaire **dont** je me sers souvent.*
Complément introduit par un groupe propositionnel terminé par « de » (à cause de, auprès de, à côté de, etc.)	**de qui** (personnes) **duquel – de laquelle** **desquelles – desquelles**	*Caroline est une amie **auprès de qui** je me sens bien.* *Comment s'appelle le parc **à côté duquel** vous habitez ?*
Complément indirect introduit par une préposition autre que « à » et « de »	**avec (pour…) qui** (personnes) **avec (pour…)** **lequel – laquelle** **lesquels – lesquelles**	*Pierre est le garçon **avec qui** je m'entends le mieux.* *Voici la société **pour laquelle** je travaille.*
Complément d'un nom ou d'un adjectif	**dont**	*Nous allons dans un restaurant **dont** le chef est marseillais comme moi.* *Le XIIᵉ arrondissement est un quartier **dont** je suis amoureuse.*
Complément de lieu	**où** (peut être précédé d'une préposition)	*La Bourgogne est la région **où** il passe ses vacances.* *C'est la région **par où** je passe quand je vais dans le Jura.*

Les constructions pour rapporter des paroles et des pensées

Paroles rapportées (par Marie)	Les paroles rapportées sont prononcées au moment présent	Les paroles rapportées ont été prononcées dans le passé
Pierre étudie l'italien.	Marie (me) dit que Pierre **étudie** l'italien. (présent de l'indicatif)	Marie (m')a dit que Pierre **étudiait** l'italien. (imparfait)
Pierre a étudié l'espagnol.	Elle (me) dit que Pierre **a étudié** l'espagnol. (passé composé)	Elle (m')a dit que Pierre **avait étudié** l'espagnol. (plus-que-parfait)
Pierre étudiait à la Sorbonne.	Elle (me) dit que Pierre **étudiait** à la Sorbonne. (imparfait)	Elle (m')a dit que Pierre **étudiait** à la Sorbonne. (imparfait)
Pierre va partir en Italie.	Elle (me) dit que Pierre **va partir** en Italie. (futur proche)	Elle (m')a dit que Pierre **allait partir** en Italie. (« aller » à l'imparfait + infinitif)
Il y restera un an.	Elle (me) dit que Pierre y **restera** un an. (futur)	Elle (m')a dit que Pierre y **resterait** un an. [(conditionnel présent) (valeur de futur dans le passé)]
Va le voir.	Elle (me) dit **d'aller** le voir.	Elle (m')a dit **d'aller** le voir.
Tu parles italien ?	Elle (me) demande **si je parle** italien.	Elle (m')a demandé **si je parlais** italien.
Qui tu connais ? Qu'est-ce que tu fais ? Où tu vas ?	Elle (me) demande **qui je connais, ce que je fais, où je vais**.	Elle (m')a demandé **qui je connaissais, ce que je faisais, où j'allais**.

N.B. Ces formes permettent aussi de rapporter des pensées.
Je croyais qu'il ne viendrait pas.

La comparaison

■ Comparaison générale

• Adjectifs et adverbes

Il est { ***plus*** / ***aussi*** / ***moins*** } *grand, rapide (**que** moi).*

*Il est **meilleur**/**aussi** bon/**moins** bon.*

*Il est **pire**/**aussi** mauvais/**moins** mauvais.*

• Verbes

Il parle { ***plus*** / ***autant*** / ***moins*** } *(**que** moi).*

*Il parle mieux/aussi bien/**moins** bien.*

• Noms

Il a { ***plus de*** / ***autant de*** / ***moins de*** } *chance **que** moi.*

■ Idée de progression dans la comparaison

• de plus en plus – de moins en moins
*Il parle **de plus en plus**. – J'ai **de moins en moins** de temps.*

• plus … plus – moins … moins – moins … plus – plus … moins
***Plus** il parle, **moins** je comprends.*

• d'autant que – d'autant plus/moins … que – d'autant plus/moins de…
*Il est inutile de discuter. **D'autant que** je dois partir.*
*Il aura **d'autant plus de** temps l'année prochaine qu'il travaillera à mi-temps.*

■ Mise en valeur dans une relation de cause à effet

• Adjectifs et adverbes

Elle est { ***si*** / ***tellement*** } *rapide **qu'**elle peut préparer un repas en dix minutes.*

• Verbes

Il parle { ***tant*** / ***tellement*** } ***que** je me suis endormi(e).*

• Noms

Il y avait { ***tant de*** / ***tellement de*** } *monde **que** je n'ai pas vu Marie.*

■ Superlatifs

• Adjectifs
*Pierre est **le plus**/**le moins** grand.*
*C'est Pierre qui est **le plus**/**le moins** grand.*

• Verbes
*C'est Marie qui travaille **le plus**/**le moins** (de nous tous).*

• Adverbes
*C'est Marie qui travaille **le plus**/**le moins** vite.*

• Noms
*C'est Hugo qui a **le plus**/**le moins** d'argent.*

Aide mémoire

■ Appréciation des quantités et de l'importance

• Noms

*Il **n'**a **pas assez d'**argent pour acheter cette maison.*

*Il a **assez d'**argent...*

*Il y a **trop de** réparations à faire.*

• Verbes

*Il **n'**économise **pas assez.***

*Il travaille **assez.***

*Il dépense **trop.***

• Adjectifs et adverbes

*Il **n'**est **pas assez** économe.*

*Le studio est **assez** grand pour lui.*

*La maison est **trop** chère.*

N.B. « Assez » peut avoir deux sens :
– appréciation modérée : *Ce livre est assez intéressant.*
– suffisamment : *J'ai assez d'argent pour l'acheter.*

L'interrogation

■ L'interrogation porte sur toute la phrase

– Intonation : *Tu viens ?*
– Forme « Est-ce que » : *Est-ce que tu viens ?*
– Inversion du pronom : *Viens-tu ? – Arrive-t-elle ? – Charlotte arrive-t-elle ?*
– Interrogation négative : *Ne viens-tu pas ? – N'arrive-t-elle pas ? – Charlotte n'arrive-t-elle pas ?*

■ L'interrogation porte sur un élément de la phrase

L'interrogation porte sur...	Fonction du mot sur lequel porte l'interrogation	Mots interrogatifs	Exemples
les personnes	Sujet	qui – qui est-ce qui	***Qui** veut venir au cinéma avec nous ?*
	Complément	qui préposition + qui	*Vous emmenez **qui** ?* *Vous partez **avec qui** ?*
les choses	Sujet	qu'est-ce qui	***Qu'est-ce qui** fait ce bruit ?*
	Complément d'objet direct	que – qu'est-ce que – quoi	***Que** faites-vous ? – Vous faites **quoi** dimanchwe ?*
	Autres compléments	préposition + quoi	***À quoi** penses-tu ? – **De quoi** as-tu besoin ?*
un choix entre des personnes ou des choses	Sujet ou complément	• quel – quelle – quels – quelles • lequel – laquelle – lesquels – lesquelles	***Quels** films aimez-vous ?* ***Lesquels** préférez-vous ?*
	Complément introduit par « à »	• à quel (quelle, quels, quelles) + nom • auquel – à laquelle – auxquels – auxquelles	***À quels** sujets vous intéressez-vous ?* ***Auxquels** consacrez-vous beaucoup de temps ?*
	Complément introduit par « de »	• de quel (quelle, quels, quelles) + nom • duquel – de laquelle – desquels – desquelles	***De quel** dictionnaire as-tu besoin ?* ***Duquel** te sers-tu le plus ?*
	Complément introduit par une autre préposition	• préposition + quel (quelle, etc.) + nom • préposition + lequel (laquelle, lesquels, lesquelles)	***Avec quels** amis sortez-vous ?* ***Avec lesquels** préférez-vous sortir ?*
le lieu	Situation ou direction	où – d'où – jusqu'où	***Où** allez-vous ? – **D'où** venez-vous ? –* ***Jusqu'où** va cet autobus ?*

La négation

Cas général	• **ne (n') ... pas...** *Elle **ne** sort **pas**. Elle **n'**aime **pas** la pluie.*
La négation porte sur un complément introduit par un article indéfini, un article partitif ou un mot de quantité.	• **ne(n') ... pas de (d')...** *Pierre **ne** fait **pas de** ski en février.* *Il **ne** prend **pas beaucoup de** vacances.*
Comme dans le cas précédent, la négation porte sur un complément introduit par un article indéfini ou partitif mais elle introduit une opposition.	• **ne (n') ... pas un (une, des, du,** etc.) *Ce **n'**est **pas du** vin. C'est **du** jus de fruits.* *Pierre **n'**a **pas un** frère, il en a deux.*
Cas des constructions « verbe + verbe » et « auxiliaire + verbe »	• Le « **pas** » se place après le premier verbe ou l'auxiliaire. *Elle **ne** peut **pas** partir en vacances. Elle **n'**a **pas** fini son travail.*
Cas des constructions avec pronom complément placé avant le verbe	• Le « **ne** » se place avant les pronoms. *Il m'a demandé de l'argent. Je **ne** lui en ai **pas** donné.*
La négation porte sur l'infinitif.	• **ne pas** + infinitif *Mets ce pull pour **ne pas** avoir froid.* *Je te demande de **ne pas** crier.* • Cas de l'infinitif passé. *Il a été puni pour **n'avoir pas** fait son travail.*
La double négation	*Il **n'**aime **ni** le théâtre **ni** le cinéma.* ***Ni** l'art **ni** la musique **ne** l'intéressent.*
Pronoms indéfinis négatifs	***Personne n'**est venu. Je **n'**ai vu **personne**.* ***Rien n'**intéresse Pierre. Il **ne** fait **rien**. Il **n'**a **rien** fait de la journée.* *Il a cherché à joindre ses amis au mois d'août. **Aucun (pas un)** **n'**était à Paris.* *Il **n'**en a vu **aucun**. Il **n'**en a **pas** vu **un seul**.*

Le raisonnement

- La comparaison : p. 68
- La concession : p. 61
- La condition : p. 61
- La conséquence : p. 93
- La convergence des arguments : p.117
- La déduction : p. 93
- La généralisation : p. 101
- L'hypothèse : p. 93
- La mise en valeur : p. 77
- L'opposition : pp. 33, 117
- L'organisation : p. 69
- La restriction : p. 61
- La succession temporelle des arguments : p. 53

La conjugaison des verbes

Avoir – Être – Regarder

	Le présent	Le passé				
	Présent	Passé composé	Imparfait	Plus-que-parfait	Passé simple	Passé antérieur
A V O I R	j'ai tu as il/elle a nous avons vous avez ils/elles ont	j'ai eu tu as eu il/elle a eu nous avons eu vous avez eu ils/elles ont eu	j'avais tu avais il/elle avait nous avions vous aviez ils/elles avaient	j'avais eu tu avais eu il/elle avait eu nous avions eu vous aviez eu ils/elles avaient eu	j'eus tu eus il/elle eut nous eûmes vous eûtes ils eurent	j'eus eu tu eus eu il/elle eut eu nous eûmes eu vous eûtes eu ils eurent eu
Ê T R E	je suis tu es il/elle est nous sommes vous êtes ils/elles sont	j'ai été tu as été il/elle a été nous avons été vous avez été ils/elles ont été	j'étais tu étais il/elle était nous étions vous étiez ils/elles étaient	j'avais été tu avais été il/elle avait été nous avions été vous aviez été ils/elles avaient été	je fus tu fus il/elle fut nous fûmes vous fûtes ils/elles furent	j'eus été tu eus été il/elle eut été nous eûmes été vous eûtes été ils eurent été
R E G A R D E R	je regarde tu regardes il/elle regarde nous regardons vous regardez ils/elles regardent	j'ai regardé tu as regardé il/elle a regardé nous avons regardé vous avez regardé ils ont regardé	je regardais tu regardais il/elle regardait nous regardions vous regardiez ils/elles regardaient	j'avais regardé tu avais regardé il/elle avait regardé nous avions regardé vous aviez regardé ils/elles avaient regardé	je regardai tu regardas il/elle regarda nous regardâmes vous regardâtes ils/elles regardèrent	j'eus regardé tu eus regardé il/elle eut regardé nous eûmes regardé vous eûtes regardé ils eurent regardé

	Le futur		L'hypothèse		La subjectivité	
	Futur	Futur antérieur	Conditionnel présent	Conditionnel passé	Subjonctif présent	Subjonctif passé
A V O I R	j'aurai tu auras il/elle aura nous aurons vous aurez ils/elles auront	j'aurai eu tu auras eu il/elle aura eu nous aurons eu vous aurez eu ils/elles auront eu	j'aurais tu aurais il/elle aurait nous aurions vous auriez ils/elles auraient	j'aurais eu tu aurais eu il/elle aurait eu nous aurions eu vous auriez eu ils/elles auraient eu	que j'aie que tu aies qu'il/elle ait que nous ayons que vous ayez qu'ils/elles aient	que j'aie eu que tu aies eu qu'il/elle ait eu que nous ayons eu que vous ayez eu qu'ils/elles aient eu
Ê T R E	je serai tu seras il/elle sera nous serons vous serez ils/elles seront	j'aurai été tu auras été il/elle aura été nous aurons été vous aurez été ils/elles auront été	je serais tu serais il/elle serait nous serions vous seriez ils/elles seraient	j'aurais été tu aurais été il/elle aurait été nous aurions été vous auriez été ils/elles auraient été	que je sois que tu sois qu'il/elle soit que nous soyons que vous soyez qu'ils/elles soient	que j'aie été que tu aies été qu'il/elle ait été que nous ayons été que vous ayez été qu'ils/elles aient été
R E G A R D E R	je regarderai tu regarderas il/elle regardera nous regarderons vous regarderez ils/elles regarderont	j'aurai regardé tu auras regardé il/elle aura regardé nous aurons regardé vous aurez regardé ils/elles auront regardé	je regarderais tu regarderais il/elle regarderait nous regarderions vous regarderiez ils/elles regarderaient	j'aurais regardé tu aurais regardé il/elle aurait regardé nous aurions regardé vous auriez regardé ils/elles auraient regardé	que je regarde que tu regardes qu'il/elle/on regarde que nous regardions que vous regardiez qu'ils/elles regardent	que j'aie regardé que tu ais regardé qu'il/elle ait regardé que nous ayons regardé que vous ayez regardé qu'ils/elles aient regardé

Principes de conjugaison

Modes et temps	Principes de conjugaison
Présent	• Les verbes en **-er** se conjuguent comme **regarder** sauf : – le verbe **aller** ; – les verbes en **-yer, -ger, -eler, -eter,** qui présentent quelques différences. • Pour les autres verbes, la seule règle générale est la terminaison **-s, -s, -t, -ons, -ez, -ent.** Mais il y a des exceptions (**vouloir, pouvoir,** etc.). Il faut donc apprendre les conjugaisons de ces verbes par types.
Passé composé	• Il se forme avec les auxiliaires **avoir ou être + participe passé.** • Les verbes utilisant l'auxiliaire *être* sont : – les verbes pronominaux ; – les verbes suivants : **aller – arriver – décéder – descendre – devenir – entrer – monter – mourir – naître – partir – rentrer – retourner – rester – sortir – tomber – venir,** ainsi que leur composés en **-re : redescendre – redevenir** – etc.
Imparfait	• Il se forme à partir de la 1re personne du pluriel du présent : nous faisons → **je faisais, tu faisais,** etc. Exception : être → **j'étais.** Ensuite, la conjugaison est la même pour tous les verbes : **-ais, -ais, -ait, -ions, -iez, -aient.**
Plus-que-parfait	**avoir** ou **être à l'imparfait + participe passé**
Passé simple	• Pour les verbes en **-er**, partir de l'infinitif : **parler** → **il/elle parla – ils/elles parlèrent.** • Pour les autres verbes, il y a souvent une ressemblance avec l'infinitif ou le participe passé mais ce n'est pas une règle générale : **finir** → **il/elle finit – ils/elles finirent ; pouvoir** (participe passé : **pu**) → **il/elle put – ils/elles purent.**
Passé antérieur	**avoir** ou **être au passé simple + participe passé**
Futur	• Les verbes en **-er** (sauf *aller*) se conjuguent comme **regarder**. • Pour les autres verbes, il faut connaître la 1re personne du futur. Ensuite, seule la terminaison change : je fer**ai**, tu fer**as**, il/elle fer**a**, nous fer**ons**, vous fer**ez**, ils/elles fer**ont.**
Futur antérieur	**avoir** ou **être au futur + participe passé**
Conditionnel présent	• Il se forme à partir de la 1re personne du singulier du futur : **je ferai** → **je ferais.** • Ensuite, la terminaison est la même pour tous les verbes : je fer**ais**, tu fer**ais**, il/elle fer**ait**, nous fer**ions**, vous fer**iez**, ils/elles fer**aient.**
Conditionnel passé	**avoir** ou **être au conditionnel + participe passé**
Subjonctif présent	• Pour beaucoup de verbes, partir de la 3e personne du pluriel du présent de l'indicatif. **Ils finissent** → **il faut que je finisse ; ils regardent** → **que je regarde ; ils prennent** → **que je prenne ; ils peignent** → **que je peigne.** Mais il y a des exceptions : **savoir** → **que je sache,** etc. • Ensuite, la terminaison est la même pour tous les verbes : que je regard**e**, que tu regard**es**, qu'il/elle regard**e**, que nous regard**ions**, que vous regard**iez**, qu'ils/elles regard**ent.**
Subjonctif passé	**avoir** ou **être au présent du subjonctif + participe passé**
Impératif présent	• Pour la plupart des verbes, on utilise les formes de l'indicatif. Le « s » de la deuxième personne du singulier à l'indicatif présent des verbes en *-er* et du verbe *aller* disparaît sauf quand une liaison est nécessaire : **Parle !** → **Parles-en ! – Va !** → **Vas-y !** • Les verbes *être*, *avoir* et *savoir* utilisent les formes du subjonctif : **Sois** gentil ! – **Aie** du courage ! – **Sache** que je t'observe !
Impératif passé	**Formes du subjonctif passé**
Participe présent et gérondif	• Ils se forment généralement à partir de la 1re personne du pluriel du présent de l'indicatif : **nous allons** → **allant – nous pouvons** → **pouvant**

Accord des participes passés

■ Accord du participe passé après l'auxiliaire *être*

Le participe passé s'accorde avec le sujet du verbe.
Pierre est parti. Marie est restée. Pierre et Louise sont sortis. Les amies de Pierre sont venues.

■ Cas du participe passé des verbes pronominaux

Le participe passé s'accorde avec le sujet quand l'action porte directement sur ce sujet.
Marie s'est lavée.
Marie s'est lavé les mains. (l'action porte sur « les mains »)
Marie et Pauline se sont parlé. (la construction de « parler » est indirecte)

Aide mémoire

■ Accord du participe passé après l'auxiliaire *avoir*

Le participe passé s'accorde avec le complément d'objet direct quand celui-ci est placé avant le verbe.

J'ai vu les amies de Pierre. (le complément est placé après le verbe)

Je les ai invitées au restaurant. (« les » représente les amies. Il est placé avant le verbe.)

Sabine, que j'ai invitée, est l'amie de Marie.

■ Conjugaison par types de verbes

Mode de lecture des tableaux ci-dessous (les verbes sont classés selon la terminaison de leur infinitif)		
Infinitif	1re personne du futur	
Conjugaison du présent	1re personne du singulier du subjonctif	Verbes ayant une conjugaison identique (sauf dans le choix de l'auxiliaire)
	3e personne du singulier du passé simple	
	Participe passé	

Verbes en -er

Ils se conjuguent comme *parler*.

• Cas particuliers : les verbes en -yer

PAYER	je paierai	appuyer nettoyer
Je paie Tu paies Il/elle paie Nous payons Vous payez Ils/elles paient	que je paie	balayer renvoyer bégayer
	il/elle paya	déblayer envoyer
	payé	essayer essuyer

APPELER	j'appellerai	Tous les verbes en **-eler** et **-eter** sauf les verbes du type « acheter »
j'appelle tu appelles il/elle appelle nous appelons vous appelez Ils/elles appellent	que j'appelle	
	il/elle appela	
	appelé	

ACHETER	j'achèterai	congeler déceler
j'achète tu achètes il/elle achète nous achetons vous achetez ils/elles achètent	que j'achète	démanteler geler
	Il acheta	modeler peler
	acheté	racheter

• Le verbe *aller* est irrégulier.

ALLER	j'irai
je vais tu vas il/elle va nous allons vous allez ils/elles vont	que j'aille
	il/elle alla
	allé

Verbes en -ir

FINIR	je finirai	abolir – accomplir – affirmer – agir – applaudir – assainir – s'assoupir – avertir – choisir – démolir – dépérir – éblouir – frémir – guérir – haïr [1] – jaillir – obéir – périr – punir – réagir – réfléchir – réjouir – remplir – répartir – réunir – subir – unir
je finis tu finis il/elle finit nous finissons vous finissez ils/elles finissent	que je finisse	
	il/elle finit	
	fini	(1) présent : je hais, nous haïssons – passé simple : il haït, ils haïrent

VENIR	je viendrai	appartenir – advenir – contenir – convenir – entretenir – devenir – maintenir – intervenir – obtenir – parvenir – prévenir – provenir – retenir – se souvenir – soutenir - tenir
je viens	que je vienne	
tu viens	il/elle vint	
il/elle vient		
nous venons		
vous venez	venu	
ils/elles viennent		

COURIR	je courrai	accourir parcourir recourir secourir
je cours	que je coure	
tu cours	il/elle courut	
il/elle court		
nous courons		
vous courez	couru	
ils/elles courent		

OUVRIR	j'ouvrirai	couvrir – découvrir – recouvrir – entrouvrir – rouvrir – offrir - souffrir
j'ouvre	que j'ouvre	
tu ouvres	il/elle ouvrit	
il/elle ouvre		
nous ouvrons		
vous ouvrez	ouvert	
ils/elles ouvrent		

PARTIR	je partirai	consentir mentir repartir ressentir ressortir se repentir sentir sortir
je pars	que je parte	
tu pars	il/elle partit	
il/elle part		
nous partons		
vous partez	parti	
ils/elles partent		

ACQUÉRIR	j'acquerrai	conquérir quérir requérir
j'acquiers	que j'acquière	
tu acquiers	il/elle acquit	
il/elle acquiert		
nous acquérons		
vous acquérez	acquis	
ils/elles acquièrent		

CUEILLIR	je cueillerai	accueillir recueillir assaillir tressaillir
je cueille	que je cueille	
tu cueilles	il/elle cueillit	
il/elle cueille		
nous cueillons		
vous cueillez	cueilli	
ils/elles cueillent		

DORMIR	je dormirai	(s')endormir (se) rendormir
je dors	que je dorme	
tu dors	il/elle dormit	
il/elle dort		
nous dormons		
vous dormez	dormi	
ils/elles dorment		

SERVIR	je servirai	desservir resservir
je sers	que je serve	
tu sers	il/elle servit	
il/elle sert		
nous servons		
vous servez	servi	
ils/elles servent		

FUIR	je fuirai	s'enfuir
je fuis	que je fuie	
tu fuis	il/elle fuit	
il/elle fuit		
nous fuyons		
vous fuyez	fui	
ils/elles fuient		

MOURIR	je meurs	
je meurs	que je meure	
tu meurs	il/elle mourut	
il/elle meurt		
nous mourons		
vous mourez	mort	
ils/elles meurent		

Verbes en -dre

VENDRE	je vendrai	corrompre, interrompre – rompre (sauf : il rompt au présent) – tordre – mordre – perdre – tondre – correspondre– pondre – répondre – fondre – confondre – défendre – descendre – fendre – pendre – dépendre – suspendre – tendre – attendre – entendre – étendre – prétendre – vendre – revendre – répandre
je vends	que je vende	
tu vends	il/elle vendait	
il/elle vend		
nous vendons		
vous vendez	vendu	
ils/elles vendent		

PRENDRE	je prendrai	apprendre comprendre entreprendre reprendre surprendre
je prends	que je prenne	
tu prends	il/elle prenait	
il/elle prend		
nous prenons		
vous prenez	pris	
ils/elles prennent		

PEINDRE	je peindrai	atteindre contraindre craindre éteindre étreindre plaindre teindre
je peins	que je peigne	
tu peins	il/elle peignait	
il/elle peint		
nous peignons		
vous peignez	peint	
ils/elles peignent		

JOINDRE	je joindrai	
je joins	que je joigne	adjoindre
tu joins	il/elle joignit	rejoindre
il/elle joint		
nous joignons	joint	
vous joignez		
ils/elles joignent		

COUDRE	je coudrai
je couds	que je couse
tu couds	il/elle cousit
il/elle coud	
nous cousons	cousu
vous cousez	
ils/elles cousent	

Verbes en -uire

CONDUIRE	je conduirai	
je conduis	que je conduise	construire – cuire – déduire – détruire – induire – instruire – introduire – luire – nuire – produire – reconduire – réduire – reluire – reproduire – séduire - traduire
tu conduis	il/elle conduisit	
il/elle conduit		
nous conduisons	conduit	
vous conduisez		
ils/elles conduisent		

Verbes en -ire

ÉCRIRE	j'écrirai	
j'écris	que j'écrive	décrire
tu écris	il/elle écrivit	inscrire
il/elle écrit		prescrire
nous écrivons	écrit	proscrire
vous écrivez		souscrire
ils/elles écrivent		transcrire

LIRE	je lirai	
je lis	que je lise	élire
tu lis	il/elle lut	réélire
il/elle lit		relire
nous lisons	lu	
vous lisez		
ils/elles lisent		

DIRE	je dirai	redire
je dis	que je dise	contredire ⎫ 2e pers. du plur.
tu dis	il/elle dit	interdire ⎬ du présent : vous
il/elle dit		médire ⎭ contredisez,
nous disons	dit	prédire
vous dites		interdisez, etc.
ils/elles disent		

RIRE	je rirai	
je ris	que je rie	sourire
tu ris	il/elle rit	
il/elle rit		
nous rions	ri	
vous riez		
ils/elles rient		

SUFFIRE	Je suffirai
je suffis	que je suffise
tu suffis	il/elle suffit
il/elle suffit	
nous suffisons	suffi
vous suffisez	
ils/elles suffisent	

Verbes en -re

FAIRE	je ferai	
je fais	que je fasse	défaire
tu fais	il/elle fit	refaire
il/elle fait		satisfaire
nous faisons	fait	
vous faites		
ils/elles font		

PLAIRE	je plairai	
je plais	que je plaise	déplaire
tu plais	il/elle plut	(se) taire
il/elle plaît		
nous plaisons	plu	
vous plaisez		
ils/elles plaisent		

VIVRE	je vivrai	
je vis tu vis il/elle vit nous vivons vous vivez ils/elles vivent	que je vive	revivre survivre
	il/elle vécut	
	vécu	

CONCLURE	je conclurai	
je conclus tu conclus il/elle conclut nous concluons vous concluez ils/elles concluent	que je conclue	exclure inclure (participe passé : inclus/incluse)
	il/elle conclut	
	conclu	

SUIVRE	je suivrai	
je suis tu suis il/elle suit nous suivons vous suivez ils/elles suivent	que je suive	poursuivre
	il/elle suivit	
	suivi	

CROIRE	je croirai	
je crois tu crois il/elle croit nous croyons vous croyez ils/elles croient	que je croie	
	il/elle crut	
	cru	

BOIRE	je boirai
je bois tu bois il/elle boit nous buvons vous buvez ils/elles boivent	que je boive
	il/elle but
	bu

Verbes en -oir

DEVOIR	je devrai		
je dois tu dois il/elle doit nous devons vous devez ils/elles doivent	que je doive	apercevoir concevoir décevoir percevoir recevoir	(sans accent sur le « u » du participe passé)
	il/elle dut		
	dû, due		

VOIR	je verrai	
je vois tu vois il/elle voit nous voyons vous voyez ils/elles voient	que je voie	entrevoir revoir prévoir (sauf au futur : je prévoirai)
	il/elle vit	
	vu	

POUVOIR	je pourrai	
je peux tu peux il/elle peut nous pouvons vous pouvez ils/elles peuvent	que je puisse	
	il/elle put	
	pu	

VOULOIR	je voudrai	
je veux tu veux il/elle veut nous voulons vous voulez ils/elles veulent	que je veuille	
	il/elle voulut	
	voulu	

SAVOIR	je saurai	
je sais tu sais il/elle sait nous savons vous savez ils/elles savent	que je sache	
	il/elle sut	
	su	

VALOIR	je vaudrai	
je vaux tu vaux il/elle vaut nous valons vous valez ils/elles valent	que je vaille	équivaloir
	il/elle valut	
	valu	

S' ASSEOIR	je m'assiérai	
je m'assieds tu t'assieds il/elle s'assied nous nous asseyons vous vous asseyez ils/elles s'asseyent	que je m'asseye	NB : autre conjugaison du verbe « asseoir » : présent : je m'assois, futur : je m'assoirai passé simple : je m'assis
	il/elle s'assit	
	assis	

Aide mémoire

BATTRE	je battrai	
je bats tu bats il/elle bat nous battons vous battez ils/elles battent	que je batte	abattre combattre débattre s'ébattre
	il/elle battit	
	battu	

METTRE	je mettrai	admettre commettre émettre omettre permettre promettre remettre soumettre transmettre
je mets tu mets il/elle met nous mettons vous mettez ils/elles mettent	que je mette	
	il/elle mit	
	mis	

CONNAÎTRE	je connaîtrai	paraître apparaître disparaître transparaître
je connais tu connais il/elle connaît nous connaissons vous connaissez ils/elles connaissent	que je connaisse	
	il/elle connut	
	connu	méconnaître reconnaître

CROÎTRE	je croîtrai	
je croîs tu croîs il/elle croît nous croissons vous croissez ils/elles croissent	que je croisse	accroître décroître
	il/elle crût	
	crû	

NAÎTRE	je naîtrai
je nais tu nais il/elle naît nous naissons vous naissez ils/elles naissent	que je naisse
	il/elle naquit
	né

On trouvera ci-dessous les transcriptions de tous les documents sonores à l'exception des pages « Plaisir de dire », qui sont dans ce livre, et des exercices de la rubrique « Travaillez vos automatismes », qui figurent dans le livre du professeur.

Leçon 1

p. 11 – La mode des pèlerinages

Patrick Boyer : Josiane nous appelle de Toulouse. Bonsoir, Josiane.

Josiane : Bonsoir, merci. Je voulais vous rappeler que le chemin de Saint-Jacques-de-Compostelle que nous faisons, nous avec mon mari, très partiellement chaque année, de 200 à 250 km, est une... comment dirais-je... ça veut dire, le champ des étoiles. Donc on a vraiment l'impression d'être un intermédiaire entre la Terre sur laquelle on prend son assise et le Ciel... Parce que le chemin de Saint-Jacques-de-Compostelle est une récupération chrétienne qui était comme l'a dit le monsieur tout à l'heure un chemin néolithique et qui permettait d'aller au bout du monde. Et c'est un petit peu ça, moi je ne suis pas du tout d'accord pour le dolorisme, mais certes, nous, on est croyants mais je pense que c'est pas tellement ça qui est important... C'est d'arriver au bout... Il y a une espèce de... Nous, de le faire de petits bouts en petits bouts... Il y a une espèce de... comment dirais-je de... On est contents de le faire chaque année, d'en faire un petit bout chaque année, d'arriver au bout, de rencontrer des gens qui le font pour des raisons très, très, très différentes. Et surtout dire qu'il y avait aussi beaucoup de symbolisme dans ce chemin et que l'on rencontre à chaque église et qu'il existe de manière très différente.

p. 16 – Exercice 1

Lui : Ce sont les photos de ton voyage à la Réunion ?

Elle : Oui. Celles-là je les ai prises pendant la fête du Dipavali. C'est une fête hindoue. En fait, pour eux, c'est la fête des lumières. À la nuit tombée on allume des lampes. Il y a des processions, des défilés de chars et puis, là, tu vois, c'est une photo d'une cérémonie où ils marchent sur le feu.

Lui : Comme en Inde, alors. Ils sont de religion hindoue, là-bas ?

Elle : Certains, mais pas tous. En fait c'est une population très variée. À l'origine, ce sont les Français qui sont arrivés au XVIIᵉ siècle avec des Malgaches, des habitants de Madagascar. Ce qui fait que tu as des catholiques. Puis, il y a eu des Africains, puis des Indiens hindouistes puis des Indiens musulmans puis des Chinois bouddhistes... Tu vois, il y a eu un brassage de population, ce qui fait que l'on fête Noël, le Nouvel An chinois, le Dipavali, les fêtes musulmanes. Mais ce qui est sympa c'est que ces populations se sont mélangées. Les communautés ne sont pas restées séparées. Il y a vraiment une unité, un caractère réunionnais et il se sent surtout dans la musique, c'est le maloya, c'est vraiment la musique typique de la Réunion.

Lui : Ils parlent tous français ?

Elle : Le français, c'est la langue officielle mais, en fait, entre eux, ils parlent aussi le créole qui est un mélange de vieux français, de mots malgaches, indiens.

Lui : Il y a combien d'habitants ?

Elle : 700 000, je crois. Et puis, tu vois, tu as des paysages magnifiques. Tu as tout. Tu as la montagne avec les volcans. On a fait l'ascension du piton de la Fournaise. Il y a les cirques qui sont magnifiques, les forêts, des rivières avec des cascades... Et puis, c'est vraiment très bien organisé pour la randonnée. Et puis, évidemment, tu as la mer. Tu peux faire de la plongée et t'as plein de petits villages sympas avec partout des parfums d'épices, de vanille...

Lui : Ça a l'air sympa.

Leçon 2

p. 19 – Le micro-trottoir

Patrick : Oui, alors ben, moi j'ai... Je suis allé dans... J'ai fait une classe prépa et puis j'ai été bizuté mais, en fait, c'était assez, assez doux et assez léger comme bizutage. Ce n'était pas très, pas très méchant. Il fallait mettre une blouse blanche dans la rue et puis il fallait aller voir les passants, fallait leur vendre des petits, des, comment dire, des feuilles de papier toilette. Enfin des petites choses comme ça. C'était pas très méchant mais je sais que souvent ça peut aller très, très loin. Et c'est grave parce que, en fait, les bizutés sont un petit peu contraints de faire les choses qu'on leur impose.

Émilie : Oui, non, moi, le bizutage, alors, ça me rend dingue, totalement dingue. Enfin, je ne l'ai pas vécu mais tous les témoignages que j'ai eus ça me paraît hallucinant. Enfin, voilà, déjà, bon, c'est vrai, les gags, les canulars, tout ça, ça ne m'a jamais fait rire mais là, ça peut aller très loin, trop loin. Enfin, ça me fait penser à l'armée. Voilà, on utilise sa petite force, là, parce qu'on a quelques années de plus que les autres, ou plus d'expérience pour mettre les gens en difficulté. Enfin, je trouve ça ahurissant de bêtise. Et voilà, je suis contre le bizutage.

Bertrand : Moi, le bizutage, ben, écoutez je ne suis pas contre. Si c'est bon enfant, pourquoi pas ? En tout cas, moi, ce que j'avais vécu à l'époque, j'ai beaucoup rigolé donc j'ai des très bons souvenirs de ça. Après, évidemment, ce qu'on peut voir à la télé ou les choses dont on entend parler c'est des fois, c'est assez étrange, donc oui, très humiliant et tout. Donc il faut juste faire attention et voir à peu près si ce qu'on nous demande de faire est juste ou pas, quoi. Mais sinon, je ne suis pas vraiment contre.

p. 25 – Noël en Suède et en Espagne

Mélanie : En Suède, le grand jour de Noël en fait, c'est le 24 décembre. Mais les préparatifs commencent un mois à l'avance. Pendant tout le mois de décembre il y a une ambiance de fête. On fabrique des étoiles qu'on accroche sur les fenêtres. On pose des bougies sur le rebord des fenêtres. Les enfants ils reçoivent un calendrier spécial et, chaque jour, ils découvrent un petit cadeau. Et on place une gerbe de blé dans le jardin et on accroche une couronne de sapin sur la porte d'entrée. Alors, évidemment, il y a le sapin avec ses petits lutins et le soir du 24 décembre un grand repas. À la fin du repas on apporte les cadeaux et, souvent, avec les cadeaux il y a un petit poème amusant et on lit les poèmes.

Julien : En Espagne, il y a des traditions particulières par rapport à la France. Les enfants reçoivent des cadeaux deux fois, le jour de Noël mais aussi le 6 janvier puisque le 6 janvier c'est la célébration des Rois Mages qui, selon les chrétiens, sont venus apporter des cadeaux à l'Enfant Jésus. D'ailleurs, à cette occasion, dans les rues des villes, il y a le cortège des Rois Mages qui défilent sur des chars avec des cavaliers. C'est très populaire. Ce qui est particulier aussi, c'est que les gens s'offrent des paniers de Noël, avec des produits typiques.

Leçon 3

p. 27 – Le micro-trottoir

Béatrice : C'est vrai que moi j'habite assez loin de Paris donc je suis relativement obligée de prendre ma voiture. Moi, ce que je préconiserais c'est la construction de parkings dissuasifs pour rentrer dans Paris et ensuite des transports assez souples pour arriver dans tous les coins les plus difficiles parce que, c'est vrai que, le matin entre 6 heures et 10 heures ce sont les embarras de Paris qui ne sont pas nouveaux mais qui n'ont pas cessé.

Patrick : La circulation dans Paris, c'est l'enfer quoi. Moi, j'ai une voiture mais je la prends plus parce que on ne peut pas rouler, on sait toujours à quelle heure on part, on sait jamais à quelle heure on va arriver. C'est le bordel tout le temps, à n'importe quelle heure du jour ou de la nuit on peut tomber dans un embouteillage. C'est vraiment, moi, vraiment, j'en ai ras le bol, quoi. Alors, je ne sais pas s'il y a des solutions mais, par exemple, à un moment on pensait à mettre un péage à l'entrée de Paris. Alors, ouais, peut-être que ce serait pas mal parce que, finalement, il n'y aurait que les Parisiens qui circuleraient dans Paris et, comme moi, je suis parisien et j'ai une voiture, eh ben, ça m'arrange finalement, et voilà !

Bertrand : Écoutez, moi, je circule en vélo, donc, pour moi, c'est plutôt satisfaisant. Je vais partout où je veux, je n'ai jamais de problèmes. Après je pense que pour les voitures, les scooters ou les bus, taxis, c'est quand même un peu dangereux au niveau de la circulation à Paris. Mais ça a tendance à s'améliorer quand même.

p. 32 – Le point route et la météo

Le présentateur : Mathieu Reinart, à Rosny-sous-Bois... Depuis samedi, Mathieu, la situation reste préoccupante en Rhône-Alpes.

Mathieu Reinart : Eh oui, Julien, en plus des dégâts parmi les habitations, de nombreuses routes sont toujours inondées en Ardèche, Drôme et Isère, en particulier la nationale 86 au niveau de Bourg-Saint-Andéol. En Seine-et-Marne, un accident entre deux camions, sur la nationale 4, du côté de Sancy, entraîne la déviation du trafic en direction de Paris. Et puis autour de Lille, suite à des accidents, la circulation est de plus en plus délicate sur l'A25 dans les deux sens ainsi que sur l'A1, secteur sud de la ville.

Le présentateur : Merci, Mathieu. Et avec Julie Delemare, la météo. Il va faire chaud, Julie !

Julie Delemare : Ah oui, ça va se réchauffer aujourd'hui. Ce matin, ce n'est pas tout à fait le cas encore sur les régions du Nord-Est surtout dans les Ardennes où l'on ne relève actuellement que 5 degrés... mais il fait 14 degrés sur la région parisienne et déjà 26 degrés ce matin du côté de Biarritz et sur la façade océanique. Sur le Sud-Ouest cette hausse très marquée des températures va s'accompagner d'un temps beaucoup plus mitigé qu'hier. Le temps est en train de changer, il y aura quelques gouttes sur la plupart des départements bretons puis ces nuages, accompagnés d'un peu de pluie venus de l'océan, gagneront les Pays de la Loire, la Normandie. Sur le Sud-Ouest, sur le Languedoc, le Roussillon, les nuages venant d'Espagne donneront quelques ondées. Le vent d'autan sur le Midi toulousain se renforcera et puis, en Aquitaine, sur le Bordelais, les averses prendront un caractère orageux... Dans le courant de la journée ce temps menaçant gagnera le Centre, le bassin parisien, les régions du Nord. Ces nuages porteurs de quelques averses seront précédés à Paris de belles heures de soleil et puis, sur la partie Est du pays, on conservera un temps ensoleillé. De l'Alsace, à la Côte d'Azur et à la Corse le temps restera très ensoleillé toute la journée.

Leçon 4

p. 35 – L'interview

Édouard Garzaro : Ce défi pour la Terre est à la portée de tous... Dans la vie de tous les jours chacun de nous peut avoir une démarche éco-citoyenne... Encore faut-il connaître des gestes simples... à faire quotidiennement ou presque.

Franck Châtelain : Je vais distinguer, on va dire, les éco-gestes quotidiens gratuits et puis l'achat d'éco-produits... Sachez que si tous les Français éteignaient les veilles de leurs appareils électriques en France cela économiserait l'énergie nécessaire à l'éclairage public de toutes les villes de France... Les lampes basse consommation même si elles coûtent un petit peu plus cher à l'achat... eh bien sachez qu'elles consomment trois à cinq fois moins d'électricité et qu'elles durent six à huit fois plus longtemps... Pensez à dégivrer régulièrement votre congélateur puisque au-delà de 5 mm de givre dans votre congélateur... Eh bien vous doublez la consommation d'énergie de celui-ci... Il faut savoir que 97 % de l'eau sur la Terre c'est de l'eau salée... donc ne restent que 3 % d'eau douce... et sur ces 3 % d'eau douce... il n'y a que 0,7 % d'eau propre à la consommation humaine... Donc il faut vraiment la sauvegarder... Prenez une douche plutôt qu'un bain... En éteignant le robinet lorsque vous vous lavez les dents... vous économisez 12 litres d'eau par minute... c'est un petit geste... pareil... mais qui a des conséquences importantes.

Gilles de Romilly : Il ne vous reste plus qu'à relever vous aussi le « Défi pour la Terre »... pour cela rendez-vous sur Internet ... www.defipourlaterre.org ... defipourlaterre en un seul mot et sans accent.

p. 39 – L'interview

Le journaliste : C'est une maison où on ne paie plus ni l'eau ni l'électricité depuis dix ans... Les heureux propriétaires s'appellent Patrick et Brigitte Baronnet... d'anciens Parisiens venus s'installer en pleine campagne à Moisdon-la-Rivière dans le bocage nantais... Une petite ferme de 50 m² achetée il y a trente ans et transformée depuis en maison écologique... en maison autonome... Ce qui est le plus frappant... c'est cette immense éolienne plantée dans le jardin... 18 mètres de haut... le courant est stocké dans de grosses batteries qui peuvent assurer jusqu'à cinq jours d'autonomie... Sur la pelouse on trouve également un système de photopiles montées sur des panneaux qui pivotent en fonction de la position du Soleil sans parler du chauffe-eau de la maison qui fonctionne lui aussi à l'énergie solaire... Patrick Baronnet nous fait visiter sa demeure.

Patrick Baronnet : Quand il y a du vent on est content parce qu'il y a de l'électricité... Quand il y a du soleil on est content parce qu'il y a de l'électricité... Quand il pleut on est content parce qu'on a de l'eau... Finalement on est toujours content.

Le journaliste : Où va cette eau qui vient du ciel ?

Patrick Baronnet : Alors cette eau passe dans les gouttières... rentre à l'intérieur des citernes d'eau pluviale... On a 8 000 litres et ça nous permet d'être autonomes toute l'année...

Le journaliste : Alors on passe au salon et là je vois vos murs... Ils sont très particuliers.

Patrick Baronnet : Ce sont des murs en chanvre et puis sous nos pieds là... sous le parquet il y a la même chose... 20 centimètres... Donc on a beaucoup moins besoin de chauffer... Ça isole bien parce que les murs eux-mêmes sont quand même relativement isolants.

Bilan 1

p. 43 – Test 3

Béatrice : Oui, j'ai eu l'occasion de travailler à Bruxelles et je trouve que c'est une ville formidable. Les gens sont formidables. En l'occurrence je suis comédienne et c'est un public d'une gentillesse, d'une politesse exquise, qui n'a absolument rien à voir avec certains publics français et en l'occurrence du sud de la France. Voilà, ce sont des gens extrêmement chaleureux et gentils et qui vous respectent.

Patrick : Alors, moi, je suis allé à Berlin et j'ai vraiment adoré cette ville. En fait, d'abord, quand on arrive il y a a... C'est très grand, c'est immense. C'est...

je crois, c'est huit fois plus grand que Paris et comme je suis parisien donc je vois la différence. Et, à Paris, il y a une sensation de densité comme ça, alors qu'à Berlin c'est une sensation d'espace et de liberté. Les avenues sont très très larges. Puis, il y a énormément d'espaces verts. Il y a des parcs. Il y a des parcs à l'intérieur même de la ville. On a l'impression quand on est dans un parc, on a l'impression d'être dans une forêt. Des parcs avec des petits lacs, des petits trucs comme ça. Et puis, alors, ce qui est étonnant, ce qui m'a frappé aussi, c'est que c'est une ville qui est en construction en permanence. Il y a des chantiers partout, partout...

p. 43 – Test 4

H : Tiens, il y a une course camarguaise aujourd'hui. Vous en avez déjà vu ?

F : Ah non, c'est avec des taureaux. Quand on fait souffrir les animaux, je n'aime pas du tout.

H : Attendez, dans la course camarguaise, le taureau ne souffre pas. Ça n'a rien à voir avec la corrida espagnole. D'ailleurs, les taureaux, ils sont nés ici, en Camargue. Ce ne sont pas les mêmes que ceux des corridas.

F : Ils ne sont pas dangereux ?

H : Si, quand même. Ça dépend de leur âge. Il y a les jeunes taureaux pour les jeunes des villages et puis des taureaux de trois ans pour les professionnels, les razeteurs.

F : Comment vous dites ? Les razeteurs ?

H : Oui, je vous explique. Dans la région, dans chaque village, il y a une arène. C'est une piste ronde entourée de places assises. Et là, on lâche un taureau. Pas n'importe quel taureau. Il appartient à une manade, c'est-à-dire à un élevage de la région qui sélectionne les meilleures bêtes... Et, sur chaque corne du taureau, on a fixé un petit morceau de tissu rouge qu'on appelle une cocarde... Et le but du jeu, pour le razeteur, c'est d'attraper cette cocarde en courant vers le taureau et en l'évitant au dernier moment. Et ça, ça s'appelle un razet parce qu'il passe tout près des cornes du taureau.

F : Et il ne se fait pas prendre ?

H : Ça peut arriver mais c'est rare... Mais ici, la vedette c'est plus le taureau que les razeteurs. Il y en a qui sont des stars, qui ont leur statue sur les places des villages...

Leçon 5

p. 51 – L'interview

• Bonjour, alors, vous allez nous parler un petit peu de votre parcours professionnel.

– Oui, donc après avoir passé mon bac j'avais quand même ce désir d'être comédienne très, très fort donc une petite lutte avec mes parents...

• Alors, je vous coupe, vous avez eu quel bac ? Quel type de bac ?

– Bac A1, à l'époque c'était littéraire. Voilà mais je prenais en parallèle des cours de théâtre. J'ai commencé le conservatoire de Limoges à 14 ans. Mes parents ont déménagé, on est allés sur Évreux donc théâtre d'Évreux avec une méthode très différente et ensuite le cours Simon à Paris pendant trois ans. Voilà, donc j'ai arrêté après mon bac les études. Je suis rentrée dans des études, ce que j'appelle les études théâtrales, avec des formations diverses et puis un studio, un studio qui s'appelle Pygmalion qui m'a fait voir une approche concrète de la caméra et de la gestion de ses émotions dans le cadre du métier de comédien. Et puis, donc, j'ai commencé à travailler. Et j'ai fait des spectacles pour enfants. J'ai monté ma compagnie de théâtre et...

• Vous avez travaillé tout de suite comme comédienne.

– Oui, tout de suite

• Ça a été difficile, au départ ?

– C'est difficile, effectivement mais j'ai tout de suite

commencé, pas autant que je l'aurais souhaité. C'est pour ça que j'ai monté une compagnie, des spectacles, des spectacles à sketchs principalement et puis, bon, des choses plus classiques type Feydeau. Ensuite j'ai fait...

• Des sketchs que vous écriviez vous-même ou des sketchs que vous trouviez dans la... ?

– Oui, oui, oui, non, non, que j'écrivais moi-même et avec un copain. Voilà, on s'est bien amusés. Et puis la mise en scène. Et rapidement j'en ai eu marre aussi de dépendre du désir des autres parce que c'est, c'est un métier qui est très difficile et j'avais pas tellement envie de travailler avec les gens de ce milieu, et comme mon père était de l'entreprise, une entreprise assez classique. Il était directeur des ressources humaines, et gamine j'avais travaillé un petit peu là-bas et ça m'intéressait, le personnel de l'entreprise. Et j'ai voulu donc faire le pont entre les formations que j'avais reçues, ce qui me semblait efficace en tout ce qui concerne l'assurance, la prise de parole en public, la maîtrise du stress, la gestion de ses émotions, la gestion de conflit également et puis la notion de groupe qu'on retrouve dans notre métier de comédien, sur un plateau avec des équipes. Eh bien j'ai voulu le mettre au service de l'entreprise et j'ai monté un programme.

• Et vous pensiez que ça, ça pouvait servir à des gens ?
– Absolument.

• Dans une entreprise...
– Oui, voilà, j'ai monté un programme...

• Les gens avaient besoin de ça, en fait.
– Oui, oui, ils avaient besoin de ça et d'ailleurs, eh ben ça fait à peu près huit ans que j'exerce et que je mets ces compétences au service des collaborateurs de l'entreprise. Voilà, donc des actions de formation et puis, j'utilise parfois le théâtre, également, pour monter des spectacles qui sont là pour gérer des problématiques d'entreprise. Voilà.

• D'accord, très bien. Il ne me reste plus qu'à vous remercier.
– Mais c'est moi. Bonne journée.

• Bonne journée à vous aussi. Au revoir.

p. 57 – Le document sonore

H : Qu'est-ce que tu penses de ce Guillaume Ducros ?

F : Il y a un point positif, c'est qu'il est enseignant depuis dix ans. Il a eu une formation de prof.

H : Oui mais bon. Quand je lui ai demandé pourquoi il voulait quitter son travail de prof, sa réponse ne m'a pas satisfait. J'aurais aimé qu'il me dise : « J'ai eu beaucoup de plaisir à enseigner pendant dix ans. J'ai envie de continuer à transmettre quelque chose aux jeunes mais en évoluant. » Or il a dit... Tu te souviens de ce qu'il a dit ?

F : « J'ai envie de changer. »

H : J'ai envie de changer, voilà. Je suis pas sûr qu'il ait de l'autorité, du charisme, qu'il passionne les jeunes.

F : Il s'occupe quand même de jeunes dans une association. Il leur fait faire du théâtre. C'est un signe, ça prouve qu'il est dynamique. Et puis ça se voyait qu'il le voulait, ce poste... En tout cas, ce qu'on peut pas lui enlever c'est qu'il connaît bien son sujet. Quand on lui a parlé de Maurice Denis, il savait qu'il y avait des peintures de lui au musée de Montréal... et puis il a une licence d'histoire de l'art.

H : C'est vrai, c'est un bon point... et j'ai l'impression que c'est quelqu'un de très organisé. C'est lui qui gère son association. Il a dit aussi qu'il faisait la brochure d'activités. Je pense que pour les plannings, les contacts, il irait bien.

F : Oui, toi tu as des doutes sur ses aptitudes avec les jeunes mais moi, je trouve qu'avec nous il a été très détendu, clair, un peu d'humour parfois... Je l'ai trouvé bien... De toute façon on peut toujours le prendre à l'essai... On verra bien.

Leçon 6

p. 59 – L'interview

Anne-Laure Parot : Ce qu'on constate quand même, et ça on le voit tous les jours, c'est que toutes les entreprises ont une politique du « toujours plus ». Il faut toujours, toujours plus de performance, avec en même temps, une plus grande autonomie des salariés… C'est-à-dire qu'on a l'impression qu'ils sont très autonomes mais en réalité ils ont de plus en plus de comptes à rendre à la hiérarchie. Ils doivent suivre des procédures. Ils doivent faire constamment du reporting. Et ce qui n'arrange rien c'est que leurs managers connaissent de moins en moins leur travail… je veux dire le travail de la base parce qu'ils sont eux-mêmes préoccupés par d'autres contraintes comme le reporting et des choses comme ça. Ça c'est un fait, et le deuxième fait c'est que les managers viennent de moins en moins du terrain.

L'animateur : Dans les grandes entreprises plus que dans les PME, non ? Vous intervenez dans les deux…

Anne-Laure Parot : J'interviens dans les deux. Oui, j'ai le sentiment quand même que dans les petites entreprises il y a encore les règles du métier qui existent. C'est-à-dire que le chef connaît le métier. Le chef, il sait comment on monte un mur. Il sait comment on doit faire. Tandis que maintenant dans les grandes entreprises eh bien les chefs, ils savent faire du reporting, ils savent faire des bilans. Ils savent faire tout ça. Ils savent pas forcément monter le mur. Donc quand le salarié il a un problème, il se retourne vers son chef. Son chef, il sait pas non plus. Il dit : « Débrouille toi ! »

p. 64 – L'interview

Patrick : Alors, moi, j'ai travaillé dans une société de courses. Alors le nom, c'est assez drôle parce que ça s'appelait CGV, ça voulait dire « Courses à grande vitesse » et donc je suis tombé sur… C'était une petite, toute petite entreprise qui venait de se créer et j'étais un des premiers arrivants dans l'entreprise et alors je suis tombé sur un responsable qui, pour moi, était génial parce que, tout de suite, je sais pas pourquoi, parce que le contact passait bien avec lui mais il m'a fait confiance tout de suite il m'a confié des responsabilités. Et alors, et je trouvais ça un petit peu, un petit peu bizarre en même temps. Et donc mon titre dans la société c'était « directeur logistique », donc j'étais censé m'occuper un petit peu d'organisation, je me suis même occupé de recrutement de coursiers donc je faisais des entretiens d'embauche. C'était marrant parce que quinze jours avant c'était moi qui étais en entretien d'embauche et puis quinze jours après c'est moi qui étais chargé de recruter des personnes et, en fait, petit à petit, les rapports se sont dégradés parce que l'entreprise était en grande difficulté donc le responsable qui était très sympa, petit à petit, il a commencé à m'amener à faire des choses que j'avais pas vraiment envie de faire et qui m'intéressaient plus du tout, quoi. Les rapports entre lui et moi se sont un petit peu dégradés jusqu'au jour où… Je me suis… Enfin… Au bout d'un mois j'ai pas reçu mon salaire. Au bout d'un mois et demi non plus, etc. Donc là on est rentré vraiment en confit et puis j'ai décidé d'arrêter le travail et puis finalement ça s'est terminé aux prud'hommes. Donc d'un truc assez positif au départ avec une grande confiance, où j'avais plein de responsabilités je me suis rendu compte que le travail, c'était un travail complètement merdique, que la société n'avait pas d'argent et puis, ça s'est très mal terminé en fait. Bon, j'ai gagné aux prud'hommes puisque c'était une société qui payait pas les salaires donc ça a été assez facile de gagner. Voilà.

Leçon 7

p. 67 – Le micro-trottoir

Bertrand : Non, je ne pense pas que le livre va disparaître. On a peut-être peur, en effet, qu'avec les téléphones portables, Internet et tout ce qui évolue maintenant. Mais c'est quelque chose qui a toujours été là. Un bouquin dans sa poche c'est un plaisir dans le métro, dans le train, dans l'avion, partout on peut se balader avec et c'est toujours un plaisir de découvrir un nouvel auteur et de nouveaux mots surtout.

Patrick : Moi, je pense que ça peut, petit à petit, enfin, dans quelques années, disparaître parce que on voit, de plus en plus, apparaître des livres électroniques, c'est-à-dire ce sont des espèces de petites tablettes comme des écrans d'ordinateurs qu'on peut mettre dans sa poche, dans son sac. On peut partir en voyage avec et l'intérêt de ça c'est que on peut mettre plusieurs livres à l'intérieur, c'est-à-dire on peut mettre carrément toute sa bibliothèque. On peut partir en voyage avec un livre d'histoire, avec un roman, avec une pièce de théâtre, avec un livre de philo, et cetera, et je trouve ça super pratique. Alors, à partir du moment, moi, je trouve qu'à partir du moment où les gens continuent à lire, si le livre papier est remplacé par des petites tablettes électroniques et ben pourquoi pas. Moi, je trouve ça assez pratique et puis ça s'abîme pas et puis ça prend moins de place, ça prend pas la poussière. Voilà, ouais, ça peut…

p. 72 – L'interview

Le journaliste : Longtemps la contrefaçon n'a touché que les produits de luxe… Aujourd'hui tous les secteurs de l'économie sont atteints par ce fléau… pièces automobiles… prêt-à-porter… jouets ou encore médicaments… En 2005 la douane française a saisi plus de 5 millions d'articles soit deux fois plus qu'en 2004 et on estime que la contrefaçon contribue à supprimer 30 000 emplois en France chaque année… L'achat d'une contrefaçon est un acte illégal et dangereux… Les explications de Mylène Duclay de la subdivision des douanes de Limoges.

Mylène Duclay : Alors les dangers outre économiques pour le consommateur ils sont bien évidemment en termes de santé publique pour tout ce qui concerne les produits comme les jouets pour enfants hein… puisque toutes les normes de sécurité qui sont réalisées sur les vrais jouets eh bien elles ne sont pas réalisées sur les contrefaçons… donc ça peut être des cheveux de poupée qui s'arrachent et que l'enfant peut avaler… les yeux des oursons… Pour ce qui est des médicaments bien évidemment le dosage ne sera plus du tout le même… il peut être soit sur-dosé soit sous-dosé ou alors contenir des produits toxiques… Concernant les contrefaçons de pièces automobiles eh bien le risque peut tout simplement être que le pare-chocs ou le pare-brise ne vont pas du tout absorber les chocs comme ils devraient le faire et donc éclater en cas d'impact.

Le journaliste : Mais comment reconnaître un produit contrefaisant ? Pas si difficile que ça. Il y a des signes qui ne trompent pas.

Mylène Duclay : Pour commencer à avoir des doutes sur l'authenticité d'un produit… c'est la qualité… Par exemple le sac d'une grande marque qui est réputé être vendu en cuir sera… quand il sera contrefait il sera en vinyle ou en synthétique. Il y a également la qualité des coutures… la fermeture Éclair qui peut fonctionner plus ou moins bien… Alors le prix est bien évidemment très, très inférieur à l'authentique… Pour revenir à un sac de grande marque qui pourra se trouver à peu près à 350-500 € sur le marché du vrai, en contrefaçon le prix est divisé par dix, quasiment, puisque les contrefaçons sont vendues entre 35 et 50 €.

Leçon 8

p. 75 – Sur le vif

Béatrice : Dis donc j'ai l'impression que tu as changé de téléphone, toi.

Valérie : Oui, c'est nouveau, je me suis acheté un nouveau téléphone avec mes points, mes points rouges, tu sais. Mais, en fait, je suis très déçue. Ça ne va pas du tout parce que c'est un digital. Alors, apparemment, c'est à la pointe de la technologie mais…

Béatrice : Mais toi, t'es pas à la pointe…

Valérie : Non, non, moi, j'aime bien les gros téléphones que l'on peut bien manier, avec lequel il y a des touches qui s'enfoncent parce que là, en fait, tu effleures légèrement le téléphone tu te retrouves sur Internet, donc, voilà, en fait. Tu es en pleine conversation… Par exemple, la dernière fois j'ai voulu appeler la Sécurité sociale donc un 08. J'appelle. Donc on me fait patienter, bien sûr. J'arrive enfin à avoir quelqu'un et le lobe de mon oreille a frôlé mon téléphone ce qui fait que ça a coupé la conversation. J'étais furax, quoi. Ça m'arrive constamment. À chaque fois, voilà, la conversation est coupée parce que mon oreille a frôlé le…

Béatrice : Oui, c'est trop sensible.

Valérie : Voilà, c'est trop sensible et même dans le sac c'est pareil.

P. 80 – La séance de travail

Kévin Lefol : Voilà, je vous ai réunis pour que nous fassions le point sur le projet de Mme Kadouri. Chacun de vous a bien reçu le dossier ?…Très bien. Je laisse la parole à Madame Kadouri pour qu'elle vous en fasse une brève présentation.

Lydia Kadouri : Je vous remercie… En quelques mots, parce que vous avez déjà vu ça dans le dossier, il s'agit de la reconstruction du palais des Tuileries. Je rappelle que ce palais a été incendié en 1871 lors de la révolte de la Commune de Paris et que ces ruines ont été entièrement démolies vingt ans plus tard. Depuis cette époque, plusieurs fois, des gouvernements ou des associations ont pensé reconstruire ce palais mais ça ne s'est jamais fait. Je reconnais que ce projet peut paraître un peu fou mais vous avez pu voir dans mon dossier qu'il était tout à fait réalisable.

Jean-Pierre Renaud : Excusez-moi de vous interrompre. Si je puis me permettre, je ne vois pas l'intérêt d'une telle reconstruction. Cela va coûter une fortune pour un résultat probablement peu satisfaisant. On verra qu'il s'agit d'un faux, d'une imitation.

Élise Lorca : Je vous fais remarquer que la cathédrale d'Orléans a été entièrement reconstruite au XVIIIe siècle et que si Violet Leduc n'avait pas fait au XIXe siècle des restaurations lourdes et des reconstructions dans la France entière, les touristes n'auraient pas grand-chose à voir à Carcassonne ou à Avignon.

Lydia Kadouri : J'ajouterai, et je parle sous le contrôle de Mme Lorca, que techniquement cette restauration est possible. Sous les allées du jardin, les fondations du château sont intactes. La plupart des pierres de l'édifice sont toujours là. Elles forment le remblai du jardin le long de la Seine. Et nous avons aussi les plans et de nombreux dessins.

Kévin Lefol : Si on parlait du coût du projet…

Lydia Kadouri : Justement, j'allais y venir. Vous avez raison, c'est important. Nous estimons le projet à 500 millions d'euros et nous pensons qu'il pourrait se financer dans la durée. D'une part, on pourrait agrandir le musée du Louvre avec des collections plus contemporaines. On pourrait aussi y mettre le musée des arts décoratifs. Par ailleurs, nous prévoyons d'aménager un auditorium et un centre de séminaires et de réceptions ce qui permettrait de rentabiliser l'investissement.

Jean-Pierre Renaud : Excusez-moi de vous couper. Je doute que vous puissiez vous passer d'une aide de l'État et pensez-vous qu'elle sera justifiée aux yeux des Français ?

Lydia Kadouri : Juste pour terminer, je rappelle que le palais des Tuileries fait partie de la mémoire nationale. Il a été construit pendant la Renaissance et a servi de demeure royale et impériale. C'est un témoin de notre histoire.

Élise Lorca : Par ailleurs, je voudrais ajouter que cela se fait déjà dans les autres pays européens. Et l'enrichissement du patrimoine est approuvé par les citoyens. Regardez la construction du château de Berlin, la reconstruction de l'église Notre-Dame-de-Dresde, celle de l'opéra de Venise, la Fenice. Tous ces bâtiments avaient été détruits. Ils ont été reconstruits à l'identique mais souvent avec d'autres matériaux.

Jean-Pierre Renaud : Il y a tout de même une objection. Le Louvre prolongé par les jardins des Tuileries et la perspective jusqu'à l'Arc de Triomphe constitue un ensemble esthétique auquel les Parisiens et les touristes sont habitués. En reconstruisant le palais des Tuileries, vous allez casser cet équilibre.

Kévin Lefol : Moi, je pense qu'il serait bon de faire un sondage d'opinion auprès des Français et des touristes...

p. 81 – L'interview

La présentatrice : L'histoire se passe dans Manhattan, à Broadway. Deux marchands de journaux se sont installés l'un en face de l'autre, de chaque côté de la rue. Dans l'une des deux boutiques, les magazines sont parfaitement classés et enregistrés sur ordinateur. Dans l'autre, ils sont rangés un peu n'importe comment. Le patron, Essam, ne dispose d'aucun système informatisé d'inventaire pour savoir ce qu'il a vendu et quels titres il doit commander. Avec son assistant, ils ont tout dans leur mémoire et c'est quand ils ont un moment de libre qu'ils mettent un peu d'ordre.

Ce n'est pas une surprise, la première boutique vend plus de magazines que celle d'Essam. Mais au bout de quelque temps un des deux marchands fait faillite... Et ce n'est pas celui qu'on croit... C'est Essam, le désordonné, qui s'en sort. Certes, il vend moins de journaux que son voisin mais il fait plus de bénéfices car il a des frais extrêmement réduits : un seul assistant, pas de système informatique et il fait lui-même ses commandes et ses comptes.

Cette histoire est racontée par Éric Abrahamson dans son livre *Un peu de désordre égale beaucoup de profits*, publié chez Flammarion.

Éric Abrahamson est professeur de management à la Business School de l'université Columbia à New York. Dans ce livre il démontre que trop d'ordre, trop d'organisation n'est pas forcément rentable et peut bloquer la créativité.

Bilan 2

p. 83 – Test 3

Le journaliste : Vous venez d'ouvrir une librairie spécialisée dans la BD dans le centre-ville. Qu'est-ce qui vous a motivé ? Parce qu'il y a déjà deux librairies de ce type et on n'est pas dans une très grande ville.

La libraire : D'abord, c'est une passion. Ça peut paraître étonnant pour une femme mais je suis tombée dans la marmite toute petite et je n'en suis jamais sortie. Mon rêve c'était de vivre en faisant des scénarios. Et j'en ai fait mais... le succès n'a pas été là... Mais, enfin, je pense que je peux faire partager ma passion... J'ai envie d'être une simple vendeuse. Le monde de la BD, vous savez, c'est un peu une société secrète... Si le vendeur montre qu'il connaît bien son sujet on viendra chez lui.

J : Pas forcément pour acheter !

L : Mais j'espère que si ! Vous savez un bédéphile il a envie de posséder ce qu'il aime.

J : Il y a la concurrence des grandes surfaces...

L : Sur les produits vendus dans les grandes surfaces, je ne fais pas de marges. En revanche, je fournis les centaines de titres qui ne sont plus à la Fnac ou chez Carrefour.

J : Ça, il y a des sites Internet qui le font...

L : Oui mais on hésite quelquefois à acheter si on n'a pas vu... Et puis, je vais faire des animations. Je connais pas mal de dessinateurs, de scénaristes... Il y en a plein qui habitent la région... Donc je vais les faire venir pour des rencontres, des signatures... Et aussi Nîmes a son festival de la BD. Bon, c'est pas Angoulême mais ça fait partie de l'image de la ville... La librairie est bien située donc le touriste qui aime la BD et qui visite Nîmes il voit le magasin, il se dit : « Tiens, il y a peut-être quelque chose d'intéressant ! »

Leçon 9

p. 91 – Les titres du journal

Le présentateur : À la une ce matin, il y a bien sûr les JO, jour J. C'est dans 7 heures et 8 minutes que sera donné le coup d'envoi de ces jeux de Pékin, des jeux qui sont contestés par une partie de la classe politique. Nous entendrons à ce propos un député européen et un responsable du parti socialiste. Mais l'ouverture des JO c'est aussi la fête : on nous promet une cérémonie grandiose. Nous verrons cela en direct de Pékin, avec notre envoyé spécial.

L'actualité, ce matin, c'est aussi la situation en Ossétie du Sud. La Géorgie est passée à l'assaut cette nuit. Bombardements. Nous ferons le point depuis Moscou dans un instant.

Dans ce journal encore, l'instauration d'un service d'accueil à l'école les jours de grève. Le Conseil constitutionnel a validé le texte hier. Pour les syndicats, pas touche à mon droit de grève. Ils dénoncent la volonté, de la part du gouvernement, de remettre en cause les conditions d'exercice du droit de grève.

Des questions, ce matin, très nombreuses, après la mort d'une adolescente de 12 ans, hier, dans le département du Cher, victime de l'orage et, peut-être, nous verrons, de l'irresponsabilité de certains de ses moniteurs.

Et puis, beaucoup plus légèrement, on parlera également d'un grand retour : celui de l'espadrille.

p. 94 – Le document sonore

H : Tu te souviens de cette histoire... Ce type qui avait vendu la tour Eiffel. C'était après la guerre de 1914, je crois ?

F : Tiens, c'est amusant que tu parles de ça. Justement il y avait un reportage sur ça, à la télé, il y a deux jours.

H : Alors, ça s'est passé quand cette histoire ?

F : En 1925. En fait c'était une époque où la tour Eiffel commençait à rouiller et les autorités se demandaient si on la démolissait ou si ça valait la peine de la rénover.

H : Et c'est là qu'il y a un escroc qui s'est fait passer pour un vendeur.

F : Oui. Il s'appelait Victor Lustig ou quelque chose comme ça et il avait très bien monté son coup. Il s'était procuré du papier à lettre à l'en-tête du ministère des Postes. Parce que la tour Eiffel appartenait au ministère des Postes. Et avec ce papier il a écrit à cinq hommes d'affaires spécialisés dans le commerce des matières premières et leur a donné rendez-vous dans un grand hôtel parisien en précisant que c'était un rendez-vous secret.

H : Ah, oui, c'est ça... Et Lustig leur a dit qu'il était mandaté par le ministère pour négocier le démontage et la vente de la tour Eiffel.

F : Oui et ça a marché parce qu'il a bien joué son personnage. D'abord il a dit que tout ça devait être tenu secret pour ne pas affoler les Parisiens parce que beaucoup de Parisiens tenaient à la tour Eiffel... Ensuite, quand il a reçu les propositions des cinq industriels il a bien sûr sélectionné le moins expérimenté, un nouveau riche, et, ruse suprême, il lui a demandé une commission en liquide. Pour l'industriel tout paraissait normal.

H : Évidemment, dès qu'il a eu l'argent, Lustig s'est envolé !

F : Non, non. Il a empoché la commission et il a attendu de recevoir l'argent de la vente sur son compte. Ensuite il a retiré l'argent et il est parti à l'étranger.

H : Et l'homme d'affaires n'a pas porté plainte ?

F : Même pas ! Il avait trop honte de s'être fait avoir comme un débutant.

Leçon 10

p. 99 – L'interview

Claude Allard : Avec les jeux vidéo le risque c'est un peu le fossé des générations c'est-à-dire que, il m'apparaît très important que les parents soient informés et participent à ce que jouent leurs enfants avec les consoles vidéo, etc. La plupart du temps ils ignorent même la nature du jeu dont il s'agit. Et là, c'est bien là où il y a un problème, où il y a les enfants qui se couchent un peu plus tard que normalement, voire certains adolescents qui n'arrivent plus du tout à travailler parce qu'ils sont complètement focalisés sur leurs jeux. Lorsqu'il y a ces situations-là, c'est parce que, effectivement, il n'y a pas eu de règle pour jouer... C'est-à-dire qu'il y a les règles du jeu dans le jeu mais il y a aussi les règles en famille pour jouer... C'est-à-dire qu'il y a un temps pour jouer, il y a un temps pour s'amuser, il y a un temps pour travailler. Et puis, d'autre part je pense que le meilleur, je dirais, la relativisation des choses à obtenir c'est que, à côté d'une séquence de jeu vidéo avoir une séquence lecture, une séquence rêverie, une séquence cinéma, une séquence télévision, une séquence sport, activité ludique extérieure. Je pense que c'est dans le mélange de ces diverses activités que l'enfant va pouvoir trouver son équilibre. Mais s'il y a prévalence ou exclusivité c'est-à-dire s'il n'y a plus que cette fixation-là, là complètement il y a un problème, éventuellement pathologique lorsqu'on le rencontre.

p. 103 – La règle du jeu du 421

H : On fait une partie de 421 ?

F : Je sais pas jouer à ça !

H : Tu vas voir, c'est pas compliqué. On prend chacun 10 jetons. Ensuite ça se joue avec trois dés. Je commence. Je lance mes trois dés. Si je suis pas satisfait je peux rejouer deux dés une deuxième fois et ensuite un dé une troisième et dernière fois. Et ensuite, chacun joue à tour de rôle.

F : Et c'est celui qui a le plus grand nombre de points qui gagne ?

H : Non. Le but, c'est de se débarrasser de ses jetons. Alors je te donne les combinaisons gagnantes :
Si je fais 4-2-1, 421, c'est la meilleure combinaison. Je vais donner dix jetons au joueur qui aura la moins bonne combinaison.
Ensuite si je fais le même chiffre à chaque dé, trois 6, trois 5, trois 4. Là je me décharge de sept jetons que je donne à celui qui a fait la moins bonne combinaison. Ensuite si je fais une suite, par exemple, 4-5-6 ou 2-3-4 je donne deux jetons.
Et si je fais un double : deux chiffres les mêmes, je donne un jeton. Par exemple, si je fais 5-5-4 ou 5-5-2.

F : Et s'il y a plusieurs doubles, par exemple 4-4-1 et 3-3-1...

H : C'est le plus fort, le 4-4-1 qui gagne.

F : Donc si je fais 4-2-1 du premier coup je te donne tous mes jetons et j'ai gagné.

H : Exactement. T'as tout compris... Bon, on fait un coup pour rien ?

Leçon 11

p. 107 – L'interview

Émilie : Moi, c'est un roman que j'ai lu il y a longtemps qui s'appelle *Saga* de Tonino Benacquista qui m'a marqué parce que déjà il est très cinématographique je trouve ce roman et il m'a vraiment plu parce que... Voilà, l'histoire, c'est une chaîne commerciale qui souhaite, alors, c'est très imprécis ce que je vais dire mais, qui souhaite combler un vide la nuit et qui décide de monter une fiction et, une fiction pourrait vraiment quelque chose de basique, histoire enfin, voilà parce qu'ils ont des obligations par le CSA de remplir cette grille-là et ils ont de l'argent à dépenser mais très peu. Et donc ils vont faire appel à des scénaristes qui sont totalement désespérés de boulot, qui n'en n'ont plus déjà depuis bien longtemps, donc des gens qui sont alcooliques ou voilà, qui sont complètement dépassés par ce métier, qui ne travaillent même presque plus. Et finalement cette série prend des proportions incroyables, les gens se relèvent la nuit pour aller la voir. Voilà, les comédiens qui n'étaient pas forcément de très bons comédiens sont devenus des vedettes, enfin, voilà. On peut reprendre un petit peu ce qui se passe avec la série, là, « Les feux de l'amour ». Et puis, ben, du coup, ça prend des proportions incroyables, les scénaristes décident de tuer finalement leurs personnages, parce que eux ne s'y retrouvent pas, c'est une histoire un peu compliquée, ne s'y retrouvent pas, ils n'arrivent jamais à tuer leurs personnages et c'est très, très intéressant. Voilà, je vous donne juste envie de le lire... enfin parce que je ne me souviens plus vraiment de la fin.

p. 112 – L'interview

Béatrice : Moi, je vais de moins en moins au théâtre parce que, pas parce qu'il n'y a plus de bonnes pièces mais surtout parce que j'habite loin de Paris, qu'il faut rentrer tard la nuit mais là, l'autre jour, vraiment, j'ai été enchantée, enchantée. Je suis allée voir *Le Diable rouge* qui est une pièce qui se joue au théâtre Montparnasse avec Claude Rich et Geneviève Casile, bon, quelques autres comédiens que je ne connaissais pas encore et j'ai été enchantée parce que c'est ce que j'appelle moi du vrai théâtre c'est-à-dire un texte, une histoire, là en l'occurrence c'est l'Histoire avec un grand H, puisque c'est l'histoire de Mazarin et Anne d'Autriche et l'avènement de Louis XIV. Le texte est super, les comédiens sont super, le décor, le dispositif scénique est absolument merveilleux et j'ai passé une soirée, voilà, de plaisir, le genre de soirée où l'on sort un petit peu plus intelligent. Enfin si on est entré très bête on sort pas forcément très intelligent mais on a l'impression de sortir un petit peu plus intelligent et ça fait plaisir.

Leçon 12

p. 115 – L'interview

Gilles de Romilly : Il est fou... à sa manière il est fou... car il faut bien un petit grain de folie pour se lancer dans une aventure pareille... un tour du monde... mais pas n'importe quel tour du monde... du Québec au Brésil... du cap de Bonne-Espérance à Londres... puis on pousse jusqu'à Tokyo avant de revenir à Montréal par la côte Ouest... non sans un petit détour par l'Australie et la Nouvelle-Zélande...

Jusque-là un tour du monde comme les autres me direz-vous... sauf que Jean Béliveau... notre gentil fou... son tour du monde il le fait à pied... Six ans déjà que ce Québécois de 45 ans a quitté Montréal avec pour seuls bagages une tente... un sac de couchage et quelques affaires de rechange... Depuis août 2000 il n'est jamais rentré chez lui... 36 000 kilomètres parcourus... une trentaine de pays visités... c'est un record... mais le périple est loin d'être terminé car la boucle ne sera bouclée qu'en 2012... Gaël Letanneux l'a rencontré à son arrivée à Paris... C'était en juin dernier... À ce moment-là Jean Béliveau était à mi-parcours.

Jean Béliveau : Je me sens très heureux parce que là c'est mon entrée à Paris... et puis donc pour moi Paris c'est un événement important dans ma marche parce que bon premièrement mes ancêtres sont français... puis aussi en même temps c'est la moitié de ma marche... c'est 36 000 kilomètres maintenant sur 70 000... il y a l'équivalent de vingt-neuf paires de chaussures usées et puis bon ça représente mille... mille cent... mille deux cents familles qui m'ont reçu... Tout ce que j'ai... mon chariot et les sacs tout ça... ça a été en majeure partie donné... Le petit Péruvien qui m'a donné trois petites patates chaudes avec un petit sourire pour moi c'est incroyable.

p. 120 – L'interview

Michel Serres : Je marche donc je suis... je suis un marcheur et donc mes vacances se passent à marcher... je marche pourquoi... parce que ça me permet de ruminer mes pensées... que le rythme de la marche est musical pour les oreilles... éblouissant pour les paysages et que les médecins m'ont démontré que l'activité musculaire permettait d'éviter des fractures des os importants et que la vieillesse doit marcher... et comme je suis vieux je marche... je marche donc je suis... on ne marche pas n'importe où... on marche sur des GR... alors citons-en trois ou quatre... le GR 20 qui va du nord au sud de la Corse... qu'il faut éviter si on n'est pas un alpiniste assez expert... le GR 65 qui va à Saint-Jacques-de-Compostelle... alors si vous sortez de Conques par le Pont romain vous attaquez à un moment une montée un peu raide et un peu caillouteuse... mais alors un petit panneau vous dit à quel point vous êtes récompensé ou consolé de vos efforts puisqu'il vous dit... Saint-Jacques-de-Compostelle 1279 kilomètres... vous dites, vous... ou vous vous dites...

Michel Polacco : On est sur la bonne voie.

Michel Serres : On est presque arrivé... on est sur la bonne voie... n'oublions pas surtout le GR 34 qui fait le tour de la Bretagne... qui est quelquefois sur des falaises et quelquefois au ras de la plage... qui est sublime... n'oublions pas le GR 5 qui va de Chamonix à Nice... et même le GR 54 qui fait le tour du Queyras... le paysage dont je parle et qu'on rencontre dans le GR parce qu'on rencontre à la fois le paysage... qu'on rencontre les autres et qu'on rencontre soi-même.

Michel Polacco : On rencontre les autres dans les chemins de grande randonnée.

Michel Serres : Oui... je vais vous raconter une rencontre que j'ai faite sur le GR... J'ai rencontré un père et une mère qui étaient attelés à une sorte de carriole avec une grande roue et dans l'habitacle duquel était leur enfant et leur enfant handicapé... et je me suis arrêté pour leur dire que j'avais une admiration considérable pour eux... et s'ils m'entendent aujourd'hui je voudrais leur dire à quel point je les ai admirés et que, même un peu étranglé par les larmes, je n'ai pas pu leur parler longtemps tellement j'étais en admiration devant eux... Voyez que en marchant dans le GR on fait des rencontres absolument merveilleuses d'humanité.

Leçon 13

p. 124 – Test 3

Bertrand : Un an de vacances et de l'argent, ouah !... Moi, ce que je fais c'est, je m'achète une moto et je fais le tour du monde en moto et voilà. Et comme ça je découvrirais de nouvelles personnes, de nouvelles façons de vivre. J'aime beaucoup la musique donc j'apprendrais de nouveaux instruments mais voilà, un beau tour du monde en moto.

Patrick : Alors, moi, en fait, je suis tombé sur un livre, une fois, qui s'appelle « Les mille » ou « Les cinq cents lieux les plus magnifiques qu'il faut avoir vus dans sa vie avant de mourir ». Alors, voilà, en fait, je voudrais faire ça c'est-à-dire, d'abord je vais aller m'acheter le livre, là, tout à l'heure, et puis je vais répertorier tout ce qu'il faut avoir vu dans sa vie avant de mourir dans plusieurs pays c'est-à-dire... Alors, évidemment ça implique de faire le tour du monde mais alors, ça peut être des villes, ça peut être des paysages, ça peut être les chutes du Niagara, ça peut être la tour Eiffel, ça peut être plein, plein de choses comme ça. Voilà, c'est ça qui m'intéresserait et puis, c'est faire ça à deux ou trois et j'aimerais bien faire ça avec un guide qui soit un peu, quelqu'un... un historien, un philosophe, qui m'explique toutes les choses, qui m'explique tout ce que je ne connais pas, tout ce que j'ai envie d'apprendre, voilà...

Émilie : Ben, moi, c'est vrai que si j'avais dû choisir un métier, enfin si ce métier m'avait choisi ça aurait été mannequin pour pouvoir changer de fringues en permanence. Ça, ça, j'aurais adoré. Et j'aurais un coiffeur à domicile, voilà, pour être toujours bien coiffée parce que c'est toujours un enfer. Et puis, et puis, ben des fringues c'est-à-dire que je puisse en changer tous les jours, voyez. C'est... Voilà, une armoire et tous les jours des choses nouvelles et alors, des chaussures aussi, une paire de chaussures chaque jour, ça j'adorerais. Voilà ce que je ferais.

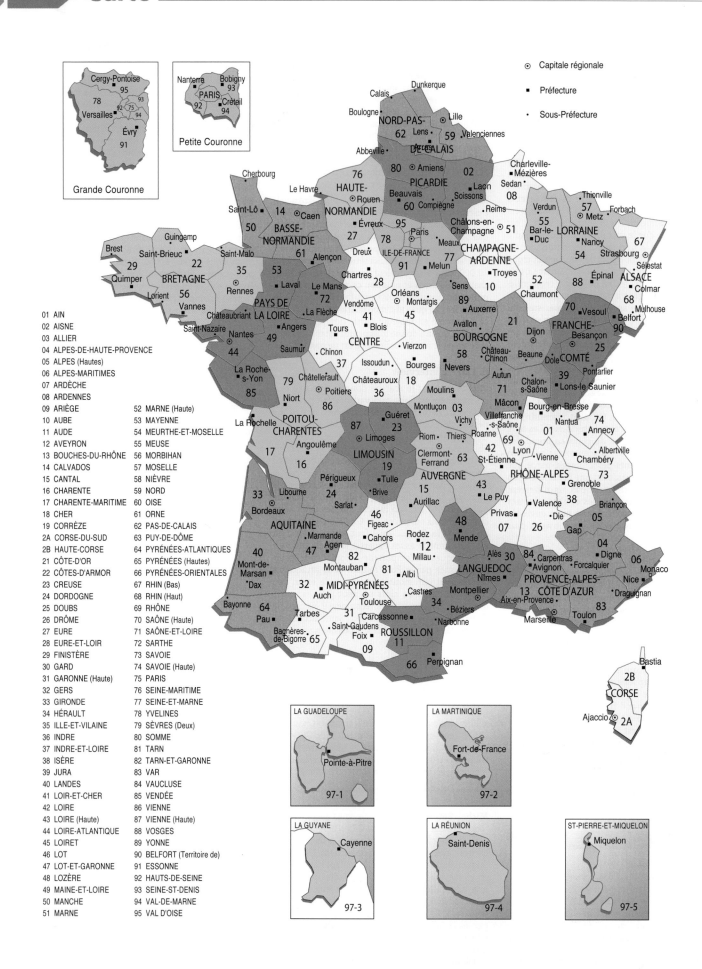

Capitale régionale
⊙

Préfecture
■

Sous-Préfecture
·

Grande Couronne

Cergy-Pontoise
95
78
93
Versailles 92 75 94
Évry
91

Petite Couronne

Nanterre Bobigny 93
PARIS
92 Créteil
94

01 AIN
02 AISNE
03 ALLIER
04 ALPES-DE-HAUTE-PROVENCE
05 ALPES (Hautes)
06 ALPES-MARITIMES
07 ARDÈCHE
08 ARDENNES
09 ARIÈGE
10 AUBE
11 AUDE
12 AVEYRON
13 BOUCHES-DU-RHÔNE
14 CALVADOS
15 CANTAL
16 CHARENTE
17 CHARENTE-MARITIME
18 CHER
19 CORRÈZE
2A CORSE-DU-SUD
2B HAUTE-CORSE
21 CÔTE-D'OR
22 CÔTES-D'ARMOR
23 CREUSE
24 DORDOGNE
25 DOUBS
26 DRÔME
27 EURE
28 EURE-ET-LOIR
29 FINISTÈRE
30 GARD
31 GARONNE (Haute)
32 GERS
33 GIRONDE
34 HÉRAULT
35 ILLE-ET-VILAINE
36 INDRE
37 INDRE-ET-LOIRE
38 ISÈRE
39 JURA
40 LANDES
41 LOIR-ET-CHER
42 LOIRE
43 LOIRE (Haute)
44 LOIRE-ATLANTIQUE
45 LOIRET
46 LOT
47 LOT-ET-GARONNE
48 LOZÈRE
49 MAINE-ET-LOIRE
50 MANCHE
51 MARNE

52 MARNE (Haute)
53 MAYENNE
54 MEURTHE-ET-MOSELLE
55 MEUSE
56 MORBIHAN
57 MOSELLE
58 NIÈVRE
59 NORD
60 OISE
61 ORNE
62 PAS-DE-CALAIS
63 PUY-DE-DÔME
64 PYRÉNÉES-ATLANTIQUES
65 PYRÉNÉES (Hautes)
66 PYRÉNÉES-ORIENTALES
67 RHIN (Bas)
68 RHIN (Haut)
69 RHÔNE
70 SAÔNE (Haute)
71 SAÔNE-ET-LOIRE
72 SARTHE
73 SAVOIE
74 SAVOIE (Haute)
75 PARIS
76 SEINE-MARITIME
77 SEINE-ET-MARNE
78 YVELINES
79 SÈVRES (Deux)
80 SOMME
81 TARN
82 TARN-ET-GARONNE
83 VAR
84 VAUCLUSE
85 VENDÉE
86 VIENNE
87 VIENNE (Haute)
88 VOSGES
89 YONNE
90 BELFORT (Territoire de)
91 ESSONNE
92 HAUTS-DE-SEINE
93 SEINE-ST-DENIS
94 VAL-DE-MARNE
95 VAL D'OISE

LA GUADELOUPE
Pointe-à-Pitre
97-1

LA MARTINIQUE
Fort-de-France
97-2

LA GUYANE
Cayenne
97-3

LA RÉUNION
Saint-Denis
97-4

ST-PIERRE-ET-MIQUELON
Miquelon
97-5

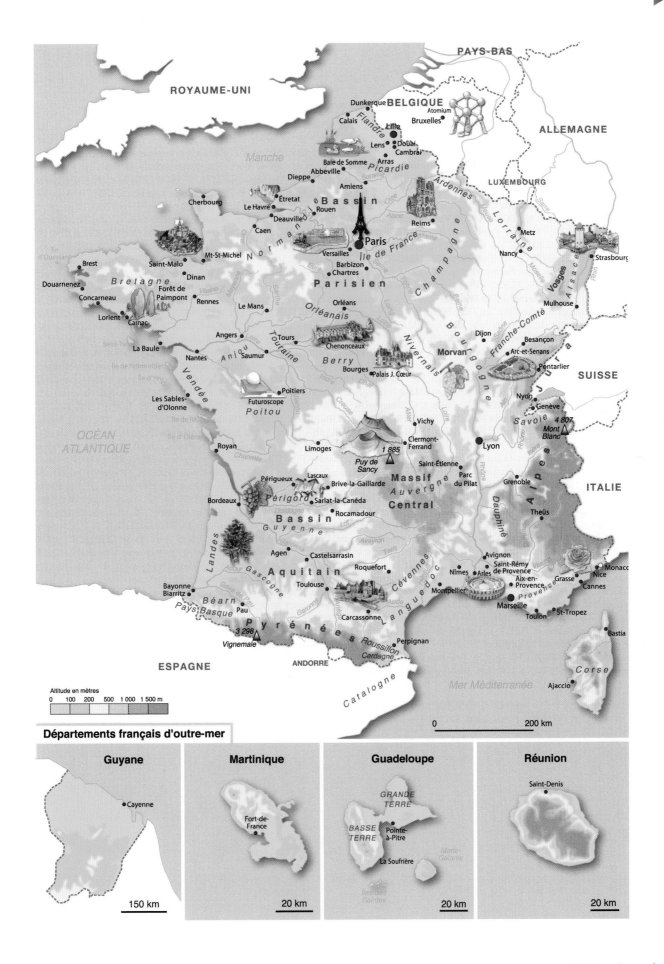

PAYS-BAS

ROYAUME-UNI

Dunkerque BELGIQUE

Calais

Flandre

Lille

Atomium

Bruxelles

ALLEMAGNE

LUXEMBOURG

Lens Douai

Cambrai

Manche

Baie de Somme

Abbeville

Arras

Picardie

Dieppe

Amiens

Somme

Ardennes

Meuse

Lorraine

Metz

Nancy

Moselle

Vosges

Alsace

Strasbourg

Cherbourg

Étretat

Le Havre

Deauville

Bassin

Rouen

Oise

Aisne

Reims

Marne

Champagne

Rhin

Caen

Normandie

Paris

Versailles

Île de France

Parisien

Barbizon

Chartres

Bourgogne

Franche-Comté

Dijon

Besançon

Arc-et-Senans

Pontarlier

Mulhouse

Jura

SUISSE

Brest

Saint-Malo

Dinan

Mt-St-Michel

Bretagne

Forêt de

Paimpont

Rennes

Le Mans

Orléanais

Orléans

Loing

Seine

Morvan

Nivernais

Douarnenez

Concarneau

Lorient

Carnac

Angers

Anjou

Touraine

Tours

Saumur

Chenonceaux

Berry

Bourges

Palais J. Cœur

Loire

Nyon

Genève

4 807

Mont

Blanc

La Baule

Nantes

Vendée

Poitiers

Futuroscope

Poitou

Indre

Creuse

Allier

Vichy

Savoie

OCÉAN

ATLANTIQUE

Royan

Charente

Limoges

Puy de

Sancy

1 885

Clermont-

Ferrand

Saint-Étienne

Lyon

Parc

du Pilat

Grenoble

Alpes

Dauphiné

Théüs

ITALIE

Périgueux

Lascaux

Brive-la-Gaillarde

Massif

Auvergne

Rhône

Bordeaux

Périgord

Sarlat-la-Canéda

Rocamadour

Central

Bassin

Guyenne

Aveyron

Landes

Agen

Castelsarrasin

Tarn

Roquefort

Cévennes

Avignon

Saint-Rémy

de Provence

Verdon

Monaco

Bayonne

Biarritz

Gascogne

Aquitain

Toulouse

Garonne

Aude

Languedoc

Nîmes

Arles

Aix-en-

Provence

Grasse

Nice

Cannes

Béarn

Pays Basque

Pau

Gave du Pau

Pyrénées

Carcassonne

Montpellier

Provence

Marseille

Toulon

St-Tropez

3 298

Vignemale

Roussillon

Cerdagne

Perpignan

Bastia

ESPAGNE

ANDORRE

Catalogne

Corse

Mer Méditerranée

Ajaccio

Altitude en mètres

0 100 200 500 1 000 1 500 m

0   200 km

Départements français d'outre-mer

Guyane	Martinique	Guadeloupe	Réunion

Cayenne

Fort-de-

France

GRANDE

TERRE

BASSE

TERRE

Pointe-

à-Pitre

La Soufrière

Marie-

Galante

Îles Bas

Saintes

Saint-Denis

150 km

20 km

20 km

20 km

MP3

Références des documents sonores :

1. France Inter, extrait de « Le téléphone sonne » du 15/08/2007, « La mode des pèlerinages », © Ina, 2007.

2. *Le français dans le monde*, « Défi pour la Terre », extrait du CD 347, M. Édouard Garzaro.

3. *Le français dans le monde*, « Une maison écologique », extrait du CD 356, M. Yaël Goosz.

4. *Le français dans le monde*, « La contrefaçon », extrait du CD 350, M. Édouard Garzaro.

5. France Inter, extrait de « Le téléphone sonne » du 26/12/2007, « Jouer c'est sérieux mais est-ce dangereux ? », © Ina, 2007.

6. *Le français dans le monde*, « Un tour du monde à la marche », extrait du CD 350, M. Édouard Garzaro.

7. *Le français dans le monde*, « Les sentiers de la randonnée », extrait du CD 356, M. Gilles Halais.

CLE International remercie France Inter, l'Ina et Élisa Chappey, responsable des CD audio de la revue *Le français dans le monde*.

N° de projet : 10226861 - Dépôt légal : novembre 2013
Imprimé en mai 2016 par I.M.E. - 25110 Baume-les-Dames